Rita Münster führt ein ruhiges Leben. Nach einigen Jahren der Berufstätigkeit wohnt sie zusammen mit ihrem Vater in dessen behaglichem Vorstadthaus mit Garten und hilft regelmäßig in einer Buchhandlung aus. Ihr Alltag ist erfüllt von der scharfsinnigen, detailgenauen, unsentimentalen, nicht selten boshaften Beobachtung ihrer Umwelt: Verwandte, Liebespaare, Vorstadthelden, Freundinnen, allesamt angetrieben von einem leidenschaftlichen, immer wieder scheiternden Streben nach Glück. Erst als sie eine kurze Liebesgeschichte erlebt mit einem Mann, der bald wieder aus ihrem Gesichtsfeld verschwindet, kann sie für sich selbst eine autonome Glücksvorstellung entwickeln. – »Indem Brigitte Kronauer die Dinge und unsere Reaktionen darauf so genau beschreibt wie unter dem Mikroskop, vergewissert sie sich der Welt ... Die Sinnlichkeit und Vitalität ihrer Prosa wird durch die Klarheit des Ausdrucks gebändigt.« (Ulrike Plog in ›Brigitte‹)

Brigitte Kronauer wurde am 29. Dezember 1940 in Essen geboren. Sie studierte Germanistik und Pädagogik und war einige Zeit als Lehrerin tätig. Heute lebt sie als freie Schriftstellerin in Hamburg.

Brigitte Kronauer

Rita Münster

Roman

Klett-Cotta
Deutscher Taschenbuch Verlag

Von Brigitte Kronauer
sind im Deutschen Taschenbuch Verlag erschienen:
Die gemusterte Nacht (11037)
Berittener Bogenschütze (11291)
Die Frau in den Kissen (12206)
Frau Mühlenbeck im Gehäus (12732)
Das Taschentuch (12888)
Schnurrer (12976)
Teufelsbrück (13037)

Ungekürzte Ausgabe
September 1991
2. Auflage August 2005
Deutscher Taschenbuch Verlag GmbH & Co. KG,
München
www.dtv.de
© 1983 J. G. Cotta'sche Buchhandlung Nachfolger GmbH,
gegr. 1659, Stuttgart
Umschlagkonzept: Balk & Brumshagen
Umschlagbild: ›Ohne Titel (Portrait)‹ (1967/77) von Sigmar Polke
Gesamtherstellung: Druckerei C. H. Beck, Nördlingen
Gedruckt auf säurefreiem, chlorfrei gebleichtem Papier
Printed in Germany · ISBN 3-423-11430-4

Teil I

Da, damals, die kleine alte Frau im grellen Gras: Was für Knöchelchen! Manchem zuckte sicher der Arm, sie zu nehmen und ohne zu fragen als lustig schimpfenden Vogel in einen Baum zu setzen. Mit winzigen Absätzen trat sie auf Gänseblumen, kreuz und quer ging es über die Wiese. Das große Haupt machte mit, wie das Körperchen ohne Widerstand, Wollen, Plan sich ziehen und rumreißen ließ, ganz nach den Wünschen des Hundes an ihrer, an seiner Leine. Ein Mops im Geschirr, der unberechenbare Figuren lief. Schließlich führten ihn enge Spiralen an einen Punkt. Er saß, sie stand still bei der erwählten Stelle, geduldig, warf einen knappen Blick auf das erledigte Geschäft, auch zum düsteren Himmel – beifällig nickte der schwere Kopf –, rief: »Nun aber ab!« und zog, jetzt plötzlich voll Energie, mit frischem, selbstbewußtem Getrappel ohne Nachsicht den Mops mit sich fort.

Etwas Unwichtiges drängte sich auf, ich sagte es zu Frau Wagner. Sie öffnete einen Schirm. Ich redete sie mit Ruth an, damals, wir taten befreundet: »Diese Frau hat einen typischen Wildsaubau, oben protzig, unten gelenkig und flott.« Ihr gefiel das nicht, sie probierte was mit dem Gesicht, als sie mich ansah. Jetzt wußte sie wieder, daß ich doch nicht recht zu ihr paßte. Ich fügte hinzu, was für mich, zwei Tage vorher, eine Entdeckung gewesen war: »Kürzlich kam ich an einem Garten mit klitzekleiner Säuglingswäsche vorbei. Zum ersten Mal in meinem Leben hat es mich gerührt.« Auf diese Art konnte ich bei Ruth Wagner nichts reparieren, mir lag auch gar nicht ernsthaft daran. Zu Vorbehalten war sie ja immer aufgelegt, ein Mensch wie eine Wasserlache, die sich an der Tischkante staut, ganz kurz vor dem Runterfließen, ein jahrelang anschwellender Wassertropfen, der, noch gerade vor dem Absturz, am Hahn hängt. Ich schlang meinen Unterarm um ihren. Nein, zusammen paßten wir eigentlich nicht, aber unter den ländlichen Regenschirm, der in ihrer Gegend, in ihren Kreisen Mode war. Sie hatte soeben Geburtstag gehabt. Ein Herzenswunsch! wurde von ihr beschlossen. Ein Herzenswunsch! behauptete sie. So ein riesiger, abgetönter Schirm. Jetzt sah sie im Gehen, im Regen mit einem einzigen Blick nach links, wer die preiswerte Kaufhausimitation trug. Ich fühlte die Haut ihres Unterarms, nicht kalt, nicht warm, eine Pfirsichhaut? Ja, aber wenn sie vom Pfirsich abgetrennt ist, so locker auf dem, was Fleisch und Knochen sein mußten. Daran zu zupfen hätte ich niemals gewagt. Wie ich wußte, daß sie sich nicht entscheiden konnte, ob sie nur blasierten Goldschmuck, verfrühte Erbstücke einer mythischen Tante im Sauerland, zu tragen hatte! Ruth, Ruth Wagner! Sie ist nicht die einzige ihrer Sorte. Ich sehe noch mehr, als ich damals sah, wie es mit ihr ausgehen mußte. Diese Personen wie Wassertropfen vor dem Absprung, diese Wasserlachen, schon bis über die Tischkante hinaus gewölbt. Ich wittere sie sofort, Ruth, kurz vor dem Zerreißen, immerzu, trotz der vielen Haut, viel zuviel für ihre Statur. Ich ging oft neben ihr, ich ging deshalb neben ihr, ich spürte durch die Luft zu mir herüber dieses Zittern, diesen Krampf unter der tapferen, mißglückenden Beherrschung. Da konnte sie täuschend lachen und die tadellosen Zähne zeigen, das Kapital, noch immer, eines Mädchens aus gutem, aufmerksamem Hause, und mit der Zungenspitze, wenn sie die Ausgelassene spielen wollte, über den großen Mund fahren: Gab sie eine Sekunde nicht acht, hatte sie im Sitzen die Beine umeinandergeschlungen, die Fäuste geballt, das gesunde, großartige Renommiergebiß aufeinandergepreßt. Sie platzte jederzeit um ein Haar und zog die Schultern mädchenhaft hoch, um es zu verbergen, nach Möglichkeit lispelnd. Einmal weinte sie auf dem Sofa mir gegenüber. Ich wußte sofort: Das würde sie uns nie verzeihen! Seit diesem Augenblick duzten wir uns. Schon am nächsten Tag telefonierten wir, zähneknirschend sagte sie »Rita« und »Du«.

Jetzt wieder, merkwürdig, in meinem Kopf kein Licht, kein Horizont, eine staubige Landschaft, über der es leise donnert. Flache Flanellhügel, graue, glanzlose Pfützen, kaum Hebungen, kaum Senkungen also, eine dösende Geräumigkeit nach allen Seiten.

Unter ihren Fingern schlüpften die harmlosesten Dinge in Anführungszeichen, nie gab es ein Ausruhen, ein wirkliches Wohlbehagen, sie sorgte dafür, daß überall Sträußchen standen, Kerzenflämmchen zum Abendbrot, ein mütterliches Eingemachtes zum Schluß aus dem Keller, aber auch, daß man nie aufhörte zu fürchten, irgendwo anzustoßen. Sie fuhr Ecken und Spitzen aus, damit sich ja kein Frieden einschlich. Das Gemütlichtun war ungeheuchelt, sie hielt bloß nicht durch, nach einer Stunde ging sie die Wände hoch. Wäre wenigstens ein kurzer Windstoß durch den Raum gefahren! Ruth, blaß vor Anstrengung, eine Entspannte darzustellen, und die Lippen in diesem fahlen, dünnen Gesicht, so rotgebissen, und die Augen, so kahl, nackte Mäuse, und derart unvermittelt zu später Stunde im elektrischen Licht! Ruth, Ruth, sie saß vor einer eigenen Torte aus Baumkuchenspitzen, glaube ich, ein kompliziertes Stück, an einem Winternachmittag, sie aß frischen Spargel in einem Restaurant mit reichen Nachbarn, was sie sich doch nur so selten leisten konnte und so gerne leisten wollte, sie schlürfte genüßlich, wie es sich gehörte, ja, aber der Boden brannte ihr unter den Füßen. Sie hätte den Kellnern, vor denen sie die abgefeimt Lukullische spielte, beinahe den Spargel um die Ohren gehauen. Sie leistete sich ein schrecklich teures Kostüm (endlich sowas Gutes, für Jahre) und hätte es beim ersten Tragen viel lieber am nächsten herausstehenden Haken zerrissen. Und hier jetzt, unter dem Regenschirm, in ihrem echt seidenen Sommerkleid – ein Geschenk der Sauerländertante, »Unverantwortlich, ich weiß!« sagte sie zu mir, geflissentlich, und zu den feineren Kreisen gewandt, trug sie es als etwas Selbstverständliches, mit kleinen Ärmeln, die die hageren Arme wenig verdeckten, so unvernünftig bei drohendem Regen –, unter dem gewaltigen Schirm hielt sie an, um zu beschließen, wie sie es machen wollte mit dem kostbaren Kleid: es zimperlich retten oder mit aller verwöhnten Lässigkeit unter den Wassergüssen weiter ausschreiten. Wie sie zögerte, wie ich es erkennen mußte: Entschied sie sich für die eigene, stolze Familie oder für die schlichten Verhältnisse ihres Mannes, die sie zwangen – wie sanft ihre Wangen schimmerten dies eine Mal unter dem rotbraunen Regenschirmstoff! –, das Kleid auch im Herbst im Konzert zu tragen? Sie zauderte noch, murmelte, während die Augen im freundlichen, schmeichelnden Regenschirmlicht schon frecher wurden: »Wäre es doch nur irgendein Fähnchen!«, da hörte es mit dem Geprassel auf. Der Moment war still vorübergegangen, sie schüttelte sich, erleichtert, verdrossen. Einmal, es muß ein Sonntagmittag gewesen sein, nichts rührte sich, stieg ich mit ihr eine grüne Böschung hoch, einen sich buckelnden, kurzgeschnittenen Rasen eigentlich, wir gingen beide auf Zehenspitzen, anders war es gar nicht möglich, weil wir Schuhe mit hohen Absätzen trugen. Ihr Mann kam weit hinter uns. Beide hatten eine 14tägige Reise in den Süden gemacht, waren südlicher als bis zu den oberitalienischen Seen gereist und seit langem überhaupt und erst nach reiflicher Überlegung und schließlich wildem Entschluß ihrerseits, als hinge plötzlich das Leben daran. Und doch hatte sie, als ich sie auf dem Bahnsteig abholte, kaum gebräunt und sonst unverändert dagestanden, es war um die Osterzeit, und sie schienen hauptsächlich gefroren zu haben. Ihre beiden kleinen Mädchen waren währenddessen von Ruths Mutter, der vornehmen mit dem eckigen Kopf – der Schädel drückte sich schon nach außen durch –, gehütet worden. Sie hatte die Reise halbwegs finanziert, um ihrer Tochter, das machte sie deutlich genug, ein wenig Erholung zu gönnen. Nun stieg Ruth, notwendigerweise mit gezierten Schritten, den Abhang hoch. Die Kälte, die sie dort unten in ungeheizten Hotels aufgesammelt hatte, wehte noch einen Augenblick zu mir herüber, dann schrie sie auf vor Herzlichkeit, ein schneidender Ton in der Ruhe ringsum. Wir bewegten uns ja von hinten auf den Garten ihres Häuschens zu, sie wurde ruckhaft kleiner, weil sie sich krümmte in ihrem Eifer, besonders schnell zu sein. Ich sah es jetzt auch, oben am Böschungsrand waren die Kinder aufgetaucht. Sie stürzte, indem sie ihre Namen rief, in einer mir völlig ungewohnten Verbiegung auf die beiden zu und schien ihre Arme, die sie vorstreckte, enorm verlängert zu haben, stieß sie auch senkrecht in die Luft, als begegnete sie zwei Totgeglaubten. Das ältere der Mädchen schoß mit ganz ähnlicher Gestikulation und ebensolchen Rufen auf die Mutter zu, schon hielten sie sich umklammert, als solle sie nichts mehr trennen, während die Jüngere zurückblieb und, nachdem sie erst gelächelt hatte, keine Miene verzog, so daß Ruth mit der im Rennen sie behindernden, weil an sie geschlungenen Schwester nun, wie es aussah, mit vier zappelnden Beinen und verdoppeltem Geschrei sie zu erreichen versuchte, um das durchaus nicht unfreundliche, aber lakonische Kind aufzurütteln zu richtiger Wiedersehensfreude. Dann trennten sich alle drei, Franz Wagner gab seinen Töchtern die Hand, beugte sich ein wenig hinunter dabei, und immer, während des Kaffeetrinkens, wenn sich Ruth und ihre ältere Tochter einander sehr näherten, schien es im Zimmer zu schrillen, und sie fuhren auseinander, redeten sich aber weiter mit den ungebräuchlichen Verniedlichungsformen an und sprangen auf und setzten sich, doch nie für lange.

Ein Tag jetzt, so ohne Licht, so windstill, immer geht mir durch den Kopf: »Äquator«, »Tagundnachtgleiche«, alle Luft ist weggezischt, alles ist so stumm und nach Atem ringend, machtlos die Schönheit, nichts leitet, nichts spannt sich, den Liebespaaren muß die Liebe wegsacken. Am Abend wundern sich die Familienmitglieder, daß sie so wenige sind. Als geschrumpfte Gruppe fühlen sie sich, überfliegen die Anzahl, fehlt denn nicht einer, und zählen fünf und wieder fünf. Man sucht den Kopf natürlich in Tätigkeiten zu verstecken oder, etwas für Untätige, in einer scharf umrissenen Empfindung. Wer heute einen erschlägt, tut es nicht aus Leidenschaft, sondern tötet ihn als den, der diesen Trübsinn verschuldet. Aber alle sagen nur: »Das Wetter!« Ich sage mir statt dessen Gedichtverse, die dazu passen, schon kommt mir alles vor wie ein Gewirr von Schnürsenkeln, von denen ich einige rausziehe und den Enden Metallspitzen aufstülpe. Ich merke mir ja auch vorsorglich für verlegene Gesprächsanfänge mit Leuten ein, zwei Geschichtchen, die ich auf dem Weg zu ihnen noch rasch erlebe, wenn ich nur die Augen offen halte.

Warum denn immer wieder diese hochschießende Anmaßung ihres Lebensstils, ein so teurer Sessel und ein so bitteres Nachrechnen, ein so aufwendiges Forellenessen mit Vorbereitungen über Stunden und dann die Hast zwischen den Verpflichtungen aller Alltage bis in die Nacht und über die Sonntage weg! Ach Ruth, ich weiß es ja wirklich, sie streckte den Kopf aus dem Wasser, ich sah sie nach Luft schnappen, nichts nutzte das, das hielt nicht für lange, schon mußte sie wieder nach unten. Wohin? »Unter meine Würde! Unter meine Würde!«, ich weiß es, hat sie dabei gedacht und nicht entscheiden können, ob sie das Gesicht einer Freiwilligen oder Hinabgezwungenen aufsetzen sollte. Dann, sobald die Kräfte reichten, wieder so ein unsinniger Abstoß über den Wasserspiegel: Ein Flug nach Berlin zu einer sensationellen Theateraufführung, ein schrecklich teurer Bildband für Franz Wagner, ein Kaschmirpullover, dem nur Berufene den Wert ansahen, da konnte sie viel leiden und verachten, daß es davon so wenige gab, statt dessen Leute, die nicht das edle, gewissermaßen lautlose Grau lobten, sondern sagten:

»Franz, was siehst du so bleich aus!« Ihm war der Pullover ziemlich egal, obschon ihn das Prinzip interessierte: so dünn und so warm! Das war, auf der eigenen Haut, etwas Neues für ihn. Bald wußte er mit leiser Stimme, Ruth hörte besonders die Gleichförmigkeit, viel über Naturfasern zu berichten. Zum Vorwurf der Blässe lächelte er. Wie lang sein Kinn war! Er hatte sich mächtig der Kunst gewidmet. Da nickte auch Ruth, vergessen war der ursprünglich unterschätzte Pullover: Ihr fiel wieder alles ein, mit ihr und Franz, mit den Familien und so weiter, wie alles gekommen und er jetzt endlich, da gab's nichts zu deuten, regelrecht freier Maler war. Dann trank sie, wenn es griffbereit vor ihr stand, ausnahmsweise ein volles Glas Wein aus und lächelte einen Augenblick lang alle zutiefst unerschrocken an.

So befinde ich mich, an Tagen wie diesem, mit Augen, die mir in ihren Höhlen viel älter vorkommen als das übrige Gesicht, sie rollen umständlich, voller Widerwillen, aber dann lasse ich die Gedichtzeilen durch meinen Kopf ziehen, feine Fühler, Fänger, Greifzangen. Sie strecken und recken sich, bis alles paßt. Da fällt mir auch ein, wie ich im Sommer am Morgen schwamm: um den Zipfel des Berges. Die Sonne ging zu meinen Schwimmzügen auf, die Felsplatten stellten sich hoch, ich bewegte mich dicht an sie heran und stieß vom Schatten gegen die Lichtfläche auf dem Wasser, schon leuchteten meine Fingerspitzen und fingen zu leben an, und ich spielte mir den Unterschied von Ja und Nein vor, hin und zurück und fürchtete mich im Schattenbereich und freute mich, sobald ich die helle Zone berührte. Jemand pfiff ein Lied in die Stille. Da zog sich die Landschaft mit mir zusammen, nach dem Willen des Pfeifenden, und sprang wieder auf.

Ruth, ihrer eigenen, unbeherrschbaren Spottlust ausgesetzt, bis sie sich selbst Fratzen schnitt! Dann wütete sie zu ihrem Schrecken gegen sich und ihre liebsten Gedanken. Immer weiter ging es in ihrem Kopf, sie wußte sich nicht zu helfen, nicht zu retten, bis es knirschte und zwischen den Dingen die letzte sanfte, vermittelnde Flüssigkeit aufgebraucht war.

Wie genau sie sich nun alle aufdrängen, sie kommen aus ihren Ritzen und Höhlen, ihre Häuser sind abgedeckt: Martin, der mir aus einer bestimmten Entfernung entgegengeht und, sobald er mich wahrnimmt, sein Taschentuch packt und damit schräg an den Nasenflügeln zum Schein entlangputzt, zur Überbrückung. Ganz in der Nähe beginnt er zu lächeln, aber schon bleiben die Mundwinkel auf der halben üblichen Höhe starr, und er fragt mich mit den Augen ab, ob ich die Situation, dieses Begrüßen nach längerer Zeit etwa besser ertrage. In den ersten Minuten gestattet er uns nicht die kleinste Pause, fragt dreimal, wie die Reise war, wie warm, wie kalt das Abteil, wann abgereist, ob hungrig, durstig, Sonnenschein, Regen, und immer die Augen so träumerisch und viel Weiß zwischen Pupillen und unterem Lidrand. Die Lippen, die jetzt so trocken sind, bleiben eingerollt an den Zähnen hängen, er muß sie gewaltsam runterziehen. Er lächelt oft, er versucht es immer erst mit Lächeln, darum hat es etwas Erbittertes, wie er seinen Rücken geradedrückt, dies korrekte Gehen, er versucht es immer erst mit tadellosem Benehmen im Leben. Er grüßt die Leute überaus freundlich. Bleiben sie nichts schuldig in dieser Hinsicht, ist er voll Menschenliebe und gerührt. Aber wie beleidigt, wie wütend verfolgt er ihr Abwarten, ihr zerstreutes Hernicken!

Unversehens Veronika, die Krankengymnastin, rothaarig, schwarzhaarig, mit grünen, gelben, geringelten Strümpfen, die Schuhe schnell in der Farbe der Strümpfe übergepinselt, es darf nur nicht regnen, lebhaft, unruhig und immer auf alles Lebhafte, Unruhige zustürzend, auf alles Bunt-Bewegliche. Mit immer neuer Begeisterung umarmt sie es bald, ob hübsch, ob häßlich, nur langweilig darf es nicht sein, ein Geflitter oder ein Geheimnis muß es sein. Ihre unbelehrbare Entdeckerlust! Sie schießt auf die Menschen los und schleudert sie von sich, alle halten nicht, was sie versprechen. Sie versprechen ihr etwas und wissen es selbst nicht und sehen der Enttäuschten, der Unverdrossenen kopfschüttelnd nach.

Jetzt Onkel Günter und Tante Charlotte, die Streitbaren an ihrem Küchentisch. Er redet immer nur gut von ihr, sie redet fast immer nur schlecht von ihm, aber er beginnt jedesmal den Zank in seinem Jähzorn, und sie sagt, daß es zunimmt. Er versucht, sie zu verwöhnen, aber, sagt sie, nicht mit dem, was sie sich wünscht. Er schenkt ihr lauter Dinge mit goldenen Verschlüssen, weil er das Funkeln so liebt. Noch immer, in seinem beträchtlichen Alter, hat er den Kopf voller Pläne, er schreit oder schweigt. Er schweigt wie ein Stein vor sich hin, stundenlang, und sie geht in der Wohnung herum und spürt es so furchtbar und tut etwas, daß ihm der Hals schwillt. Schon beginnt er zu toben. Da macht sie, friedlich, erwartungsvoll, ein einfaches Abendessen und ahnt durch die Wand, wie er sich schämt und wie die Luft für eine Weile lebendig wird, und schnell, mit zwei Strichen, schminkt sie sich zum Zeichen den Mund.

Herr Willmer, die junge Griechin, Franz Wagner: Sie stellen sich auf, und ich kann vorbeisehen, jeder kann sie ansehen, jeder kann vorbeisehen an ihnen oder sie aufspannen über sich und den einen neben den anderen rücken, ein Selbstmord, eine kleine Tragödie, eine Zähigkeit, nur einen von ihnen, sich gegenüber oder vergessen. Dazwischen Frau Jacob, auch schon siebzig, sanft und trauernd. Ein ganzes Leben abgeschlossen, nur noch ergeben, wenn auch nicht geräuschlos, dieses Erinnern, wo man sie auch trifft, sonst nichts, sonst nichts mehr seit so vielen Jahren, an ihren »geliebten, verstorbenen Mann«, immer noch rosig gepuderte Wangen, keine Handlungen mehr, keine Wünsche, das Leben ein abgeschlossenes Haus, und sie sitzt darinnen ohne Empörung. Eine Unverschämtheit!

Von solchen Tagen wie diesem darf man sich eben nicht verschlucken lassen, es ist ja so eine Schwäche, so ein Verströmen, daß man versehentlich mittut und plötzlich in diese Mattigkeit gerissen wird und sich verwechselt mit dem Wetter und der Umgebung und vor sich hinstirbt. Ich erinnere mich und vergleiche dagegen an: Diese Tage sind wie die Hände sehr alter Frauen, besonders in ländlichen Gegenden, kalt und innen flach, abgewetzt von den vielen Sachen, die sie schon angefaßt haben. Sie machen keinen Unterschied zwischen totem rohem Fleisch und einem Bettbezug und einem Kinderarm, alles ist ihnen ein einziger Stoff, und man spürt es, wenn sie einen berühren, und es ist ein Grausen. So, sage ich, sind Tage wie dieser.

Herr Willmer hat sich aufgehängt. Ruth gab sich nie mit ihm ab, aber sie selbst telefonierte die Nachricht durch. Eine gutmütige Nachbarin von ihr, aus der Ferne von ihm, sagte sofort: »Daß man den nicht zu früh abgeschnitten hat! Was ein Glück!« Einmal kannte ich ihn, hier fing er an, ein Angeber seit dem ersten Tag, ein kleiner Mann auf Kreppsohlen, mit steil hochgebürstetem Haar. Er machte sich überall Feinde und verbeugte sich tief auf der Suche nach geeigneten Freunden. Aber im Runterbeugen dachte er, man sah es: »Das wird umgekehrt kommen!« Er galt offiziell als Sohn

eines Anstreichers, verbreitete aber, illegitimer Sproß eines
großen Schauspielers zu sein. Ähnlichkeiten zeigten sich denen, die sich an dessen Gesicht erinnerten, überhaupt nicht.
Wenn er auf der Straße stand, wußte man sogleich, daß die
Leute nicht mehr friedlich, in Gruppen aufgeteilt, in ihren
Zimmern saßen. Alles trat in schwierige, gereizte, auch miß-
günstige Beziehungen zueinander, und er, hier und dort eine
Bemerkung fallenlassend, derb oder fein verschleiert, hielt
die Fäden in der Hand. Er war schnell der wichtigste Mann
der Straße, mit enormen politischen Kontakten, man spürte
es an seinem Gang. An seine Tür kamen Bettler nicht ein
zweites Mal, bei ihm lernten Handwerker Manieren. O, wie
bemerkbar war er doch! Er rief so unverzüglich die Polizei,
bei Unfällen und Randalierenden vor seinem Schlafzimmer-
fenster. Seine Frau trug den Kopf gesenkt und ging nur auf
flachen Schuhen, weil sie ein Stück größer war. Sie schien
von ihrer eigenen Größe neben ihm gedemütigt zu werden,
aber das verhielt sich anders. Sie war ganz von allein ein
schüchternes, schlaffes Kräutchen, da hatte er sich das Richtige zum Aufmöbeln gesucht. Nach einem Jahr schritt sie
mit tollkühnen Hüten und allem Drum und Dran als große
Dame zu vielen Gelegenheiten in der richtigen Aufmachung,
Reitanzug, Tennisröckchen, die Nachbarn staunten, wie nun
immer weiter aufgetrumpft wurde, kühl an all denen, die
inzwischen nicht mehr gegrüßt wurden, vorbei. Er stellte
Putten in seinem Garten auf, ersetzte die Gitter am Balkon
und Klo durch barock geschwungene, ließ ein Relief in die
Hauswand einfügen. Wenn die Haustür offenstand, sah man
den gekachelten Flur. Einige hatten in seiner Kellerbar den
edelsten Cognac ihres Lebens getrunken. Das alles wurde
möglich in seinem bescheidenen Häuschen, nichts blieb an
seinem Platz, alles legte er, wie er sagte, seiner Frau zu Füßen, die kindlich lächelte unter den stolzen Hüten. Sie riß
sich zusammen und trug sie ihm zuliebe. Allein auf die Straße traute sie sich damit nie. Ach, diese Verschönerungslust
auf der einen Seite! Vom technischen Zeichner trieb es ihn
hoch, es ging vorwärts mit ihm. Dann endlich, ihr zartes,
blondes Mädchen, das stimmte ihn weich. Er versöhnte sich
kurzfristig nach der Geburt mit allen, die sich bereit erklär-
ten, stritt schon bald wieder. Jetzt machten ihm zu viele
Lärm, beim Starten, Schneeschaufeln, Heckenschneiden.
Jetzt beschützte er zwei mit Feuereifer.

Es ist, an diesen Tagen, schwer, allein unter dem leeren, riesigen Himmel durchzukommen. Mit keiner einzigen Vorstellung kann man dagegen andenken. Es ist, als würde man aufgelöst oder in Erde und Steine zurückgepreßt. Nein, sage ich mir mit allem Willen, wie die alten Frauen sind diese Tage, alte schwarze Frauen, die den anstößigen, bösen, nackten Blick haben. Sie sind dem Tod in ihren Gedanken, nicht nur in Gedanken, schon zu nah. Sie riechen ihn schon so unbeirrbar, daß sie die Lücken sehen, sie räumen die Umwelt schon aus. Sie starren einen an und spulen dabei die Lebensstationen ab, die drei, vier, die zählen, immer die gleichen, man kann sich nicht wehren. Man ist abgeschätzt, und es rührt sie nichts. Nie wieder ein kleiner, schwebender Zusammenhang.

Nun Lambrini, die kleine Griechin, im letzten Jahr ihrer Schulzeit. Englisch spricht sie am besten von allen, ein großes Mädchen, streng vor lauter Temperament. Der Junge, der neben ihr saß, war der stärkste der Klasse, beschäftigt, bis die Lehrzeit beginnt, als Hilfsarbeiter. Alles geht im Akkord, sie tragen elf Dachziegel auf einmal, bei der schweren Arbeit laufen viele weg, da müssen die restlichen immerzu schleppen, ohne Pausen, ein kleiner Betrieb. Der Unternehmer kämpft gegen die Großen, nimmt Aufträge an, für die er nicht genug Leute hat. Da schuften die wenigen, immerzu hastet er, muß darauf achten, daß ihm nicht irgendwas auf den Kopf fällt, ständig fällt was, 400 DM auf die Hand, pro Woche. »Ich bin der letzte Arsch am Bau!« sagt er. Lambrini hört das schon alles nicht mehr. Ihr erzählte er manchmal morgens vom Angeln. Ein Geselle ärgert ihn besonders. Als der ihn schon wieder am Ohrläppchen zieht, schlägt er zu, ein Kinnhaken, daß der Geselle zu Boden geht. Hat jetzt Ruhe vor ihm, will sich zur Isolierung melden, aber überall ist die Arbeit so schwer, hat in einer Woche zweieinhalb Kilo abgenommen, kommt nie zur Besinnung, schafft nicht mal abends ein Stündchen Angeln. Lambrini ist längst in Griechenland. Drei Tage weinte sie sich bei einer Mutter die Augen aus, ganz schnell verlobt, in ein Nest mußte sie, für 4000 DM an einen viel älteren Mann, der eine kleine Tankstelle hat, an der Durchfahrtstraße in die Türkei, verkauft zum Aufbau einer Existenz und aus dem Gesichtskreis spurlos entfernt, und nichts weiter als das wissen alle von ihr. Aber ein Hin und Her der Gedanken ist angestellt worden.

Dann schrieb sie nach nur drei Wochen einen knappen, kreuzfidelen Brief.

Dagegen, ich weiß nicht, ich muß denken: Dagegen Franz Wagner! Immer am selben Fleck, immer zwischen Tischen und Stühlen gehend oder in seinem Atelier verschwunden, ein beharrlicher lokaler Erfolg, man kennt seine Bilder in Kreis und Land, und er hat einige Kritiken von großen Sammelausstellungen. Er ist aufgefallen dort, seine sang- und klanglosen Landschaften hat einmal jemand »sensationell« genannt, und Franz Wagner sagte, als er es vorlas: »Einer, der einzige, der es begriffen hat!« Manchmal nachts, auf dem Heimweg von einem Kinobesuch, habe ich ihn bei tollkühnen Luftsprüngen gesehen. Auf den leeren Straßen stieß er Schreie aus, er muß das sehr viel früher geübt haben. Ruth sieht ihn wochenlang nur zu den Essen, dieses bleiche Gesicht, wie kann er solche Sprünge machen über dem Straßenpflaster, so hoch und schwierig, mit diesem Gesicht wie seine Autobahnlandschaften so schlicht! Spätabends spricht er von Philosophie und Physik, er sieht trostlose Endsituationen voraus für jede Ehe und die Menschheit insgesamt. Wie immer derselbe Tropfen fallen seine Worte, es sind ja auch immer dieselben Sätze. Dann fühlt er sich wohl, als schwämme seine Person in ihrem Fett, eine geruchlose Melancholie. Es ist, als stände er allein auf einer vollkommenen Ebene. Was will er mit seinen Bildern? Er belehrt so gern, er spricht wie ein uralter Mann oft, dann diese Albernheit. Fängt er erst an mit seiner Kunst, oder weiß er, daß sie schon am Ende ist? Das scheint von den Mondphasen abzuhängen. Ruths zitternden Mund, gegenüber von ihm, beachtet er dann überhaupt nicht. Er will seine Ruhe, er schneidet Ekken und Kurven in Wurstscheiben und Käse, damit seine Schnitte lückenlos und nicht überlappend belegt ist. Er beugt seinen Kopf und lächelt sein Butterbrot an. Er steht still und möchte, daß alles stillsteht. Er malt währenddessen, weil das lange sein Ziel war, Baugelände, Äcker, Imbißstände am Waldrand und horcht ab und zu in die frühe Vergangenheit vor Ruth und ein wenig noch mit ihr, ob er den Ton wiederfindet, darum rührt er sich so wenig vom Fleck.

Alles löst sich auf an diesen Tagen – eine ununterbrochene, rasendschnelle Verwitterung der Gestalten – in ein trokkenes, wüstenhaftes Grau. Im Kopf beginnt allerhand auszurutschen. Wenn später die Nacht sich nach oben steigert und steigert, scheint aus dem Boden eine zweite, schwarz-sumpfige Nacht zu quellen, die nicht weiter hoch will als bis zur Kehle, um sie würgend einzuschlämmen.

»Immer muß ich mir vorstellen«, sagte ich damals doch noch zu Ruth, die mich höhnisch ansah, »wie die blassen, erschreckten, die kindlich struppigen Gesichtchen alter Leute an vielen Stellen aus dem Laub der Bäume herunteräugen würden.« Aber da ging vor uns ein Junge mit gesenktem Kopf. Ich dachte an Lambrinis Freund: »Diese gerade Schulentlassenen! Schläfrig torkeln sie herum, doch das Leben hat schon seine Gültigkeit. Sie wünschen es sich, aber wissen nicht: Jeder Taumelschritt gilt schon als Spur. Nur sie selbst nehmen an, sie bewegten sich noch nach widerrufbaren Gesetzen.« Ruth stieß die Schirmspitze in den Boden und bemerkte einfach drauflos: »Was waren wir nur für bescheidene Kinder! Man kann gerührt werden darüber. Uns haben seinerzeit Flaschenteufelchen stundenlang entzücken können.« Plötzlich wurde sie weich gestimmt. Sie sprach von der lange vergessenen Italienreise: »Komisch, diese Kindheitserwartungen! Von klein auf habe ich mir ein Bild von diesem Land zusammengeträumt, in unserer Familie war es nicht Mode, wir fuhren nicht hin, doch es tauchte in den Romanen auf, ich habe Fotos gesehen, manchmal italienische Namen gelesen. Es war dann schließlich genauso, wie ich es mir ausgemalt hatte. Trotzdem, das ist das Verrückte: Ab da war es abgetrennt, das Kindheitsitalien ist seitdem für mich unerreichbar geworden.« Bei dem Wort »Trotzdem«, ich spürte es heftig herüberfegen, war sie bereits in Wut geraten, es folgte reine Erbitterung. Sie wollte eben nicht so sprechen. Sie lachte unfreundlich vor sich hin und konnte nicht anders – ich unternahm überhaupt nichts –, als fortzufahren: »Lange her, weiß Gott, lange her, ich bin eine alte Frau, und was in den Halbwüchsigen vorgeht, keine Ahnung, auch wenn ich damit zu schaffen habe.« Wenn sie das sagte: »Ich bin alt«, in Gegenwart eines Mannes, fühlte man, wie sie auf den Widerspruch horchte, sie wußte selbst, daß es unklug war, sowas zu behaupten, aber es überfiel sie eben. Sie mußte sich diese Wunde anbringen, und dann war es schön, sich durch Komplimente gefälligst prompt die Verletzungen verbinden zu lassen. Ach Ruth, wenn ihre Selbstzerstörungslust erst richtig in Fahrt kam, brachten sie auch nette Männerworte nicht zum Halten. Sie lauerte gierig auf eine

Besänftigung, kaum war sie ausgesprochen, schüttelte sie das spöttisch als Firlefanz ab. Unter uns war das etwas anderes. Ich schwieg, sie verübelte mir das nicht. Sie wollte ein bißchen toben, ich störte sie nicht dabei. Ich wußte ja, wie sehr sie kränkte, was Helga Becker kürzlich meinte, in böser Absicht: »In unseren Jahren ist der schöne Busen hin!« Ruth hörte es schnaubend an, als hätte die Gleichaltrige ein häßliches Geheimnis ans Licht gebracht, eine unumstößliche Gemeinsamkeit, die sie für einen Augenblick bewegungsunfähig machte, als wäre die beherrschende und sie mit allen anderen verbindende Tatsache das, was nun für immer allem in Wahrheit zugrunde lag: ihr Alter! Von sich aus war Ruth spöttisch und streitbar. Wenn sie mit wirklicher Bosheit angegriffen wurde, zeigte sie eine kindliche Hilflosigkeit. Nein, schlagfertig war sie nicht. Sie begann dann schnell, in fadenscheinigem Zusammenhang, ihre noble Familie zu erwähnen, den Bankdirektor, den Philosophieprofessor, den erfolgreichen Zahnarzt, die Expressionistensammlung, die Sauerlandtante! Wie sie das hinwerfen konnte, mit wahrhaftig hochgereckter Nase und als stolzeste Pointe des Ganzen: Daß sie aus der Reihe zu tanzen gewagt hatte, einen armen Kunsterzieher zu nehmen, ohne Trauschein mit ihm zusammengelebt, zwischen Kisten. Dann stieß sie vor Erinnerungsschwärmerei mit der langen Zunge an die Nasenspitze. Saß Franz dabei, der nie merkte, wenn seine Frau verletzt worden war, und sie also nie verteidigte, sagte er, nur müde der Verwandtschaftsaufzählung folgend – immer eine kleine Drohung für ihn, gut ging es für ihn ja nur aus, wenn sie ihren Ausbruch als Krönung draufsetzte –: »Meine Frau hat eine lange Zunge!« Zum Schluß, im Park, lächelten Ruth und ich doch noch über dieselbe Sache. Zwei Kaninchen auf einer großen, deckungslosen Wiese hopsten ganz zutraulich auf unsere Schuhe los. Nur ein drittes stellte sich tot, einsam auf der riesigen, platten Wiese, und deutlich ausgewölbt und sichtbar spielte es tot in seiner Angst, in seinem Instinkt, unbeirrbar die Augen nach beiden Seiten, regungslos uns beschwörend: Glaubt mir doch! So zwingend füllte es den Raum zwischen den beiden Sorglosen bis hin zu den fernen Hecken mit seiner dringenden Bitte.

Diese Tage, die mit einem unerklärlichen Warten verstreichen. Ich sage mir: Warten auf einen Anruf, auf Post, Besuch, Sonne, Abend. Alles geht in Erfüllung, so matt, und nichts reicht aus. In einer sehr engen Allee sehe ich nach oben, so berühren sich die Laubmengen über mir beinahe. Da begreife ich: Ich sehe dem Aufplatzen, dem befreienden, meiner eigenen Schädeldecke zu, ich sehe hoch gegen die dunkle Wölbung der Hirnschale, von innen der fein gezackte Spalt eines Eis gegen etwas Helles darüber, wie sie aufreißt. Und schon ist es wieder vorbei damit.

Helga Becker: Ein Kinderspiel, in ihr Ruth, aber sanft abschattiert, zu erkennen, sicher eingedämmt. Auch sie stößt mit der Zunge an, ich habe sie nie anders sprechen gehört, um sich nicht zu verraten. Bei ihr ist sogar alles ein einziges Lispeln, mit wem sie auch redet, auch wenn sie schweigt. Eine Verstellung liegt in der Luft, immer scheinen ihre Lippen gespitzt zu sein, und man weiß nicht genau: wie die eines Kindes, das mit aufgeschlagenen Augen zu einem Erwachsenen spricht, oder einer Mutter, die sich Zeit für ihr Kleines nimmt und vor lauter Bereitwilligkeit gar nicht mehr aus dem Staunen kommt. So macht sie es, jedenfalls vor Dritten, mit ihrem freundlichen Mann und dem rundlichen Sohn. Nie fällt ein böses Wort, aber es geht etwas Scheinheiliges von ihr aus, wenn sie sich anderen zuwendet. Immer hat man das Gefühl, für dumm verkauft zu werden, Beweise gibt es nie. Sie betrachtet einen durch runde Brillengläser sehr unschuldig, aber etwas stimmt nicht in dem Gesicht, das sie nicht schminkt, die Augenbrauen sind so sorgfältig gezupft, und das Haar ist so rot gefärbt und der Mund so schmal. Wenn sie nur ein einziges Mal schriee, nutzte alles nichts mehr, sie würde sich in einen Geier verwandeln, dazu hat sie das Zeug. Das weiß sie offenbar und bringt es fertig, in der Manier verwöhnter Frauen kleine Ängstlichkeiten zum Besten zu geben, für Bilderbücher Jahr um Jahr Märchengestalten zu malen und für viele Leute in einer liebevoll ausgestatteten Wohnung besondere Suppen zu kochen und den Schnabel zu einem Lispelmund zu verbiegen. Keiner hat sie bei etwas anderem ertappt. Ihr Mann, Peter Becker, sah noch nie beunruhigt aus, obschon, eine gewisse Vorsicht fiel mir eines Abends auf, eine Geschmeidigkeit, als er ihr das schlafende Kind aus dem Wagen nachtrug. Den Satz zu Ruth flüsterte sie ihr beinahe zärtlich zu. Sie selbst hält sich für eine schöne Frau, deren Besonderheit nicht jedermann erkennt, doch sie ist nicht wild auf Bewunderung, die Hauptsache, man bemerkt an ihr nicht den stechenden Blick. Seit einiger Zeit trägt sie keine Büstenhalter mehr, sie weiß, daß es ihr nicht steht. Auch das ist ein Akt der Geringschätzung, den ihr keiner als solchen nachweisen kann.

Dann Karin, die Ausladende, Gedrechselte, die Schauspielerin mit der Himmelfahrtsnase und dem schnutenartigen Mund! Jetzt läuft sie in weiten Röcken und flachen Spangenschuhen herum, erwähnt träumerisch einen vergessenen österreichischen Dichter und tätschelt in der Öffentlichkeit ihren Mann. Der sieht mit braunen Augen in die Welt, in denen nie ein Blitzen vorkommt. Still läßt er seine Frau gewähren. Weiß er, daß sie es macht, um die anderen Männer aufzuregen? Das stört ihn nicht. Nur: Ich bin sicher, es gibt einen ganz anderen Grund. Manchmal fährt sie kurz aus der Haut und zischt in alle Richtungen, auch in seine. Dann singt sie schnell oder rezitiert mit kullernder Kehle zum Vertuschen, und einmal, mit der mageren Ruth am Tisch, wie war die nur dahin gekommen!, hauchte sie auf einen Spiegel, hob den Rock hoch, hielt ihn zwischen die Beine, machte mit dem Mund wieder das Hauchgeräusch und sagte gurrend: »Die Wurzel allen Lebens!« Ruth blieb jede spitze Bemerkung im Halse stecken. Sie wertete das als direkte Attacke. Sie begriff nicht warum, jeder sah es ihr aber an.

Und wieder Veronika. Einmal rief sie einem jungen Mann zu: »Du Arsch!«, lachte aber gleich wieder. Sie machte ihm seinen unmöglichen Haarschnitt klar und sah mit großen Augen im Raum herum. Einer schrie plötzlich auf und hielt sich mit bleichem Gesicht sein Bein. Veronika stürzte auf ihn zu, manövrierte ihn aufs Sofa: Ein Wadenkrampf? Ha, der wurde schleunigst von ihr wegmassiert. Alle waren dankbar. Veronika, hier als wirklich nützliche Krankengymnastin. Weiter passierte aber nichts, sie ließ die Mundwinkel fallen und schlief bald in einer Ecke ein, die geringelten Beine über den Boden gestreckt. Als sie die Augen öffnete, waren sie unkontrolliert traurig, sie sprach mit keinem mehr, sie rief ein Taxi, sie fuhr allein davon.

Martins Tante hat damit zu kämpfen, daß sie Männern, die vor ihr gehen, wenn ihr eigener Mann sie am Arm hält, nicht mit dem Schirm eins auf den Kopf haut. Das ist schon öfter vorgekommen. Ihr Mann findet immer eine Entschuldigung.

Auch kann ich mir ja an solchen Tagen, ohne weiteres, ohne daß mich irgend etwas hindern wird, vorstellen, daß von allen Menschen, die jetzt leben, in etwas über hundert

Jahren keiner mehr existiert, es werden alles neue Leute sein, die auf der Erde herumgehen. Das tut gut. Und außerdem: daß ich, statt jetzt hier zu sein, ebensogut dort sein könnte, an einem so hohlen oder platten Tag. Schon entsteht eine Abrückung, eine Beleuchtung.

Tante Charlotte: Warum ließ sie mich denn damals, in den Schulferien, ihr gegenüber am Tisch sitzen und sah mich an mit ihren wilden grünen Augen und wollte ein bestimmtes Gedicht vorgelesen haben, ein Gedicht aus ihrer eigenen Schulzeit angeblich, und ich spürte, durch die gesenkten Lider hindurch, wie sie mich anstarrte, um festzustellen, ob ich mich verfärbte und ob ich mit der Stimme unsicher würde, ob sie mir aus der Gewalt geriete, ob ich also, denn es war ein Liebesgedicht, selbst verliebt sei, warum denn diese Begierigkeit? Als aber Onkel Günter mich an der Tür mit einem Jungen antraf: Wie er mich in den Arm nahm, später, und freundlich an sich drückte, als Zustimmung, als eigene Erinnerung. Warum hat sie uns beide, ihren Mann und mich, wenn sie uns eine Geschichte erzählte, immer so zappeln lassen, warum wollte sie denn immer die Macht über uns haben? Wir waren ja ohnehin ganz still und rührten uns nicht, wir verlernten doch das Sprechen in ihrer Gegenwart gern, und trotzdem machte sie das nicht zufrieden.

Petra noch, so abgehärmt unter ihrem Mittelscheitel, so empfindlich und milde, daß man vom Zusehen wahnsinnig werden kann. Eine solche Mattigkeit, so kleine, kräftige Hände, ach, wie alles in ihrem Gesicht jetzt nach unten rutscht. »Ich habe zuviel Arbeit«, sagt sie. »Ich möchte nur in einem fernen Winkel allein sein, mit Mann und Kind oder auch ohne, und schreiben, wenn sie nur einer versorgte, ich habe so eine Lust, das zu tun, eine Energie.« Dabei leuchten die Augen. »Aber es ist schon gut. Ich werde gebraucht, ich wollte es so!« und runter mit dem kompletten Gesicht, eine Schande.

Nein, sie interessieren mich alle nicht, aber sie ähneln sich in ihrer Stauung, Ruth, gut, die hat sich nie versteckt, auch wenn sie sich immer verstellen wollte. Ruth hat ein richtiges Unglück vorzuweisen. Die anderen? Nichts als Hofdamen.

Deutlich wird mir gerade wieder, wie sehr es darauf ankommt, sich immer zu behaupten, aber an solchen Tagen mit ihrem bösen Hof besonders, gegen den leeren Raum unter der Überwölbung. Man muß sich stemmen und aufplustern, alle Dinge, alle Lebewesen der Erde, alle Bauwerke, Schlösser, Tempel, Pyramiden, die toten Könige in üppigen, verdoppelnden Gewändern. Denn es kann sein wie im Gebirge, die Steine rücken heimlich zusammen oder, schlimmer, man wird zu ihresgleichen eingedrückt, und es ist nur noch ein einziges Geröllfeld da. Ich kannte auch ein Tal, hätte ich mich dort je allein aufgehalten, wäre es noch schärfer in der Mitte eingeknickt und, um mich einzufalten, zusammengeklappt.

Einmal hatte mich Ruth zu einem ihrer kostspieligen Abendessen eingeladen. Ein von ihr sehr umschwärmter Arzt und seine Frau entschuldigten sich im letzten Moment. Franz, für den der potentielle Käufer ebenfalls herbeigelockt werden sollte, sagte nichts zu dem mißglückten Versuch, aber Ruth stand vor ihrem gedeckten Tisch und geriet in eine schreckliche Nervosität beim Anblick des Familiensilbers. »Eine Katastrophe«, flüsterte sie tatsächlich, bis ihr Gaby und Rudolph, ein junger Maler, einfielen. Die konnte man ohne weiteres so kurzfristig einladen. Sie rief mit vielen Windungen an und verbeugte sich sogar während des Telefonierens. Als sie den Hörer auflegte, strahlte sie wie eine Gerettete, dann begann etwas anderes. Sie machte sich lustig über die beiden, die so eilfertig bereitstanden. Ihr Lästern steigerte sich von Satz zu Satz, und ich hörte so sehr die anschwellende Wut gegen sich selbst darin und wußte warum: Alles war zu handhaben, sie traf auf keinen Widerstand und hätte ihn auch nicht ertragen, und wie man manchmal an einem offenen Fenster das blöde Gepfeife eines unangenehmen Wanderliedes anhören muß, bis es zu Ende gepfiffen ist, mußte sie ihrer Arroganz freien Lauf lassen, und keiner schlug sie ihr aus dem Kopf. »Dieser Mann, Rudolph«, fing sie an, »manche meinen, vielversprechend, gut, ständig in Angst, übervorteilt zu werden. Dabei kommt er sich immer zuerst selbst in den Sinn, immer hat er kleine Bitten, der vergißt auch die geringsten Geldbeträge nicht, hat immer Hunger, er wird von seinen Eingeweiden und seinen Kopfschmerzen regiert. Der übertrumpft jeden in seiner Kunst und seinen Leiden. Wenn ihm einer widerspricht, zieht er sich aufs Klo zurück. Wer ihm nicht glaubt, ist in seinen Augen ein Dummkopf. Er hält sich für einen enttäuschten, aber unermüdlichen Menschenfreund, dabei ist er erst dreißig. Franz zu treffen ist für ihn zur Zeit noch von

Vorteil, darum hat er sich nicht geziert.« Ich kannte ihn ja, es war aber sinnlos, ihr jetzt zu widersprechen, auch Franz saß nur still auf seinem Stuhl und sagte: »Ach Ruth, ach Ruth!« »Ach Franz, ach Franz!« rief sie zornig zurück, wie man über den Mond außer sich geraten kann, der wieder und wieder glotzend dasteht, alle Monate und Jahre, und man muß auch noch dankbar sein, daß man es immer wieder erlebt, und erträgt es trotzdem kaum noch dies eine, immer wiederholte Mal. Ich sah sie, jetzt fast häßlich im elektrischen Licht, alles nahm sie in grellster Beleuchtung wahr, nie trat eine sanfte Dämmerung ein, nie ein diesiger, sanftmütiger Tag. »Das ist aber nichts gegen seine Freundin Gaby«, fuhr sie fort und ging mit niedergeschlagenen Augen und zwischendurch in den Nacken geworfenem Kopf hin und her. »Du wirst sehen, wenn sich Rudolph nur eine Sekunde von ihr abwendet, reagiert sie auf keine Anrede mehr, lacht über keinen Witz, sondern fixiert ihn, ohne mit der Wimper zu zucken, todernst, ununterbrochen. Natürlich kann er dann nicht anders und beachtet sie schnell wieder. Sie sieht ihn aber weiter an und zieht eine Haarsträhne, du wirst es nicht glauben, durch den Mund. Dazu macht sie schleifenartige Bewegungen mit den fetten Händen, da sitzen übrigens furchtbar lange, gefeilte Nägel dran. Was die Zuschauer denken, ist ihr vollkommen schnuppe. Obendrein wiegt sie sich in ihren flatternden Gewändern, das macht sie noch runder, und das mit zweiundzwanzig, glaub ich, summend auf dem Sitz und drückt den Busen raus, das alles mit einer Trägheit, einer Dickfelligkeit, die einen rasend machen kann. Das wird gleich wieder ein Fest werden! Sie spricht hauptsächlich, sofern sie den Mund aufsperrt, über Frauenzeitschriften, amüsiert sich darüber, hat sie aber gründlich gelesen. Da gibt sie dann die größten aktuellen Binsenweisheiten von sich. Ich bin sicher, daß sie immer ihren Willen durchsetzt, sonst wird sie krank oder ganz traurig. Das ist schon sehenswert. Sie erinnert mich an eine weiße Schnecke.« »Aber sie ist doch so jung, und du hast sie erst einmal gesehen!« sagte Franz und begann, es lenkte sie auch wirklich sofort ab, an den aufgestellten Servietten zu spielen. Als die beiden eintrafen, lächelte Ruth so warmherzig sie konnte, aber Rudolph hatte seine Hand auf das Hinterteil seiner Freundin geschoben, und da ließ Ruth nun doch durchscheinen, daß sie bloß der Ersatz waren, jetzt, wo sie einmal die Rolle akzeptiert hatten. Das Mädchen legte seine verarbeiteten Hände auf den Tisch und erklärte, ihr Dienst im Hotel sei sehr schwer. Sie benutzte viele englische Fremdwörter und sprach sie äußerst korrekt aus. Etwas an ihr verlangte, daß man staunte, wie die Sätze zwar langsam, aber ohne Unterlaß, ohne Versprecher aus ihrem großen Mund hervortraten. Auf Fragen erzählte sie bereitwillig von ihrer ungerechten Chefin und der vielen Wäsche, für die sie verantwortlich sei. Sie habe oft Rückenschmerzen und die Beine täten ihr weh vom vielen Stehen. Beim Rauchen betrachtete sie immer erst kurz den Namenszug, sicher, das kannte man, obwohl alle Zigaretten aus einer Schachtel waren. Einmal sah sie Rudolph an, den Maler, der mir ja bekannt war, der kein Auge von ihr ließ, der sehr verliebt zu sein schien und diesmal über nichts klagte. Ruth lobte heute überschwenglich Leute, über die ich sie oft Schlimmes hatte berichten hören. Man spürte, daß sie uns damit nur in den Schatten stellen wollte. Sie lobte auch Rudolphs Bilder, aber auf eine Art, daß jeder, der nicht so vernarrt oder ernsthaft liebte wie er, die Absicht merkte und merken sollte: um das Opfer in seiner erwartungsvollen Eitelkeit, indem sie es fütterte, zu blamieren. Sie benahm sich dem Mädchen gegenüber so höflich, daß jede Antwort der arglosen Attackierten plump dagegen wirkte, auch die war aber zu verliebt, um es zu beachten. Die Anordnung der Gläser und Bestecke hatte Ruth als Falle geplant, aber auch Franz, der sich wie stets weigerte, die Regeln der Familie seiner Frau zu beherzigen, machte alles verkehrt. Das Mädchen war so von der Einfachheit der Situation überzeugt und konnte sich so schlecht etwas anderes vorstellen als das, was sie sah, daß sie dachte, sie sei mit Rudolph die einzig glückliche, einzig junge und auch hübsche Person am Tisch. Sie nahm keine Beziehungen, keine Geheimnisse, keine Hinterhältigkeiten wahr, sie saß, thronte unverletzlich in ihrem Geliebtsein. Sie war, da auch Rudolph sich ihrer Meinung so deutlich anschloß, die Königin mit ihrem grob lieblichen Gesicht. Das brachte Ruth ganz und gar aus der Fassung. Vor Ärger aß sie nicht, wurde von Minute zu Minute dünner, während das Mädchen aufblühte und durch ihre Derbheit – plötzlich verstand ich Rudolph, je länger ich hinschaute – ein Liebreiz drang, nicht wie Sonne durch Wolken oder das Lächeln bei einer Ungnädigen: Man mußte die Schönheit durch das Hinsehen selbst schaffen und konnte, wenn es gelang, bezaubert sein. Ich glaube, Ruth, so allein, haßte sie einige Momente lang. Niemand hatte eine Ahnung vom feinen Schliff ihrer Anspielungen, der Besonderheit ihres Halsschmucks, sie war durch dieses Geschöpf regelrecht einsam geworden. Da sagte Rudolphs Freundin und wandte sich dabei zufällig an Ruth: »Man wird in diesem Riesenhotel...«, sie rang ein wenig nach dem passenden Ausdruck, daher wurde es ganz still am Tisch, »überhaupt nicht...« – noch ein Seufzer der Anstrengung – »wahrgenommen.« Ihr Gesicht war noch konzentriert von der Formulierung und als überprüfe sie im Nachhorchen, ob sie es genau artikuliert hatte. Ich sah Ruth stutzen, ihr Blick fiel auf die rauhen, wie aus Trotz ringgeschmückten Hände des Mädchens, und ich war sicher, daß ihr Herz jetzt ruhig zu schlagen begann, denn sie staunte, und ihre sofort verschönerten Gesichtszüge füllten und polsterten sich mit lauter unverhoffter Freundlichkeit.

Ich höre nun aber Kirchenglocken, ein polterndes Gewehe über die Hecken: Versuche, alles Versuche, eine kleine Kuppel zu errichten. Ich denke an die vorüberfließenden Menschenmassen in den Städten vor den steifen Schaufensterpuppen. Ein Einzelner geht lächerlich, wichtigtuerisch zwischen den unendlich Vielen, und doch: ein Exemplar! Ich träume schon wieder von den großen Landmassen, von langen Eisenbahnfahrten durch Sibirien, China, und den Seemassen, vom Südchinesischen Meer durch den ganzen Stillen Ozean bis Kalifornien, und den Luftmassen darüber.

Gaby also, die Weibliche: Sie hatte begriffen, wie sie Vergnügen bereitete. Als kurz vom Tod gesprochen wurde, verließ sie hüftschwenkend den Raum. Sie entzog sich als das üppige Leben und kehrte nach einer Weile unversehrt und wärmespendend zurück. Die alte Frau Wagner, die Mutter von Franz aber, die still in einer Ecke saß – ausnahmsweise und in letzter Minute eingeladen, eine Wiedergutmachung, so waren mehrere Fliegen mit einer Klappe geschlagen, für Ruth immer eine kleine Qual, da fielen ihr die Unterschiede der Familien kraß ins Auge –, schaltete sich beim Wort »Tod« endlich ein. Sie hatte zwei Stunden mit ihrem zarten, unverbrauchten Gesicht dagesessen, mit glatterer Haut als Ruth, so daß man sich fragte, wieso ihr Gesicht trotzdem das einer alten Frau war, und niemand, weil sie so genügsam lächelte und so behutsam ein wenig von allem aß, hatte sich im Gespräch um sie gekümmert, nur die Schüsseln und Platten waren an sie weitergereicht worden. Sie ließ ihre Blicke wohlgefällig auf allen Anwesenden ruhen, mit Rührung, weil alle soviel jünger waren als sie und mit den jugendlichen Problemen des tätigen Lebens aufwarten konnten. Den Tod allerdings nahm sie, kühn geworden, mit mütterlichen Flügelschlägen als ihr eigenes Thema an sich, und während sie sich mit unverkennbarem Stolz aufrichtete, sank sie zugleich in die schmächtige Haltung einer irritierten Witwe zusammen. Das war ein Kunststück, aber sie beherrschte es. Sie hatte gerade den Schock der Halbierung ihres Daseins erlebt, und wie deutlich wurde nun, daß sie, in ihrem Zentrum berührt, da ihr neuer Kummer angesprochen wurde, voll aufwachte! Jetzt hatte unsere Unterhaltung den Kern der wirklichen Realität erreicht, und sie hätte die Welt damit überziehen mögen. Ihre Stimme bekam einen beinahe herrschsüchtigen Trauerklang. »Nachdem er mit dem Rauchen aufgehört hatte«, erzählte sie uns allen, aber besonders Franz, der nun ein halbverwaister Sohn in unserer Gegenwart wurde, »ist mein Mann ganz wild auf ein Schnäpschen geworden. Immer vorm Schlafengehen hieß es: ›Willst du eins? Wenn du keins willst, will auch keins.‹ Da nahm ich mir dann ihm zuliebe eins. Wenn ich schon im Bett lag, goß er sich noch ein drittes ein. Jetzt bin ich froh, daß er das noch genossen hat.« Sie schilderte, wie sie an den Sonntagen nicht allein durch die Straßen gehen wolle, statt dessen die drei Treppen zum Klo runterlaufe und wieder hoch, das am Nachmittag. Am Morgen zum Boden hoch und nachdem sie sich dort etwas zu schaffen gemacht habe, wieder hinab in die leere Wohnung. Plötzlich sah ich sie in ihren vier Wänden ganz aufgelöst in ihrer Einsamkeit, aber rasch fertig bei Ruths Anruf, zusammengesucht bei jedem Verlassen der Zimmer zu einer tadellosen Außenrepräsentation, keine Fluse, keine Laufmasche, keine falsche Falte im Rock. So saß sie mit uns am Tisch, eine Witwe Ende sechzig, gut, etwas Allgemeines, und ich fühlte es ja, es fehlte nur eine kleine Bewegung und ich wäre mitten in die Trauer dieses schlagartig veränderten Lebens gestürzt, und sie hätte nicht mehr dagesessen als einfache, vertraute, verdrängte Frau Wagner, sondern als gewaltige Figur, als die gesammelte, einzigartige Traurigkeit und es selbst nicht geahnt.

Dagegen Frau Jacob, heiter, verklärt, Stunde um Stunde

geschminkt und geschmückt für den lange, für den scheinbar Entrückten. Wie sie manchmal am Fenster steht, den kleinen Staubsauger an sich gelehnt, und der Auswahl schönster Musettewalzer lauscht, dazu leise und immer lauter singt, mit hoher Stimme, bis sie lächelt und ein, zwei Tränen weint!

Der Gang, noch einmal, unter dem rissigen Laubdach der Parkallee, unter dem warmen, grauen Flußhimmel, bis ins Weltall hoch muß es nach Holunder riechen, der geprobte, fließende Übergang in die Todeszone, nicht der böse Hof dieser Tage, der Hof des Todes vielmehr, anders als ihn Frau Wagner kennengelernt hat. Man berührt ihn, man berührt ihn straflos, aber Vorsicht, plötzlich ist er eisig ausgeschnitten, ein messerscharfer Übergang! Nein, die Dinge sind es, die plötzlich schwarz wie nie vor diesem hellen Mond stehen, dazu ist er gut und nötig, aber dann, nachts, auf dem Weg zum Klo, durch den dunklen Flur, spürt man ihn aus der Nähe als Überfall: gottlos, stumpf, zerstreut, ein Zermahlen der Räumlichkeit, sechs Wochentage rieseln durcheinander.

Dazu nun Willmers Ende! Ich lernte ihn kennen in seinem bescheidenen Reihenhaus, aus dem allerdings bald ein ungestümer Luxus flammte, um die Reihenhäuslichkeit zu sprengen, der die Nachbarn, die halb widerwilligen, halb mitgerissenen, zumindest zum häufigeren Anstreichen der Straßenfronten zwang. Er starb seinen Tod ohne Zeugen, ohne Frau, ohne Tochter, in einem weißen, nach seinen Plänen erbauten Palast, am Waldrand, hoch über den Spaziergängerwegen. Man konnte nicht anders, man sah zu ihm hoch und dachte: Jetzt sieht er durch seine großen Fenster und reibt sich die Hände, der kleine Mann, dem die Haare, noch immer, trotz seines Erfolges zu Berge gebürstet, allmählich ergrauten. Aus der Entfernung drangen Gerüchte in die alte Gegend, merkwürdig, ihn beneidete keiner. Er war stadtbekannt, man sah ihn jetzt häufig in Konzerten, allein und abseits, doch vorwärtsschreitend in den Pausen wie ein Dirigent. Manche nannten ihn Künstler, zum Beispiel ein Antiquitätenhändler, der Ölbilder von ihm vertrieb, Stadtansichten in älterem Stil, gedeckte Tische, niederländisch. Das hatte schon immer in ihm gesteckt, das Malertalent, doch nicht weniger das eines Stadtchronisten. Er verfaßte Bücher, manche Läden verkauften sie in Stapeln, über alte Kneipen,

Bräuche, Kacheln, und er stiftete Bücher und Bilder als Preise. Er gab keine Ruhe, immer schätzte man ihn an einigen Stellen für sehr kurze Zeit, auch in Schule und Kirche, solange die Entwicklung der Tochter das notwendig machte. Er war wirklich ein Mensch, der Feinde hatte, nicht nur in geschäftlichen Dingen. Putzfrauen, Müllmänner, Schreibwarenverkäufer! Einmal sah ich ihn, so zierlich von weitem, wie ich es gewohnt war, lokalprominent, das war erreicht. Dann aus der Nähe, ich staunte, ich hätte ihn beinahe gegrüßt, was ich ja schon lange nicht mehr tat: so zerfurcht das Gesicht, so üppig das Haar. Seine Familie nahm ich vor Schreck gar nicht wahr. Er besaß jetzt ein graues Löwenhaupt – vielleicht hatte er sich das erträumt, es war eingetreten, er sah alten Schauspielern ähnlich, Dichtern, Musikern, ganz wie man wollte –, müde bereits auf dem rastlosen Körper und getrennt davon durch einen verwegen geschlungenen Schal. Ja, ich hätte es vielleicht ausdrücken sollen, doch damals erschien mir ein Jahr so lang zu sein, daß ich Leute, die ich zwölf Monate nicht gesehen hatte, nicht mehr grüßte. Sie konnten mich unmöglich wiedererkennen. Sie blieben und waren immer dieselben, sie wurden an mir vorbeigezogen, ich aber lebte, ich entwickelte mich und ließ alles im Sturmschritt hinter mir.

Tante Charlotte, Onkel Günter, mit ihnen war es natürlich ganz anders, die sah ich, ruckhaft von Jahr zu Jahr, und doch erkannten wir uns sofort, Onkel Günter, viele Urlaube lang besessen im Garten auf den Knien liegend, mit beschlagenen Brillengläsern vor Eifer, voller Haß auf die Unkräuter, die er, verlegen lächelnd, uns zu Gefallen bereitwillig seine »Feinde« nannte. Gestritten haben sie oft, aber es gab eine Zeit, wo er Tante Charlotte stolz betrachtete, wenn sie in einem schwarzen Kleid, das die weißen Schultern freiließ, mit einer winzigen Tasche an einem langen Lederband, das im Gehen neben ihren Beinen schlängelte, mit ihm das Haus verließ. Kamen sie später aus einem Film, einem Theaterstück zurück, herrschte, falls es ihnen beiden gefallen hatte, die zärtlichste, begeistertste Stimmung. Das waren in ihrem Haus die allerbesten Momente. Bis weit in die Nacht hörte ich sie durch die Wand von einem Auftritt, einem Abgang, einem glücklichen Verneigen sprechen. Ich aber, wie stolz war ich, wenn Tante Charlotte in der Bücherei mit der Leiterin lässig die Neuerscheinungen beredete! Da wartete eine große Versammlung schlichter Bände, in Wirklichkeit aber von Weltgebäuden, auf ihre Berührung, ihren Urteilsspruch. Sie las wie der Teufel zu unserem Nutzen. Ich bekam das nur in den Ferien mit, Onkel Günter immer, es stand ihm zu, er verlangte es vor dem Schlafengehen: Sie mußte ihm eine Geschichte liefern und machte es schöner als die Bücher und mit den Zuhörern, was sie wollte. Sie spannte uns gern auf die Folter, sie kannte sich mit der Spannung aus, sie wußte, wie es uns am meisten behagte. Mich ärgerte sie bei jedem Aufenthalt mindestens einmal damit, daß sie eine peinliche sexuelle Sache andeutete, das Erwähnen des eigentlichen Aktes aber immer verzögerte und alles ganz unselbstverständlich machte. So erforschte sie, wie weit es mit meinen Erfahrungen stand. Es erbitterte mich, jedes Jahr fand die Prozedur statt, ich fürchtete mich schon im voraus. Im Sinne von Rede und Antwort sprach sie eigentlich selten, wenn sie nicht stritt, aber auch ihr Streiten verlief ja über Geschichten. Die Unterhaltung war ein Erzählen ihrerseits und ein Zuhören auf unserer Seite. In ihrer Gegenwart fiel uns kaum etwas Zusammenhängendes ein, wir fühlten uns vor ihren flinken Sätzen schwerfällig. Schon morgens lockte sie uns mit der Ankündigung, uns den Zeitungsroman zu berichten, den wir ebensogut selbst hätten lesen können, aus dem Bett. Sie trug einen schwarzen Morgenmantel mit grünen Blumen. In meiner Erinnerung blieb er das Kleid der Heldin des Romans: Eromanga. Sie bediente uns beide abwechselnd, unsere Wünsche las sie uns von den Augen ab, sie konnte uns zittern und lachen lassen. Sie kritisierte, bestrafte mit Unschuldsmiene Onkel Günter, indem sie Übeltätern seine Missetaten, den letzten Wutausbruch, anhängte oder ihnen sein Aussehen gab. Wurde dann sein Gesicht verstört, reumütig genug, begann sie mit der Versöhnung auf die gleiche Weise. Und während Onkel Günter eingefangen, verpuppt in ihrem fein gesponnenen Netz saß, wurde sie immer lebendiger und lief in der Wohnung lauter kurze Strecken zielbewußt hin und her. Jetzt fällt mir ein, was sie einmal, später, zu mir sagte: »Du willst wissen, was wirklich tieftraurig ist? Wenn man mit einem ganz gewissen Blick nie wieder angesehen wird!« Aber ich weiß nicht mehr, hat sie es zornig hervorgestoßen oder mit vollkommen abwesenden Augen für sich selbst geflüstert? Beides scheint mir richtig zu sein, jedenfalls sagte sie es wie etwas Eingestandenes, Endgültiges.

Ein undeutliches Drängen zu Handlungen, schließlich zu Taten, setzt an den kreiselnden, hinströmenden Tagen ein. Da ist das anhaltende Sirren der im Laub stehenden Bäume. Der Kopf schaukelt gleichmäßig mit, etwas Uraltes, Gesättigtes breitet sich dann aus. Es wird unwesentlich, ob man tot oder lebendig ist. Dann schreckt man plötzlich auf, um sich in ein energisches Tun zu retten, Eisenträger will man errichten in diesem taumelnden, alles durchflutenden Wogen. In dieser gefräßigen Auflösung zieht man sich noch eben rechtzeitig zurück hinter ein Fensterkreuz und sieht von sicherem Platz auf das dunstige Wehen und wie die Bäume sich schwankend recken, auf die äußersten Wurzelspitzen gestellt, um die höchsten Blätterspitzen mit dem Licht einer höheren Luftzone in Berührung zu bringen, um es – wie sie torkelnd die Laubmengen herumführen vor Anstrengung! – reflektierend sichtbar zu machen.

Einmal wartete ich auf Ruth im Café. Ich ging wie verabredet in den mir bis dahin unbekannten ersten Stock. Auf der breiten Treppe, im Hochsteigen, Hochwachsen an den Beinen der oben Sitzenden entlang, an den Tischdecken, den Tortenstücken entlang, prallte ich heftig zurück: Rundum waren große Spiegel aufgestellt, alles öffnete sich, eine Vervielfältigung, die mich festbannen wollte. Ich mußte mich am Geländer halten, eine Bedrängung, ein Lärmen anfangs. Ruth entdeckte ich nicht, aber im Spiegel meine gerunzelte Stirn. Da lächelte ich beherrscht und das noch immer, als sie, abgehetzt natürlich, auftrat, unbehelligt von allen Spiegeln, erfahren an diesem Ort, ohne Ablenkung mich gleich erkannte und affektiert, hocherfreut über die Tische hinweg begrüßte. Ich erinnerte mich, daß ich unten einmal auf einen Mann gewartet hatte, der dann in einem abgewetzten Mantel mit einer Aktentasche seines Vaters durch die Tür kam und nur mich ansah, und ich nur ihn. Dann redete Ruth eine Stunde in diesem Wirrwarr von Spiegelbildern, sah sich selbst an, vergaß sich eine Zeitlang, betrachtete sich, mich, die anderen Gäste und schnitt sich manchmal blitzschnell Grimassen. Bald sprach sie von Franz Wagner. Sie mußte sich etwas vorgenommen haben, ich war perplex über diesen Ausbruch, der aber ganz gemessen begann. In aller Zärtlichkeit schilderte sie mir, wie ihr Franz, trotz seines ernsten Wesens, so gern mit dem Essen spielt, wie er, den Kopf aufs Butterbrot gesenkt, da hinunterlächelt aus Freude, daß er es wieder so ulkig belegt hat, wie er Reliefs aus einem Stück Käse meißelt und sich eine Schnitte mit vier verschiedenen Belägen zubereitet, dann seine Neigung zu extrem dünnen Scheiben, die den Aufstrich kaum noch tragen, und zu so dicken, daß sie nur mit mächtigen Wurstblöcken darauf zu genießen sind und insgesamt eine hohe Anforderung an die Aufsperrmöglichkeiten des Gebisses stellen. Ruth machte ein liebevolles Gesicht und prüfte es über mehrere Köpfe weg. Sie sprach vom Älterwerden, sie fand ja selbst, daß ihre Haut noch gar nicht diese Runzeln und Veränderungen zeigte, oder, fragte sie, hatte sie sich nur daran gewöhnt und vergessen, wie glatt sie einmal gewesen war? Franz immerhin bestätigte ihr jederzeit, wie nett von ihm, sie sehe zehn Jahre jünger aus, werde gar nicht älter. Aber, fuhr sie fort, wieder mit weichem Lächeln, es passiere ihm oft, daß er von 25jährigen Frauen sage, sie wirkten wie Kinder: er hatte also nur das Maß verloren. Das war das prosaische Geheimnis seiner Komplimente, aber wie reizend trotzdem, und darauf kam es ihr an. Und dann, wie hatte er damals ihre wohlhabende, gebildete Familie schockiert, als er bei seinem Antrittsbesuch in einem Pullover erschien, mein Gott, ihre hochempfindliche Mutter!, und dann auch noch die Arme hinter dem Kopf verschränkte, über die Expressionisten lästerte und zwei riesige Löcher unter den Achseln sichtbar wurden. Es sei damals todstill am Tisch geworden, aber er sei nicht gegangen, er habe ihre Mutter zurück angestarrt. Wie richtig von ihm! Da mußte die Mutter die Augen senken, und zwar auf seine von Farbe fleckigen, ziemlich derben Hände mit schwarzen Fingernägeln, gebürstet schon, aber nicht sauber geworden. Sie selbst sei erschrocken und dann regelrecht begeistert gewesen, erzählte Ruth mir ernst. Sie sah in den Spiegel und feuchtete rasch die Lippen an, so daß sie wieder lächelte. An dieser Stelle grüßte sie, glaube ich, einen Mann mit dunkelblauem Anzug und schön unter den Anzugärmeln hervorstehenden hellblauen Manschetten, eine vornehme Kinnpartie. Er verbeugte sich, jetzt lächelte Ruth ohne Anstrengung. Dann ging es weiter, sie rührte im Kaffee unermüdlich herum und schlug das Löffelchen, als wäre es eine Stimmgabel, gegen den Tassenrand. Franz, erfuhr ich, wußte es aber auch schon, konnte Besuch kühl ignorieren, wenn er ihm nicht paßte. Er setze sich einfach in seinen Lieblingssessel, daß der frei bleibe, dafür sorge er schon, und schweige vor sich hin, beginne auch, die Zeitung zu lesen, plötzlich Mundorgel zu spielen, was schon manchen erschreckt habe. Nicht anders sei es, wenn sie ihn, was er immer seltener geschehen lasse, auf Feste mitschleppe. Ihr gefalle das eben noch, ein bißchen Nippen am Vergnügen, wenn es meist auch nur eins an der Langeweile sei. Er stehe da, unerbittlich, stocksteif, und verziehe die Miene nicht. Ein Gesetz, das wußte ich ebenso, konnte man daraus nicht machen. Möglich war nämlich, daß er wie ein Verrückter anfing zu tanzen, über die Stühle weg, mit allen Frauen, die gar nicht zur Besinnung kamen bei seinem Tempo. Der Witzigste von der Welt sei er dann, wirklich, ein Witz nach dem anderen, eine Witzwut, eine Beharrlichkeit, witzig zu sein. Nein, angepaßt an die Gepflogenheiten habe er sich, zum Erstaunen vieler Bekannter, überhaupt nicht, im Gegenteil, er sei immer weniger dazu bereit. Wie gut für einen ernsthaften Künstler! Ruth hatte nun die Beine um den Stuhl geschlungen und die Fäuste geballt, sie lächelte sich zu mit weißem Gesicht. Oft werde er entmutigt. Jetzt, wo er freier Künstler sei und sie sogar, wenn auch recht bescheiden, von seinem Einkommen leben könnten, sei er natürlich noch mehr auf den Erfolg angewiesen als früher. Sie mit ihrem Musikunterricht steuere eben nur Materielles bei. Die Ermunterung, gottseidank kannte er einige eifrige, wenn auch nicht etwa reiche Bewunderer, müsse sich von außen ergeben. Er lasse sich aber nichts anmerken, er kämpfe Enttäuschungen nieder. Wie oft kamen seine Einsendungen zu Preisen ergebnislos und nur mit Kostenaufwand für ihn zurück! Ja, seltsam, ihr scheine fast, als wäre es ihm tatsächlich gleichgültig. Er rede zwar einerseits vor Interessierten sehr gern über seine Bilder, aber den Erfolg nehme er gar nicht mehr ernst. Vielleicht mache er sich, ohne die Finger davon lassen zu können, über das alles lustig. Er stelle alle Unterlagen, oft sei das mühselig, sorgsam fertig, als wäre die Verpackung schon das gemalte Bild, verliere den Fortgang aber aus den Augen. Er sei jetzt, als Maler, der sich nur noch um seine Kunst zu kümmern habe, souverän geworden. An seine Bilder selbst denke er viel. Ruth redete sehr schnell und lauter als zu Anfang, auch über dem Essen sei er oft abwesend, sehe nur vor sich hin und sage eine halbe Stunde kein Wort, die Lippen aber seien vor Anstrengung zusammengekniffen, deshalb lasse er auch ein Glas Wein, eine Tasse Tee immer da stehen, wo er sie gerade abgesetzt habe, die Zeitung auf dem Boden, den Pullover unterm Stuhl. »Verstehst du«, sagte Ruth mit hoher Stimme und verkrampften Fäusten, »er lebt ganz für seine Bilder.« Sie sagte es jetzt so wütend, als hätte ich mich dumm angestellt, dabei hörte und hörte ich zu, wie ich nur konnte, aber sie machte zornig und zischelnd weiter: »Verstehst du denn nicht, er vergräbt sich tagelang in seinem Atelier, die Kinder und ich, wir kriegen ihn kaum zu Gesicht. Das Leben läuft ohne ihn, und er tut da drinnen was, will auch nicht gestört werden, das nimmt er auf sich, so eine Einsamkeit ohne jeden Trost. Spazierengehen, ja, das will er, da erzählt er mir von seinen Plänen, da erfahre ich alles, während wir durch den Wald wandern, und auch da ist er bei der Arbeit, formuliert und fotografiert alles, was er vielleicht brauchen wird, und erkennt das sofort.« Sie lachte auf, und ich bemerkte ihr Spiegelbild, ihre nackten Zähne, ich sah die leibhaftige Ruth Wagner an. »Morgens hat er einen kindlichen Kopf. Wenn er die Zeitung liest, sehe ich, daß ihn die politischen Vorgänge nur unglücklich machen, er quält sich, er kann es nicht ordnen, glaube ich, immer kommen deshalb dieselben negativen Perspektiven aus ihm heraus, die ich ja kenne. Ich möchte am liebsten sagen: Bleib doch so ein Kind, wie du es bist!« Bis heute weiß ich nicht genau, wie Ruth das meinte. Sie zog einen Mund, als würde sie gleich weinen, und die Augen riß sie auch so jämmerlich weit auf, um die Tränen zurückzupressen, aber die Stimme war so klein geworden. Sie konnte sich selbst nicht entscheiden, sie wandte mir den Blick böse zu und stützte die Stirn dramatisch in die Hand wie ein Philosoph. Ich sagte, um alles besser zu verstehen: »Ja, ich bewundere Franz! Er weiß, wozu er sich entschlossen hat.« Ich dachte, Ruth würde mich zustimmend oder höhnisch ansehen, sie tat es statt dessen fast anklammernd dankbar, für einen Moment, mit ihren unruhigen Augen, die dann wieder umherwanderten an den Spiegelwänden – ein schrecklicher, atembeklemmender Raum –, hilflos, sie saß nervös in ihrer Zerstreutheit, ihr fehlte der Lebensdruck, der wie ein kräftiger Wasserstrahl die Dinge an einen einzigen unabänderlichen Ort zwingt. Während sie sprach, hatte ich ein paarmal das Gefühl gehabt, sie hätte Franz mit ihren Händen, Fäusten geschüttelt und gerüttelt. Und besaß Ruth nicht die komische Angewohnheit, mit ihrer Familie – ich stellte dann von einem Tag zum anderen Veränderungen im Sprechen, in Eßgewohnheiten, in den Meinungen fest – eine andere nachzuahmen, die sie eben näher kennengelernt hatte, deren Einheitlichkeit, geschlossene, fremdartige Natürlichkeit auf den ersten Blick sie bezauberte als Anzustrebendes? Aber das dauerte nie lange, zerbröselte, wurde fallengelassen, ebenso Ruths Euphorie, die sie, nach einer solchen Entdeckung, flüchtig straffte und glänzen ließ. Was aber Ruth und die Politik betraf, so vermute ich, daß ihre politische Tat darin bestand, ihr Leben hindurch den Amokläufer in sich niederzukämpfen, wörtlich genommen.

Das Verwirrende an den grauen Tagen ist der gleichmäßig diesige Himmel. Man vergißt die Himmelsrichtungen. Was ist dagegen eine unverhüllt wandernde Sonne, in Stufen, Graden, Stationen auf hochgewölbtem, blauem Grund!

»Er hat durch diese Affäre so gelitten und andererseits menschlich so gewonnen, daß... jetzt kann ich das überhaupt nicht mehr zu Ende kriegen.« Das ist ein Satz meines Vetters Martin, und als er ihn sagte, sah er mich mit eingepreßten Mundwinkeln an, weil er ahnte, daß ich darüber lachen würde. Eine seiner typischen Holprigkeiten. Er weiß, daß ich sie sogleich erkenne, und er selbst liebt ja diese Grundehrlichkeit bei sich, auch wenn sie ihn belustigt. An ihn denke ich selten in der Vergangenheit, wie ich eigentlich müßte. Er hatte die Eigenheit, in einem Gespräch, wenn es ihm besonders naheging, eine reine Stimmungssache, statt direkte Antworten zu geben, leidenschaftlich Buchtitel als Erwiderung zu empfehlen. »Also«, sagt er, stammelnd vor Sympathie und Einverständnis, »da müßtest du unbedingt Soundso lesen!« Eins weiß er meist genau, den Titel oder den Verfasser, über den Inhalt verrät er nichts. Er hat seinen innigsten, persönlichsten Beitrag zur Diskussion geleistet, auch seine Gegenargumentationen führt er so, und ich vermute, er fühlt sich hinterher wie einer, der aus vollem Herzen geschenkt hat. Wer ihm begegnet, denkt sich gleich: Das ist einer, der in einem wissenschaftlichen Verlag oder einer Universitätsbibliothek arbeitet, und beides ist, in umgekehrter Reihenfolge, richtig. Über Leute, die sich ungewöhnlich kleiden, wenn es Männer sind, lacht er ein bißchen, gesteht aber, daß er ihren Mut bewundert. Schon früher rechtfertigte er sich, wenn er auf Parties kein Wort gesprochen hatte, bei den Nachhausewegen aus eigenem Antrieb ununterbrochen. Er behauptete, lieber interessiert zuzuhören, davon profitiere er mehr, aber jeder spürte, wie unzufrieden er mit sich war. Ging es ums Tanzen, bekam er sofort Magenschmerzen und mußte bedauernd verzichten, wenn er sich aber nur ein einziges Mal überwand und wirklich redete oder mit einer hübschen Frau tanzte, war er plötzlich kerngesund und lobte den Abend noch Jahre später. Nein, so war er wirklich nur früher. Bei den letzten Gelegenheiten konnte ich alle Eigenschaften schnell an ihm wiederfinden, jedoch hatte er sie sich in bestimmter Weise zugeordnet. Er überschaute und regierte sie mit einer neuen Gelassenheit, obschon seine Augen verschleiert blieben wie stets. Peinliche Situationen schätzte er noch, und ich bemerkte auch wieder sein scharfes Beobachten der Anwesenden. Ihm fällt gleich auf, ob jemand gehemmt oder aufgeregt ist, kein Wunder! Von Jugend an schwärmt er für unberechenbare, etwas flatterhafte Frauen. Er lobt an Frauen Treue, an Menschen überhaupt, aber seine tiefe Schwäche ist die Beunruhigung, der potentielle, verwahrlosende Schmerz, der von den Frauen mit einem rätselhaften Zug um den Mund ausgeht. Früher sammelte er Titelblätter von Illustrierten, ich sah sie alle heimlich durch, es war immer derselbe Frauentyp, der, der ihn dadurch in ein zartes Unglück stürzte, daß er nicht bei ihnen landen konnte. Mit soliden Mädchen gab es Plänkeleien, die er mitmachte, um einen festen Fuß, diesbezüglich, auf dem Boden der Realität zu haben. Es konnte nur eine Frage des Zeitpunkts sein, wann er sich wildentschlossen in sein großes, für ihn bereitgehaltenes Abenteuer todesmutig stürzen würde. Wenn er beschwipst ist, staunen die Leute. Er hält dann witzige Reden aus dem Stegreif, viel charmanter, als ich es von Franz Wagner kenne, denn er verfügt über einen verklausulierten, spitzfindigen Geist, redet alle gewissenlos nieder und ist entzückt von sich. Bis zuletzt hat er seine alten Träume gehabt: Phantastereien von einem Förster- oder Bauerndasein, einem Leben in Gemeinschaft mit vielen Tieren. Er bewahrte Muscheln und Federn auf, betrachtete sehnsüchtig, noch als erwachsener Mann, exotische Tierbücher. Als Schüler gab er sein ganzes Taschengeld für Kunstkarten und Ausstellungskataloge aus. Er liebte die moderne Malerei und besonders solche freundschaftlichen Gespräche, bei denen man sich diese Dinge erzählt, diesen Austausch beim Spazierengehen in der frischen Luft und in möglichst straffer Gangart. Dabei fragte er mich einmal, an einem runden, grauen Kiessee im März, bei böse wehendem Wind hinter seinem großen Schal hervor, ob ich manchmal glücklich, tief glücklich sei. Ich habe natürlich, ohne zu zögern, »Ja« gesagt, »ziemlich oft, natürlich, na klar!« Und es war die Wahrheit. Er aber sagte: »Ich noch nie!« und schwenkte die träumerischen Augen mit ihrer leichten Trübheit im Kopfschütteln sachte herum und lächelte, gar nicht mal traurig, vielleicht nachdenklich, abwartend, was ihm da noch bevorstünde. Er wird nicht daran gezweifelt haben, daß ja noch etwas ganz Unbekanntes auf ihn zukommen mußte. Ja, Martin, ein leidenschaftlicher Erinnerer. Das waren seine andächtigsten Stunden, wenn von seiner Kindheit erzählt wurde. Kleine, belanglose, uralte Sätzchen, mit der einzigen Besonderheit, daß sie aus seiner Vergangenheit stammten, hielt er in Ehren wie Reliquien, und sie wurden auch nur an besonderen Tagen ausgesprochen. Gelang es ihm aber, etwas Übersehenes, bisher Vergessenes aus seinem Gedächtnis zu graben, hatte man den Eindruck, es ginge nicht um etwas Erinnertes, also schon Geschehenes, sondern um einen Durchbruch, um eine Erkenntnis, um etwas sich gerade im Augenblick mit Vehemenz Ereignendes. »Mein Gott, jetzt weiß ich es wieder!« konnte er ausrufen. »Der Dentist, der neben uns wohnte, warf die Gipsgebisse auf die Trümmerhaufen. Wir holten sie hervor und malten mit den Gipszähnen, sie waren schön weich, aber schnell aufgebraucht, Indianer und Autos auf die Bürgersteige!« Manchmal vergaß er in der Gesellschaft von Fremden, daß nur wenige solche Kostbarkeiten verdienten. Wenn dann niemand staunte, war er verletzt und sehr beschämt. Er hatte sein privates Schatzkästchen geöffnet, und niemand wollte reinsehen. Ein Mensch, der sich übrigens seiner Schüchternheit, ich weiß, nur eine Frage der Zeit, wann es die mit einem Ruck abzuwerfen galt, von klein auf voller Wut und Trotz bewußt war.

Veronika aber, Veronika hätte Martin mindestens kurzfristig die ersehnte Verblüffung geschenkt! Veronika, die paradiesvogelartige, menschenfreundliche, ungeduldige Krankengymnastin. Bemalt, gefiedert, glitzernd und unvermittelt streng, macht sie ihr Wissen über die Reize, Geheimnisse und Wünsche ihres Körpers deutlich. War es nicht Martin, der andächtig über die Kleidung von Frauen sprach (»Hier hat sie es geöffnet, dort ein bißchen gespannt«), weil er selbstverständlich annahm, daß sie ihr Äußeres mit Geschick oder Ungeschick kalkulierten bis ins letzte Detail? Veronika kommt lieber zu spät zum Dienst, als sich unüberlegt unter Menschen zu begeben. Die Einzelheiten der Kostümierung müssen jeden Tag neu durch spezielle Drapierung ihr eigentümlich anverwandelt sein. Anders hält sie es in der Welt nicht aus, die eine nördliche, kalte ist. Das wenigstens will sie: ein gutmütiger oder bösartiger Protestschrei in den Straßen sein! Wer klug ist, kann außerdem sehen, was sie über ihre gesamte geschmückte Person nicht weiß. Sie hätte Martin mit Leichtigkeit unglücklich gemacht, denn sie ist wetterwendisch, treulos, verschwenderisch. Wenn ihr ein Mann gefällt, fixiert sie ihn so lange, bis er zu ihr kommt, wundert sich aber aufrichtig, daß alle Männer was von ihr wollen. Immer hat sie bald genug von jemandem, mit Männern Mitleid, aber nur zu Beginn. Wie sie noch immer, als erwachsene Frau, staunt, daß die verheirateten sich nur heimlich mit ihr treffen, daß ihnen die Liebe nicht über alles geht und sie nichts aufs Spiel setzen wollen! Sie setzt jederzeit alles aufs Spiel und kommt doch mit heiler Haut davon. Nein, sie ist eben nicht das, was Martin sich erträumte, sie hätte ihm ja nicht wirklich etwas getan! Sie arbeitet je nach Lust und Laune, zuwenig, zuviel, immer maßlos, immer von allem Neuen begeistert. Von einem zum anderen Tag lehnt sie eine ganze Weltanschauung ab und verdammt jemanden auf einen einzigen falschen Satz hin, aber nur, bloß daß sie es nicht ahnt, wenn ein viel entscheidenderer körperlicher Groll vorausgegangen ist. Sie leiht sich von allen Geld und verleiht geliehenes, richtet sich zugrunde und fällt mit Verlusten auf die Füße. Hat sie einen Kern? Jedenfalls eine Unruhe. Es macht ihr nichts aus, alte Männer, um sie zu erfreuen, innig zu umarmen, obwohl ihre Liebe hübschen, jungen, etwas fanatischen Männern gilt, weil das so ein Flackern in den Augen erzeugt. Nachmittags läßt sie Scharen vernachlässigter Kinder in ihrer Wohnung spielen. Plötzlich fuhr sie mit jemandem, den sie kaum kannte, nach Italien und kehrt mit einem teuren Ledermantel aus Florenz zurück. Sie ist unfähig, Erfahrungen zu sammeln, deshalb bleibt sie immer nur für kurze Zeit glücklich, das aber tumultartig. Ihre Gefühle scheinen sich nicht abzunutzen, obschon hin und wieder eine ungewohnte, mütterliche Mattigkeit in ihrem Gesicht erscheint. Ach was, das wischt jede neue Liebe im Handstreich weg!

Und Petra, noch einmal, mit dem Mittelscheitel? Als ich sie kennenlernte in einer großen Wohnung an einem kleinen runden Tisch, auf dem eine winzige Schale mit Käsegebäck stand, machte sie sich bemerkbar durch Schweigen. In dem beinahe leeren Raum gingen einige Leute umher, Besuch für ihren Mann, der zierlich ist wie sie, Lektor für französische Literatur, aber von einer Zartheit bis in die Fingerspitzen, während Petra ihre Hände faltet vor Energie, das sehe ich doch. Sie faltet sie unterhalb des friedlichen Madonnengesichts, ein vollkommenes Bild für den, der ihr glaubt. Sie sprach kein Wort, sie lächelte nur und war doch so überzeugend anwesend. Wenn sie den Raum verließ, spürten es alle. Ihr Mann stellte sich häufig in ihre Nähe, wohl weil ihm die ruhige Kräftigkeit, die von ihr ausging, so angenehm war, so natürlich zwischen den Hochschulschwätzern. Dann schlug sie liebevoll die Augen zu ihm auf und lächelte gleichzeitig oder kurz darauf die bei ihr Sitzenden wegen dieser Vertraulichkeit an, sie bezog sie als Verständnisvolle mit ein. In ihrer Gelassenheit wirkte sie schöner, instinktiver, richtiger als alles Reden, alle müssen es, wie sie selbst, als eine Art Gesang ihres Körpers empfunden haben, lautlos eben, aber unüberhörbar, und hier wurde klar, daß das Wiederholen von Bewegungen ungestrafter geschehen kann als das Wiederholen von Sätzen. Auf diese Art hatte sie damals in jeder Sekunde des Nachmittags, ob sie ein Plätzchen aß oder Tee trank, sich die Haare hinters Ohr strich oder ihr Kind auf den Schoß zog, recht, es passierte ihr kein Fehler, kein Irrtum. Sie ruhte in sich und hielt als Beweis die Hände gefaltet. Ihr Mann weidete sich an ihrer wunderbaren Ausgeglichenheit. Einige Zeit später sagte sie mir, daß ihr nur die Zeitknappheit zu schaffen mache, sie komme so, mit Haushalt, Mann, Kind und drei Vormittagen als Hilfskraft in einer Kanzlei, nicht zum Schreiben, denn sie müsse ja bereit sein in dem Moment, wo die Situation, die sie gerade umgebe, in eine Zuckung gerate, das Signal, nur dann könne man sie ja wahrnehmen, nur dann werde man zum Zuschlagen, Zugreifen gereizt, sie in dieser kurzen Abrückung zu erfassen. Wenn das verpaßt sei, sei es eben ganz und gar vorbei. Nach einem Aufstampfen, sie trat tatsächlich mit dem Absatz einmal heftig auf, sagte sie: »Was nutzt einem der Inhalt! Hier habe ich etwas, aber ich war nicht gesammelt. Das Entscheidende, das in der Luft lag, ist mir entgangen. Am Abend vor Himmelfahrt sah ich einen Bauarbeiter in der S-Bahn. Er sagte zu einem ihm gegenübersitzenden Fremden: ›Morgen ist Vatertag, ich habe Jägermeister gekauft und hier noch vier Flaschen Wein. Mit solchen Händen wird man nicht geboren. Die Kanaken sollte man in die Mischmaschine schmeißen. Mir sollte einer mit dem Messer kommen, der hätte das vorher im Bauch, ich warte nur drauf. Bin von meiner Frau geschieden. Manchmal treff ich sie, dann sagt sie ›Schätzchen‹. Ich sage: ›Laß dich von deinem Schwarzen ficken!‹« Er saß auf seinem Polster und wußte nichts von dem Satz, auf dem er saß: ›Kein Schwanz ist so hart wie das Leben.‹ Ich hatte das vorher gelesen, und er hat sich genau darauf niedergelassen, ahnungslos, obschon noch viele Plätze frei waren. So ist es nur ein blöder Witz.« Schon lächelte sie aber wieder und rieb sich mit einer der energischen Hände eilig die Stirn glatt.

Martins Tante denkt nicht daran, sich zu beherrschen. Wenn es sie überkommt, haut sie nicht nur auf Hüte, sondern gibt Leuten, die sie nach dem Weg fragen, extra gestellte Auskünfte: »Dieser Weg wird Sie verlocken«, »Dieser Pfad könnte sich als Irrweg herausstellen«, und ist sie erstmal in Fahrt, dann spricht sie alle auf Spaziergängen Zögernden an, ob sie bei der Wegsuche behilflich sein könne. Hinterher fühlt sie sich niedergedrückt und weiß nicht, was sie da befallen hat, aber ihr Mann trägt es mit Fassung, es amüsiert ihn letzten Endes wie am ersten Tag. Vielleicht fragt er sich nur, ob es wohl schlimmer geworden ist.

Wenn man nach diesen Tagen im warmen Dämmern an einem See oder Fluß sitzen kann, ist es, als würde alles von einem riesigen Mund, dessen Gaumenwand der von zarten Schleimhäuten ausgeschlagene Himmel bildet, eingeatmet für eine unbekannte, von allen Zweifeln befreite Aufbewahrung. Ganz oben, am äußersten Punkt ihrer Kenntlichkeit, erscheinen die Schwalben, endlich, einige Zeit vor Sonnenuntergang. Wie sie jetzt die Entfernungen verdeutlichen, wenn sie sich zu noch kühneren Aufstiegen entschließen und plötzlich wieder in die Sichtbarkeit fallen lassen, daß es ein Schock ist wie der Durchstich einer Nadel. Man hat auch Glück, wenn man dann in einer Hängematte liegt, ein Stück über dem Boden, eine ungefüge, ungeformte Masse, nur etwas Lebendiges in einem aufgehängten, zusammenhaltenden Geflecht, Margarine im Einkaufsnetz oder Fische, rechts und links vom Schiff durchs Wasser geschleift. Ich bin etwas Schweres, Unzusammenhängendes in einem mich schützend fesselnden Netz. Welche Auflösung, welche Sicherheit!

Ruths Verhärmtheit ist nicht mit der von Petra zu vergleichen. Ihr breiter Mund springt so grell von vornherein aus dem faltigen Gesicht. Wenn sie dann noch ihre Zunge zur Geltung bringt! Obendrein die schrecklich reizbare Haut, das spürt man doch vom Zusehen! Aber eins stellte ich immer fest: Sobald sie sich mit einem Mann unterhält, ob es ein Schaffner ist oder ein Professor am Gartenzaun, beginnt sie augenblicklich zu flirten. Die Zunge saust nur so über die Lippen, und sie stößt ein hohes Lachen aus, dann zeigt sie, wie ihre Augen leuchten und strahlen können. Komisch, plötzlich wirkt ihr Gesicht so verheißungsvoll. Die Lippen verändern sich, daß ich immer staunen muß. Sie scheint unverzüglich Versprechungen zu machen, aber dann zieht sie die Augenbrauen nach oben und hält ihren Körper entfernt, als erteilte sie auf einen doch überhaupt nicht geäußerten Vorschlag die bedauernde Absage, aber so, wie sie sich benimmt, setzt sie das einfach in die Welt und sprüht dabei ein Weilchen vor allerbester Laune. Wenn sie tiefunglücklich ist, wenn sie sich von dem Gehetze, dem Kleingemusterten um sie herum zu schlimm in die Enge getrieben fühlt, weiß ich, was kommt: Sie nimmt zu ihrer einzigen Ausbruchsmöglichkeit Zuflucht. Sie fängt an, mit ihren Freunden von früher zu prahlen, die immer noch hier und dort, in verschiedenen Städten verborgen, ein wenig auf sie hoffen und sie jederzeit mit offenen Armen – sie wirft das eiskalt hin, ach nein, in Wirklichkeit mit einem schüchternen Lächeln, sie ist sich nicht mehr ganz sicher, ob es noch geglaubt wird, sie beschließt, nur noch in Extremsituationen davon Gebrauch zu machen, dabei habe ich von Franz Wagner an so einer Stelle noch nie Einwände gehört, im Gegenteil, es ist ihm etwas still Vertrautes, er will vermutlich gern, daß es stimmt, es befriedigt ihn ja nur aufs neue, daß diese merkwürdige Person Ruth seine Frau geworden ist – kurz, Wohlhabende und Hochgebildete in Baden-Württemberg, Rheinland-Pfalz, Nordrhein-Westfalen und Berlin, außerdem in New York und Nagasaki. Ich ahne ja auch, was Ruths Traum war: das Vergnügen, sich um verschiedene Menschen zu schmiegen, Männer in ihren Besonderheiten, die einander zu widersprechen schienen, ihre Kanten, Zacken, Lücken zu fühlen, jedesmal anders, sich zu verformen am jeweiligen Gegenüber, ohne aber das eigene Material zu wechseln, sie durch diese Abtastungen zu erkennen, durch das geschmeidige Umfließen ihrer Konturen, und so selbst, immer Ruth bleibend, von Fall zu Fall eine andere Silhouette annehmend. Anders als früher, dachte sie, würde sie jetzt, lägen die Dinge noch wie damals, die Tatsache, daß diese Verschiedenen sich kaum vertragen könnten, amüsiert genießen, statt darunter zu leiden und es als Einwand, als Prüfung der Freundschaft zu empfinden. Sie hätte nicht mehr versucht, zwei von ihnen einander gegenüberzustellen, auch im Geiste nicht. Sie erfuhr lieber jeden für sich. Drohend, als letzte Rettung und doch jeden Moment bereit, eingeschüchtert zu sein, erwähnte sie, wie ihre Freunde, ihre verzettelten Gesangstalente. Aber es würde mich erschrecken, dieses angespannte Gesicht jemals in der noch viel größeren Anspannung des Singens zu erleben. Wie gut also, und das wird auch Franz inzwischen gedacht haben, daß sie sich hier mit Hinweisen begnügte, wenn auch mit einer Miene, die von einem böse entfachten Feuer sekundenschnell aufgehellt war! Dann, ich begreife ja nun, unausweichlich für Ruth von Kopf bis Fuß, ein Sommerabend in einem Tanzlokal am See. Der See lag hinter dem Gebäude, wir konnten ihn von unserem Gartentisch aus nicht sehen. Zum Tanzen mußte man hinunter, eine bunt erleuchtete Treppe, in die Bar. Wir tranken zu viert Wein und hatten nichts weiter vor, nur einmal die schummrige Biegung nach unten angesehen. Uns gefiel es im Freien besser, Ruth, Franz, einem Freund, damals, und mir, nein, kein Freund, mein Vetter Martin, der Ruth im Laufe des Abends immer wunderlicher fand, das angepreßte Kinn zusehends lockerte und seine gesamte Schüchternheit an soviel vorgeführte Verkrampfung unauffällig abgab. Ruth hatte erst mit ihm zu flirten versucht, aber sie war für ihn etwas viel zu Offensichtliches. Sosehr er ihre Verrenkungen bestaunte, er reagierte nicht so recht, wie sie es sich von einem jüngeren Mann wünschte. Aber nun, da der Abend duftend vom Wasser her und so musikalisch durch die Bar unter uns auftrat, konnte Ruth keine Ruhe geben. Wir hatten schon längere Zeit eine sehr tiefe, männliche Stimme aus allen anderen herausgehört und schließlich entdeckt, wem sie eigentlich in solcher Abgrundtiefe zur Verfügung stand. Es war ein kräftiger, beinahe beleibter Mann, der mir ziemlich alt erschien, mit schwarzem Hemd und hellen Schuhen. Ruth sprang auf und ließ zur Probe die Zunge spielen: »Den fang ich mir!« Franz nickte beifällig über ihre gute Laune. Sie schob, mit beiden Händen in den Taschen ihrer sehr eleganten, sehr teuren Hose – wieder eine Großzügigkeit der Sauerlandtante –, wiegend, schlendernd auf ihn los. Wenn man Ruths Gesicht sieht, traut man ihr sowas einfach nicht so leicht zu, und darum beachtete der Mann, der am Geländer zur Kellertreppe lehnte, sie nicht sogleich. Er sah flüchtig hin und wieder weg. Er mußte ihre Herausforderung, nach kurzer Prüfung, als Irrtum abtun. Aber Ruth drückte den Busen vor, zündete sich eine Zigarette an und starrte dem Mann auf den Hinterkopf, bis er sich ihr erneut zuwandte. Dann ging es schnell, er sprach mit ihr ein paar Worte, legte den Arm um ihre Schulter, und die beiden stiegen die Treppe zur Bar hinab, während Ruth uns winkende Zeichen mit der freien Hand machte. Wir ließen ihnen ein bißchen Zeit und folgten dann vorsichtig. Unten sahen wir die beiden eng umschlungen tanzen. Der Mann schien von Ruths Bereitwilligkeit, die sie doch nur als Pointe einzusetzen gedachte, begeistert. Sein Gesicht wirkte zielbewußt und sentimental. Wir zogen uns wieder an den Tisch zurück, Ruth kam nach ein paar Minuten zu uns, mit glühenden Wangen und auf- und zuschnappenden Augen. Ich hatte sie bis dahin noch nie so ausgelassen erlebt. Sie stieß mich mit dem Ellenbogen kumpelhaft in die Seite, sagte: »Der ist zum Schreien, jetzt gibt er einen Whisky nach dem anderen aus, der hat sich was vorgenommen, ich lach mich krank, dem ist es ernst!« Weg war sie, wieder beide Hände in den Hosentaschen, wiegend, schlenkernd, als wollte sie alle übrigen Männer auch noch verführen. Es herrschte eine sehr wacklige Stimmung zwischen uns dreien, Ruth war ja schließlich die Vornehmste von uns. Sie mußte, wenn einer überhaupt, wissen, was ihr stand. Darum warteten wir ab, aber so, als wäre ein Regal mit Porzellan schon ins Schwanken geraten und man zöge bereits in der Furcht vor dem Stürzen und Klirren abwehrend die Schultern hoch. Martin hatte, als sie sich dem Tisch näherte, eine korrekte Haltung angenommen und das Kinn wieder angepreßt, ich merkte, daß er Ruth nun ablehnte wegen der Künstlichkeit ihres Gehabes, und erst als sie dicht bei uns war, lockerte er sich aus Höflichkeit mit Gewalt. Etwa eine halbe Stunde später erhob sich Franz, um noch einmal nach ihr zu sehen. Sie lief ihm auf halbem Weg zum Treppenaufgang in die Arme mit gesenktem Kopf. Sie drückte sich so an ihn, daß er sie umarmen mußte. Sie klammerte sich an ihn, und er strich ihr mit steifen Fingern über das Haar und klopfte ihr offenbar aufmunternd auf dem Rücken herum. Schließlich traten beide an den Tisch, Ruth weigerte sich, noch einmal Platz zu nehmen, sie weinte beinahe und war ganz blaß, so daß mir der durchwachsende Schädel ihrer Mutter einfiel. Martin sah uns alle höchst verlegen der Reihe nach aufgeregt an und zahlte dann rasch an der Theke. Hinten im Auto erzählte mir Ruth bei fortwährendem Kopfschütteln oder Schütteln des ganzen Oberkörpers, der Mann habe sie plötzlich unumwunden, übergangslos gefragt, ob sie mit ihm schlafen wolle, jetzt auf der Stelle, draußen am See, und schon begonnen, sie zum unteren Ausgang zu bugsieren. Nun, im Dunkeln, weinte sie wirklich. Er habe sie, auf ihr Entsetzen hin, gleich losgelassen, aber trotzdem: Er hätte doch merken müssen, um was für eine Frau es sich bei ihr, Ruth Wagner, handele, verheiratet, Mutter von zwei Kindern, sie so zu verwechseln, ein Anwurf, ein In-den-Dreck-Ziehen! Ich dachte damals, sie habe den Verstand verloren. Später sprach sie oft mit schnippischem Lächeln davon. Wenn sie sich unsicher fühlte oder feststellte, daß sie im Unrecht war, verschanzte sie sich ruckzuck hinter der guten Familie, fuhrwerkte mit der Riesenzunge, rückte aber dem nächsten Thema, ein wilder, neuer Vorstoß, gleich unvermindert mit schwierigen Wörtern zuleibe. Ihr Glücklichsein bei glücklichen Ereignissen betonte sie wie auswendiggelernt, so schrill, daß sie den schönen Schleier der Situation, als könne sie darin eingehüllt nicht atmen, nach Luft ringend, aufschlitzte.

Ich lehne mich nun aber weit zurück und erinnere mich an meinen Großvater, der manchmal seine Kommodenschublade öffnete, die zweite von oben, wo vorn die Taschentücher lagen, die nach Badetabletten rochen. Er schob sie an diesen speziellen Tagen, die ich mir verdienen mußte, etwas beiseite und holte seine Schätze hervor, lauter kleine Gegenstände, die er vor mir aufbaute, von denen ich manche berühren durfte, die er selbst zum Teil nur mit einem Läppchen anfaßte: zwei hellblaue Halbedelsteine, eigentlich Manschettenknöpfe, die aus der Fassung gebrochen waren, ein buntes Papierbild des heiligen Franz von Assisi, mit einer breiten Spitze umgeben, die ich anfühlen durfte, fünf Backenzähne mit braunen Rillen, ein Stückchen Perlmutt, ein Fläschchen Parfüm, das er nie öffnete, aber es duftete stark nach Rosen am Verschluß, ein Seidenband, aufgerollt und, wie er behauptete, in Tee gefärbt, eine Blechdose mit Bonbons, die nie gegessen wurden, nur betrachtet, aber alle in unterschiedlichem, schillerndem Papier, ein winziger Altar, aus Elfenbein geschnitzt, in der Mitte war ein Schränkchen, das man öffnen konnte, dann sah man ein Bild der Maria mit Kind, ein Gedichtbändchen mit gepreßten Blumen, ich durfte nicht fest atmen, wenn er es aufschlug, damit sie sich nicht bewegten, eine Haarlocke seiner verstorbenen Frau, mit einer rosa Schleife gebunden in durchsichtigem Papier, davor gruselte ich mich, als wäre auch das Haar etwas Verstorbenes, eine Glückwunschkarte, die man aufklappte, und ein Strauß Sommerblumen sprang einem entgegen, eine Dose allerfeinste Ölsardinen, ohne Haut und Gräten, mit einer schönen Portugiesin darauf, eine kleine Monstranz, nicht größer als eine Kinderhand, das leere Glasgehäuse war von einem goldenen und silbernen Strahlenkranz umgeben, und immer fragte ich dann, warum er nichts reintue, was denn da reinsolle, ein Papierschnitzel? eine Spielhostie? ich war versessen darauf, es einmal zu füllen, er sagte nein! und packte dann die Sachen kurzangebunden wieder weg.

Vor mir steht ein Regal. Täglich kann ich dort eine Karte, auf die ein Kind eine Prinzessin gemalt hat, betrachten, eine Porzellankatze mit vier Jungen, nicht größer als 1 ½ cm, weiß-braun geflammte, gepunktete Muscheln, von denen die auffälligsten alle gekauft sind, einen Becher mit spiralig bemalten Bleistiften, zwei große und zwei kleine Glasmurmeln, einen Tabaksbeutel aus bunten Lederstücken, verschiedene Probefläschchen Parfüm, eine Flaschenherde, dicht aneinandergedrängt, eine Miniaturstadt aus Glas mit zierlichen und leuchtenden Dächern, zwei hölzerne Stockenten, in einer Plastikschachtel fingernagelgroße Kühe, eine etwas größere, freistehende Gazelle, ein 10 cm langes Schiff mit differenzierten Aufbauten, ein Trupp verwegener Reiter in voller Jagd, säbelschwingend und nur von den Seiten zu bewundern, zwei müssen angelehnt werden, weil der Fuß, der Mann und Reiter trägt, nicht ausbalanciert ist, ein

Sträußchen verschiedener Federn, eine über und über gepunktete Puppentasse, ein Tintenfäßchen mit einem Pelikan darauf, vier Kuchenförmchen, gelb, rot, blau, grün, in denselben Farben vier einfache Kegel, ebenfalls aus Plastik, fünf weiße Würfel mit schwarzen Punkten, ein grünes Spielrennauto, ein Fläschchen, mit Liebesperlen gefüllt, und zwei schneckenartig gedrehte Brötchen, drei Jahre alt, von einem Hotelfrühstück in Süddeutschland. Auch diese Dinge hat ein anderer für sich gesammelt, und ich kann sie, diese immerzu, ansehen, darum weiß ich sie nicht auswendig.

Jetzt aber etwas Eigenes: Der Augenblick, wo die Katze mit ihrem Stiefmütterchengesicht nach langem Wachliegen den Kopf endlich zur Seite bettet, auf die nun seitwärts gedrehten Pfoten, und die Augen seufzend schließt. Ein Abwenden von der Welt und auch, und besonders, als wollte sie ihr Einverständnis bekunden, daß es gut ist, weil die Umstände so beschaffen sind, daß sie sich in ihnen einrichten und die Zeit eine Weile ohne ihre Wachsamkeit verstreichen kann.

Das Rauschen, das leise Rieseln der Bäume. Wie etwas Strömendes zieht es durch meinen Kopf, den willenlosen, ohnmächtigen, spült alles weg, und ich, halbwach wie die graue Nacht, schlafe darunter ein wie für immer.

Das Verstecken von kleinen Geldstücken auf einem Hinweg und das Einsammeln, ohne Ausnahme, bei der Rückkehr.

Der große Spiräenstrauch und die dunklen, grünen Nischen darin: Schon vergesse ich vor diesem Unergründlichen, Bestehenden, daß ich ihn seit Frühling habe wachsen sehen, Zentimeter für Zentimeter aus dem Boden heraus, in diesem Garten, so kraus, fächernd, kriechend, hochschießend, durchscheinend, für immer und ewig schattig, ein Schattenbezirk, glühend eingefaßt.

Die plötzlich entblößten, blau-bleichen, gewundenen, geknoteten, ausbrechenden und einschrumpfenden Krampfaderbeine einer alten Frau am Strand.

Ein Abend auf einer Schaukel im Münsterland, die Erwachsenen auf Küchenstühlen dabei. Bis in die Nacht wird gesungen, es sind junge Frauen in geblümten Schürzen. Sie sitzen im Dunkeln unter den Bäumen wie aus ihren Küchen dorthin getragen, und ich wundere mich, als Elfjährige, wie sie so kindlich, so inbrünstig singen: »Kein schöner Land.« Es klingt, als würden sie ein bißchen weinen dabei.

Das Gesicht des Bisons, plötzlich, als er sich aufrichtet, das Urgesicht des Bisons, als wären die Augen eines aufgetürmten Felsens sichtbar geworden.

Der ausgestreckte, magere Altmännerarm, nackt bis zur Achsel, des Eremiten Paulus von Grünewald.

Die Maus, kaum geboren, von der Katze gepackt, hoch und hell durch den Garten schreiend, daß man es im Haus hört, sich überschlagend, und als die Katze sie zwangsweise freiläßt, wie sehr schon verwundet? im Buchsbaumgebüsch sterbend.

Als in einem Eisenbahnabteil meine Knie mit denen eines Mannes fast zusammenstießen und, als läge eine ganze Erdbiegung zwischen uns, wir uns ansahen, von einem Horizont zum anderen.

Ein einzelnes Blatt, noch einmal still am Zweig, dann endgültig überquellend, abtropfend.

Ich ging im Regenmantel, mit Stiefeln und Kapuze im strömenden Regen, eine feste Burg mit Scheuklappen. Ich hielt laute Selbstgespräche und stapfte an den Vorgärten im März vorbei, hielt an vor den Frühblühern, bei den kleinen und prächtigen Häusern mit eingeschlagenen Fenstern, sie alle auf der Todesliste. Ich stand da und spürte sie atmen, so hilflos wie Bäume, die umgehauen werden, so verwildert die alten Veranden zu einer hinfälligen Schönheit, daß ich mich den Regentropfen hätte anschließen mögen und aus meinem Gesicht einfach mit herunter die Tränen hätte rollen lassen, aber ganz gefaßt, nur der Bewegung gehorchend, gierig mit all dem Regen in den leeren Straßen. Ich stapfte und stapfte, geschützt und mit nassem Gesicht.

Der atemberaubende, kurze Schreck, wenn eine Blumensorte zum ersten Mal an einem Morgen aufgeblüht dasteht, weil die Energie trotz des kühlen Wetters zu groß wurde und der lautlose Drang, sich endlich zu öffnen, gesiegt hat.

Das Aussprechen des Wortes »Tod« in einem Geplänkel: eine Stauung der Einzelheiten plötzlich, eine Verwandlung.

Die Augenblicke heftigen Interesses bei Zugfahrten, begrenzt, für fremde Insassen. Alle Schranken können für die gewisse, absehbare Zeit fallen, es gibt keine Dosierungen. Dann das Einverständnis beim Abschied. Man hat eine Stunde klug genutzt und bedauert nicht, sich nie wiederzusehen. Man hat den freien Wert des Moments erkannt.

Die Katze in alle Richtungen zuckend nach den lärmenden

Vögeln, den beweglichen Schatten: Eine Welt, durch und durch für sie gemacht, alles Pflichten, die auf sie warten! So steht sie da wie ein Hausmeister in einer Welt voller Übeltat und Versäumnis, ein Herrscher, der sein Reich mit geschwollenem Haupt betritt. Alle Papierfetzen, alles Unstatthafte zieht er an sich, in sich, ein Mittelpunkt, wie die vom Geschwänzel der Dinge gereizte Katze.

Ich, in der Badewanne liegend, an einem frostigen Abend, und jemand, friedlich bei mir auf dem Klodeckel sitzend, der mir Gedichte vorlas, leuchtende Fäden durch die eisige, beißende Nacht gezogen, ein Satz, der nun sternenhaft in der Schwärze stand, und ich entschied mich, für eine gewisse Zeit an dieses eine, funkelnde Zeichen zu glauben.

Die Nähe zu Leuten in einem Gespräch, die körperlosen Berührungen, das heftige Umarmen über der Tischplatte, und wie sie dann wieder hinter die Oberflächen ihrer Gesichter zurücktreten, neu und geheimnisvoll verschlossen.

Ach, der nackte, ausgebeulte, abgezehrte Ober- und Unterarm, der Luftwurzelarm des Eremiten Paulus!

So müßte ich all diese Augenblicke, immer weitere, hintereinander herwerfen und in einem glatten, tiefen Teich versenken, der aber durchsichtig ist, in dem sie, sobald ich mich über ihn beuge, sacht wehend und grünlich alle, hochschimmern, ein erwiderungsloses, ein wissendes Auge.

Einmal habe ich eine Menge Menschen auf einem Betonblock gesehen. Sie strömten von allen Seiten dorthin zusammen, ich beobachtete eine Kontraktion, wie sie sich reckten, die Augen mit den Händen vor der Sonne schützten, auf eine Stelle wiesen, die sich außerhalb meines Gesichtsfeldes befand. Ich sah sie gestikulieren, aber ich sah nicht das Ereignis, das sie erregte, und erst nach längerem Betrachten stellte ich mich zu ihnen und verstand nun alles: Sie beobachteten einen Brand in den Bergen und wie ein Hubschrauber, der an einem Seil einen silbernen Behälter schleppte, immer wieder im aufsteigenden Rauch verschwand und in weitem Bogen heranschwang.

Ruth Wagner, Veronika, Martins Tante, Frau Jacob, Franz Wagner und seine Mutter, Martin, Herr Willmer, Tante Charlotte und Onkel Günter, Petra, selbst Gaby und Rudolph, Karin und Helga Becker: Irgendwas, dies oder das, haben sie mir, freundlich oder unfreundlich doch wenigstens, und das muß genügen, bedeutet.

Über ihre Besuche beim Frisör hörte man Ruth natürlich nur spotten, mit umgestülpter Lippe, aber doch heimlichtuerisch lächelnd, als wäre da etwas vorzuenthalten, etwas gefiel ihr daran, das Luxuriöse zumindest, aber nicht nur das. Ihre hartschädelige Mutter bestand auf einer tadellosen Frisur der Tochter – auch wenn sie nur Stunden hielt, dann hatte die nervöse Ruth das Haar zerfleddert – als letztem Relikt einer behüteten Vergangenheit und übernahm die Finanzierung. Dafür brauchten sie nicht mal die sauerländische Tante. Wenn Ruth sagte: »O, mein Frisör ist ungeheuer flott!«, dann stritt und schmeichelte sie an mehreren Fronten. Sie mokierte sich über seine modischen Auftritte, aber auch über diejenigen, die sie beim Erscheinen in dieser pfiffigen Umgebung eine schlechte Figur abgeben sah. Es konnte ja keiner bezeugen, daß sie unter anderem auch sich selbst damit meinte und sich jetzt ins Blaue hinein revanchierte. Diesen Salon zu betreten, irgendeinen der Angestellten sachlich zu grüßen und erstmal an geeigneter Stelle Platz zu nehmen war keine Bagatelle: Wenn Ruth die Tür öffnete und in den Raum schaute, mußte ihr Blick notgedrungen auf die großen Spiegel fallen, und hier, anders als im Café, irritierte sie ihr eigenes, zurückgeworfenes Bild sowie das der Mädchen und Frisöre und der sitzenden Kundinnen, denn obschon diese alle in Wirklichkeit ihr ja den Rücken zuwandten, wurde sie, wenigstens für einen Moment, von ihnen betrachtet, und während sie noch Kontakt mit den leibhaftigen Menschen suchte, mit einem einzigen von ihnen, um irgendeinen Richtpunkt zu haben, wurde sie längst vielfach und kritisch beäugt, und zwar nicht als ruhig dastehende Frau Wagner, die selbstbewußte, gebildete, sondern als zappelig Verbindung Suchende. Deshalb kuckten sie ja alle, um dieses Schauspiel einer Eintretenden kurzfristig zu erleben. Ruth nahm das übertrieben wahr, sie ließ sich so leicht ins Wanken bringen und wurde in dieser Situation auch nach mehreren Besuchen nicht sicherer, begann vielmehr sofort, sich ihrer schlechten Frisur zu schämen. Wieder hatte sie viel zu lange gewartet, um einen Schnitt zwischendurch zu sparen und die Zahlung der Mutter trotzdem zu kassieren. Sie spürte noch etwas: Sie kriegte keinen richtigen Ausdruck ins Gesicht, er glitt ihr weg. Sie wußte nicht, als was sie hier hätte auftreten sollen. Daß ihre Intelligenz nicht zählte, daran zweifelte sie nicht. Später sagte sie sich das überheblich, aber in dieser Sekunde brachte es sie in Schwierigkeiten. Sie verzog schließlich demütig den Mund, als der Hauptfrisör auf sie zutrat, das war für sie das beste, und sie begriff es dann auch gleich. Sie spielte die Zerknirschte, das verstand man, und er schimpfte und zupfte freundlich an ihr herum. Wie Ruth diesen Anfang alles in allem genoß! Eine so angenehme, absehbare Verwirrung! Und dann so liebevoll vertraut willkommen geheißen, mit so ungeniert sicheren Gesten berührt nahe der Gesichtshaut, und nichts war dabei, obwohl sie doch den so dicht bei ihr stehenden Mann mit ihrer empfindlichen Nase riechen konnte. Er nun, wie lohnte sich ihre Unentschiedenheit bezüglich einer Sitzplatzwahl, geleitete sie so rasch, so selbstverständlich an Waschbecken, Trokkenhauben, Frisiermädchen, die ihr entgegenlächelten, kühl, ja, aber lächelnd, Notiz nehmend, vorbei und rückte ihr den Stuhl zurecht, und sie, mit einem großen Spiegel für sich allein, konnte von ungefährdeter Position aus betrachten, was sich an der Tür und im Raum abspielte, jede kleinste Unsicherheit einer an der Kasse zahlenden Kundin, das Zaudern beim Trinkgeld für die Angestellten, das überdeutliche Schäkern mit dem Meister selbst, das Häßlichwerden der Gesichter, wenn das Haar naß daran herunterhing, das Hübschwerden, die überraschende Auferstehung gegen Ende der Prozedur, das manchmal rührend glückliche Strahlen einer schüchternen Frisierten über das gelungene Kunstwerk und den Mund des frisierenden Mädchens, das sich über dieser Begeisterung ein Grinsen mit Mühe verkniff. Sie sah auch ihr eigenes Gesicht ungewohnt gründlich an und mit leichtem Schrecken, fühlte sich wehrlos auf ihr Aussehen beschränkt, fror vor Wehrlosigkeit. Aber ein Kaffee kam, sie sagte sich: »Gute Laune ist alles, schöne Gedanken, Zuversicht, dann straffen sich die Muskeln, los!«, und es ging schon besser. Sie sah den Frisör einer älteren Dame ruppig durch die strohgelben Haare fahren, eine Ungezogenheit eigentlich, aber sie ließ es von ihm unbedenklich geschehen, wenn es auch unschicklich wirkte, wie der junge Mann mit der Frau umsprang. Nun gut, die Farbe der Haare war unselig, aber gab ihm das ein Recht? Es war schön, was hier alles möglich wurde. Der Frisör beugte sich zu ihr, strahlte sie an, ging weg, kam wieder und rieb ihre Haare völlig gleichgültig zwischen den Fingerspitzen, sprach mit einem der Mädchen, Ruth suchte eine Verständigung mit ihm im Spiegel, er beachtete sie nicht, nur das Haar, sie interessierte ihn nicht, nur das Material auf ihrem Kopf, sie fühlte sich beleidigt und biß sich die Lippen rot. Er kam noch mal, wieder dieses Prüfen ihrer Kopfhaut, als wäre sie ein zu scherendes Schaf, es machte sie traurig. Aber warum denn! Er lächelte ihr doch gerade aus einem Spiegel verschwörerisch zu. Sie verzieh ihm auf der Stelle, und wolkig, duftend, leicht und warm spürte sie die Luft und die unbeständige Zärtlichkeit des ganzen Raumes um sich herum. Als man ihr den Kopf nach hinten in ein Becken legte, das Haar mit einem heißen Strahl naßspülte und dann vorsichtig zu massieren anfing, entstand vielleicht zum ersten Mal dieser Überdruck in ihr, als würde etwas auf einen nur von ihr wahrnehmbaren Gongschlag hin nach außen drängen. Es ging aber schnell vorüber, und alles Bemerkbare waren die behutsam streichenden Fingerspitzen, die das Shampoo verrieben, abduschten, erneut zum Schäumen brachten. Sie sah es nicht, sie hielt ja die Augen geschlossen, anstatt die Decke zu bestaunen, aber das Gefühl! Dann fuhr und fegte eine mächtige weiße Person durch den Salon, weiß und bauschig von Kopf bis Fuß, die weite Jacke, die Pumphosen, ein üppig um den Hals geschlungener Schal, die Sandalen, alles weiß, dazu ein seitlicher Zopf, ein stark geschminktes, rosig gehöhtes, schattig vertieftes, vor allseitiger Zuneigung leuchtendes Gesicht, so geschmeidige, energische Schritte, so eine sanfte, feste Stimme! Jetzt konnte Ruth, nach dieser Entdeckung, gar keinen Blick mehr lösen von ihr. Wie sie hier und dort war, so tüchtig und gelassen, und nur lief, diese beinahe dicke, behende Gestalt, wenn sie sich im hinteren Flur befand, wo keiner als Ruth sie im Spiegel verfolgen konnte. Ruth sah sie konzentriert an der Kasse stehen und die Positionen bei den verschiedenen Angestellten überprüfen und zusammenrechnen, sie hörte sie reizende, intime Abschiedsworte sagen, zu einem kurzen, fachmännischen Wortwechsel neben den Hauptfrisör, Ruths Frisör mit den langen Locken, treten, sie duzten sich, fast mütterlich mit einem jungen Lehrling dessen Mißgeschick bedauern, ihm war ein Fön polternd zu Boden gefallen, und als sie sich zu ihr, Ruth, niederbeugte, fand sie sofort, tiefernst Ruths Haaransatz begutachtend und ihre Originalfarbe lobend, einen direkten Gesprächseinstieg, was Ruth nie gelang. Sie hatte immer nur bestaunt, wie andere mühelos plauderten, es nicht gewünscht, aber doch gelegentlich, ohne Erfolg, versucht. Von dieser weißen Frau ging eine solche allgemeine, nicht nachlassende Anteilnahme aus, daß sich alle zu freuen schienen, wenn sie zu ihnen kam, eine so kameradschaftliche Attraktivität, die niemanden kränkte. Hier aber ungefähr muß sich der Eindruck, etwas würde aus ihr, Ruth, herausplatzen wollen wie aus einer Eischale, ja, als wollte etwas mit Gewalt schlüpfen und wenn sie selbst dabei in Stücke spränge, ganz egal, als würde etwas in ihr die zusammengeklemmten, noch feuchten Flügel regen und damit zu schlagen anfangen, nun aber viel stärker wiederholt haben, woraufhin Ruth in ihrer Angst am eng um den Hals gebundenen Kittel zu zerren und möglichst unauffällig zu keuchen begann. Als das Gefühl nachließ, konnte sie sich trotzdem nichts anderem mehr zuwenden, und erst auf dem Heimweg, wenn auch noch immer befangen in der doppelten Empfindung, mit der sie überhaupt nichts anzufangen wußte, die Hitze, das zu lange Auf-einem-Platz-sitzen-Müssen, der Ärger über die vertane Zeit, sagte sie sich, kamen ihr die beiden Zwillinge in den Sinn, die beiden blonden, sehr jungen Frisörmädchen, die sie und alle Kundinnen verwechselten, eins dem anderen so vollkommen ähnlich, zwei offensichtlich lebenslustige Geschöpfe mit runden Augen, rundem Mund, gekleidet wie Urwaldvögel und immer in Versuchung, zu der leisen Tanzmusik aus dem Lautsprecher ein paar Schlenker mit den Schultern zu machen, sobald sie sich aus der Zone der eigentlichen Öffentlichkeit entfernten. Ihr wurde erst jetzt klar, daß sie heute nicht immer dieselbe, mal in günstiger und mal in schlechter Beleuchtung, gesehen hatte, sondern beide, nur waren sie sich, nach dem Vierteljahr seit ihrem letzten Besuch nicht mehr ähnlich. Einmal hatte sich die eine, ausgelassen und nur so gerade beherrscht für den Arbeitstag, mit ihr beschäftigt und dann die andere, plötzlich scheinbar fünf Jahre älter geworden, knochig, nicht einmal lächelnd: das einzige, wie Ruth jetzt erfaßte, in dem gesamten Raum ganz nach innen gekehrte Gesicht.

Immer wieder aber das Rieseln der Bäume, der Kuppeln, Gewölbe, der über breite und schmale Schultern geworfenen, gewaltigen Mäntel, Trauermäntel, Prunkmäntel, ein kreisendes Geräusch, ein Sausen, das in meinem Kopf wie am Horizont entlangfährt, durch alle Aderngleise und Nervenzweige, ich spüre es in den Zähnen. Eine Betäubung, ein Sterben voller Einverständnis, eine Auflösung, als würde ich durch ein großes Sieb gestrichen, lauter kleine Blätter zukken an mir, ich bin eine Ansammlung lockerer, beweglicher Bestandteile, zerrieben zu etwas Gleichartigem und immer noch bei mir, erst jetzt ganz bei mir. Die Wäsche auf der Leine wölbt sich im Wind, die Oberhemden, die Nachthemden, so aufgebläht und durchgeblasen, fangen sich etwas ein als Behälter, und ich kann es später an meinem Körper, um meinen Körper herum tragen. Es ist kein pfeifendes Davonstürmen, es kann nirgendwo aus dem Kreis, an dem es entlangsaust, heraus, aber nach oben, ja, neuerdings vermute ich: nach oben, in Schleifen, Spiralen, mit immer neuer Schwungkraft kreist es senkrecht in die Höhe, ohne den Boden zu verlassen. Es ist eine unsichtbare Rauchsäule, eine Windhose, ein wachsender Geräuschturm. Immer mehr Raum wird aufwärtssteigend gewonnen, und in dieser Röhre, ahne ich jetzt, kann ich mich mitreißen und wieder fallen lassen und von neuem. Unbegrenzt, sich ausdehnend das ekstatische Flüstern, das zischende Raunen und Murmeln, das mich holen will, Tag und Nacht zwischen Sommer und Herbst, auch wie eine Brandung, herantobend und zurückweichend, aber dann vom Horizont heranschwappend, im Dunkeln manchmal wie abgelöst von den Bäumen. Ja, die sehr großen stehen, ohne sich zu rühren, und rieseln und sirren, ohne ein einziges zitterndes Blatt, als stiege es ihnen aus den mächtigen Stämmen als hörbarer, sich ausbreitender Dunst, erzeugt von ihren Baumenergien. Bis in die Nacht, bis tief in die Nacht am offenen Fenster, wirbelnd, strudelnd das leichte, süchtig machende Brausen, das mir nun doch die Sohlen vom Boden hebt und mich herumschwenkt, gewaltsam, aber dabei so einschläfernd, so verführerisch sacht.

Es gab etwas, das besonders Ruth, aber auch Franz und mich selbst, obwohl ich unbeteiligt war, in Wut versetzte: Wenn Frau Wagner, mit ihrer Hellhörigkeit, die, ich wußte es ja, aber das half nichts, von ihrer prinzipiellen Ausgeschlossenheit herrührte und vielleicht nur ein Annäherungsversuch in familiären Dingen in aller Zartheit sein sollte, tief ausatmete, die Schultern einleitend fallenließ und zu verstehen gab, daß sie das meiste über Franz und Ruth und ihre

Freunde kannte. Sie hatte sich alles Durchgesickerte fabelhaft gemerkt und zusammengesetzt, und man konnte erschrecken, wie sie kleinste Ereignisse nicht nur aus der Kindheit von Franz, sondern irgendwann ausgeplauderte aus der von Ruth behalten hatte, wie Ruth der erste Eisbecher einer Dame auf den Schoß gekippt war und so weiter. Ruth faßte das als unverschämte Bemächtigung auf, man sah es ihr an, sie wollte diese Frau mit ihrer verdammten Erinnerung abschütteln, der soviel aus der Anfangszeit ihrer Bekanntschaft mit Franz zur Verfügung stand, als Franz nämlich unbesorgt zu Hause geschwärmt hatte und Frau Wagner mit offenen Ohren noch einmal die Liebe miterlebte. Dann richtete sich Ruths Zorn natürlich außerdem gegen ihren geschwätzigen, arglosen Mann, der erstaunt von seiner Mutter Anekdoten aus der Frühzeit seiner Beziehung zu Ruth vernahm. Das Schlimmste war, daß Frau Wagner diese Dinge, wie Franz einmal ein Rendezvous mit Ruth vergessen und am nächsten Tag eine große Tüte Berliner Ballen gekauft hatte zur Versöhnung, was für ein Einfall! und von Ruth beleidigt weggeschickt worden war und auf dem Rückweg ein Loch in die Tüte bohrte und sich daran freute, wie ein Ballen nach dem anderen aus der Tüte plumpste, bis sie leer war, daß sie diese Dinge mit einem Lächeln ausbreitete, das sie als ihren Besitz markierte, nein, noch fataler: Sie spürte, und verbarg es nicht, daß sie damit Besitzansprüche auf die Personen selbst geltend machen konnte, nicht hämisch, mütterlich eher, es war auch etwas Scheues dabei. Sie behauptete ja nur in Bescheidenheit, wie sie sicher glaubte, ein ihr zustehendes Plätzchen, ein immaterielles zudem. Aber wie schlug ihr, ohne daß die alte Frau ahnte warum, Ruths haßerfüllter Blick und ein stummes Fauchen entgegen! Sie hatte doch nur liebevoll ihre alle umschließende, aufmerksame Erinnerung bekundet.

Warum liebte Martin eigentlich schon als Kind so leidenschaftlich die Tiere, die lebendigen, die abgebildeten, die aus Sperrholz selbst gesägten, die Geschichten von wilden Pferden und treuen Hunden? Ich weiß es ja, auch wie er sich im Tierpark vor die Käfige hockte und den Tieren in die Augen zu sehen versuchte, mit Stöckchen streichelte, mit abgesparten Apfelstücken fütterte: Die Tiere fühlten so deutlich! Guten Hunden brach das Herz am Grab ihres Herrn, edle Pferde warfen alle Reiter ab bis auf den einen, sie sprangen hoch vor Freude, schrien vor Angst, zitterten vor Gier, kämpften vor Liebe, und das alles konnte man ansehen und vieles hervorrufen. Krambambuli! Genovefas Hirschkuh! Wenn ihm ein fremder Hund zulief, was oft geschah, kniff er die Lippen, um sich nichts anmerken zu lassen, fest zusammen, aber zwei pralle Hautsäckchen bei den Mundwinkeln zeigten seinen Triumph trotzdem an. Wenn in den Tierschauen, die man in den Pausen zwischen dem Programm eines Zirkus besuchen konnte, ein Pferd ihm gestattete, seinen Hals zu klopfen, zog er vor Freude ein finsteres Gesicht und flüsterte: »Ja, du bist ein gutes Pferd, ist ja gut, ist ja gut!« Es war komisch, es war feierlich, ich sah, wie das Pferd währenddessen Pferdeäpfel machte. Martin liebte auch den Sturm. Er stellte sich ans Fenster und beobachtete die zwei Bäume, die wir am Bahndamm stehen hatten: »Ha!« sagte er, »gleich geht es los!« und zeigte, sicher ohne es zu wissen, die Zähne. Die Bäume konnten sich noch so biegen und die Äste schleudern, das brachte ihn nur in Stimmung, noch mehr und immer mehr zu fordern. »Mal sehen, was wird!« sagte er, und erst, wenn die Papierfetzen hoch durch die Luft flogen, lachte er, aber nicht lange. Er wartete auf Schlimmeres, er wollte es am liebsten ganz schrecklich haben. Ich glaube, eine Zeitlang war er überzeugt, daß er mit seinem Willen etwas dazu beitragen konnte, und ich fürchtete damals, daß er wünschte, der Sturm würde die ganze Welt in einer herrlichen Katastrophe zerstören. Das stellte er sich ohne Bosheit und ohne Gründe vor, nur als großartiges Vorkommnis, das bis über das Äußerste einmal hinausging, denke ich jetzt. Wie lief er später, als halbwüchsiger Schüler, in Ausstellungen und Konzerte, er marschierte los, kratzte für eine Eintrittskarte, einen Katalog, ein Plakat sein bißchen Geld zusammen, marschierte nicht los, stürmte, wenn auch gemessenen Schrittes, davon mit hoffnungsvollem Gesicht. Fast immer, wenn er zurückkam, war er Feuer und Flamme, schon weil er es so gern sein wollte. Ich sah ihn beinahe nie enttäuscht, es gelang ihm, auf seine Kosten zu kommen, manchmal stammelte er vor Begeisterung, aber seine Augen blieben grüblerisch.

Von Petra aber weiß ich, daß sie schon morgens nach dem Aufstehen, immer müde, immer ein bißchen schwindlig ist, aber sobald sie sich hinlegt, fängt ihr Herz an zu klopfen, etwas zu stark, etwas sehr beschleunigt. Einmal saß sie nur da, erschöpft wie meist, lächelnd natürlich auf ihre schwache Art, ein verhärmtes, tapferes Lächeln, das sie, wenn sie sich beobachtet glaubt, zum Strahlen bringt. Wer diese Verwandlung mit ansehen muß, fühlt sich gleich an irgendeiner Sache geheimnisvoll mitschuldig. Sie saß da und sah in den strömenden Regen. Er strömte und stürzte, nichts anderes passierte, ihre Arbeit blieb liegen, sie kümmerte sich nicht um das Kind, nicht um den Mann, die waren bei der Schwiegermutter. Sie dachte nichts, Petra, verdünnt, ausgefranst, und sah sich plötzlich so dasitzen als geschlossene Figur in den Regen blickend, mit einer Tasse Kaffee geistesabwesend in der Hand. Schon war alles gut. Sie fühlte sich aufgeteilt in etwas Schweres, das war die Sitzende, und in etwas Schwereloses, das war die gewissermaßen darüber kreisende Betrachtende. »Ja«, sagte sie auch, »morgens, im Dunkeln, im Bett, wenn ich eben erst aufgewacht bin, überkommt es mich gelegentlich: Warte nur, Welt, denke ich dann, warte nur, alles Sichtbare, alle Zusammenhänge werde ich, wenn ich nur stehe, im Hellen, einen nach dem anderen entdecken und in Wörtern festhalten, nichts wird vor mir sicher sein.« So empfand sie es an glücklichen Tagen: Die Welt war einfach, homogen und überschaubar, dann plötzlich ein feinst gefältetes Werk mit unsichtbaren Schächten. An einem ruhigen schlichten Tag sprang ein neues Fach unvermutet auf, eine ganz andere Wirklichkeit, die Aufregung, Entsetzen, Begeisterung auslöste. Dann schloß sich alles wieder zur polierten, bekannten Außenfläche. Sie wußte Bescheid, aber konnte die auslösende Feder nicht ertasten. Durch blinden Zufall geriet sie an eine neue Tasche, Nische der nun wieder unendlich gefächerten Welt, und jede Kammer entwarf ein totales, überraschendes Bild. Allerdings weiß ich noch etwas anderes über Petra: An ihrem Schreibtisch befindet sich eine kleine, treue, mächtige Schublade, gefüllt mit Schlaftabletten, die sie manchmal aufzieht und eine Weile ansieht, so wie sie zwischen der Hausarbeit, die sie, wenn es sich häuft, im stillen vermerkt als nachdrückliches Hinunterbeugen des Kopfes in das immer zu Wiederholende, was sie vor ihrem Mann verschweigt, um ihn nicht zu beunruhigen, und vor ihrem Kind verbirgt, damit es eine sorglose Kindheit hat – wie sie da zwischen der Arbeit im Haus und in der Kanzlei ein besonders geliebtes Buch aufschlägt, nur ein paar Sätze darin liest und, gewappnet nach allen Seiten, sich selbst wieder gefällt!

Als Onkel Günter noch Lehrer war, erzählte er während des Mittagessens aus der Schule. Tante Charlotte sah ihn an und nickte zur Beschleunigung bei jedem Wort. Sie hielt den Mund, aber half durch Vorpressen der Augen mit, als wollte sie dadurch einen Takt angeben. Wenn sich Onkel Günter verhaspelte oder eine zu lange Erinnerungspause einlegte, verstärkte sie diese beschwörende Mimik, um die verlorenen Minuten wieder aufzuholen. Selbst in den wenigen Wochen, die ich jährlich bei ihnen verbrachte, bemerkte ich das Prinzip: Es gab Namen von Schülern, die ein einziges Mal auftauchten und für immer verschwanden, wie aus Pflichtbewußtsein dies eine Mal genannt, und solche, die er regelmäßig erwähnte mit Charakterisierungen, so daß wir sie kennenlernten, auch sie konnten lange wegsinken. Dann solche, über deren Familie, Umgebung, Vergangenheit, Schicksal, Zukunftsaussichten sich eine deutliche Vorstellung bei uns bildete. Onkel Günter erzählte bedächtig, Tante Charlotte hörte ungeduldig zu, aber aufmerksam, aufmerksam gewiß. Ihr entging keine Information, und es war so, daß Onkel Günter, was die zu erwartende Entwicklung der Schüler betraf, sie vertrauensvoll befragte. Vor uns erschien die Klasse als ein großer, klassenzimmergroßer Teppich mit sanften, im Hintergrund verdunkelnden Farben und kräftigeren Bezirken und grellen, nach vorn springenden Flecken, ohne daß Onkel Günter je aufhörte, daran weiterzuwerkeln. »Aber nun was aus unserer Gegend hier«, sagte dann schließlich Tante Charlotte und machte klar, daß sie von dem Schulgerede eine Weile die Nase voll hatte. »Ihr beide kennt den kleinen Lebensmittelladen am Ende unserer Straße. Ein bißchen Selbstbedienung, aber Wurst und Käse werden einzeln gewogen und verpackt.« Sie sprach rasch wie der Teufel, die Phase der Langatmigkeit war vorbei, jetzt ging es mit Tempo voran! »Kurz gesagt, ein prima florierendes Geschäftchen. Fritz Beissel und Tochter. Der Alte saß an der Kasse, schuftete bei Andrang wie eine Maschine, aber immer persönliche Verabschiedung. Die Tochter stand an der Theke.« Wir hörten, wie die stämmige, blühende junge Frau zuverlässig und phantasievoll für abwechslungsreiche Ware sorgte, auch mal was Neues ausprobierte, ein Risiko einging, Parma-Schinken, Tiroler Speck, mit Mascarpone gefüllter Gorgonzola, was keiner ihrer Kunden kannte, karamelbrauner norwegischer Ziegenkäse. Wie sie begeisterungsfähig war für ihre eigenen Angebote und sie den Leuten schmackhaft zu machen verstand. Stupide allerdings auch, reichlich kindisch für ihr Alter, zirka 35 und nie als erwachsener Mensch in Urlaub gefahren, allein sowieso nicht, und noch immer von der halben Kundschaft widerspruchslos geduzt, aus Gewohnheit. Wie sie immer adrett, mit Umsicht, von hinten aus ihren Bereich regierte, sich Besonderheiten der Kunden merkte und, kaum daß ein bißchen Zeit war, das geschickt und glaubwürdig herzlich in einem kurzen Gespräch unterbrachte, wie sie wirklich ein regelrechter Mensch mit Stimmungen war, die sie nicht versteckte. Man sah ihr an, ob es ihr gut oder schlecht ging, sie hörte gern, wenn man ihre Lidschatten lobte. Sie konnte von einem Tod in der Nachbarschaft aufrichtig betroffen sein. Ach was, sie versuchte, sobald man ein bißchen nachlässig wurde, treuen Käufern wie ihr, Tante Charlotte, die unglückseligsten Randstücke vom Käse anzudrehen, ausgetrockneten Aufschnitt mit großer Ankündigung: Ich mach's billiger! und wenn man es nachrechnete, waren es zehn Pfennige! Der alte Beissel, eine Goldgrube hatte er da, Familienbetrieb, ein Automat an Tüchtigkeit, von morgens bis abends auf dem Damm, zusätzlich zur Kasse immer noch die Gemüsetheke, das Abwiegen, er schaffte das. Im eisigen Winter, gleich an der Eingangstür, blaurot im Gesicht, mit geschwollenen Fingern, drückte er nur etwas stärker die Lippen zusammen und fügte seinen Abschiedsgrüßen eine Bemerkung über das schlechte Wetter hinzu. Ein Gierwolf, ein Wahnsinniger, der überhaupt nicht lebte! Was mußte sich in seinem Kopf abspielen nach so einem Arbeitstag, zu geizig, sich eine weitere Kraft zu leisten, nutzte die Tochter aus, hielt sie in Abhängigkeit, und jetzt: Vor sechs Wochen war er plötzlich gestorben. Nach ungeschickten Versuchen, das Geschäft zu halten, mußte die Tochter den Laden abgeben, an einen fremden Schlaumeier. Dabei hatte sie so gewitzt gewirkt. Nein, eine Naive, die jeder halbwegs gescheite Mann übers Ohr hätte hauen können – wieso war sie eigentlich so lange davor bewahrt geblieben! Hoffentlich hatte sie wenigstens genug Geld aus dem Laden geholt, die mußten doch vorher gescheffelt haben. Vielleicht war sie eine vernünftige Person und fing jetzt endlich an zu genießen. Komisch aber, einfach so ein ererbtes, bestens eingeführtes Geschäft aufzugeben! Onkel Günter und ich saßen still und staunten. Es war wie auf einem Schiff.

Veronika, Veronika, die sich die Welt zusammenreimt und besonders ihre Bewohner. Sie ist ja nicht nur eine herumschwirrende, unentwegt kostümierte Krankengymnastin, sie interessiert sich so für die Menschen, aber nie lange, oder doch? Hat sie nicht über Jahre eine Familie in einer Obdachlosensiedlung besucht, um den Leuten abgelegte Kleider zu bringen und vor allem zuzusehen? Vergnügt flirtete sie mit dem betrunkenen, arbeitslosen Vater von acht Kindern. Er vertrank alles, was sollte er auch tun! Der ältesten Tochter versuchte sie dabei klarzumachen, daß es nicht gut sei, Prostituierte zu werden. Veronika wohnt in der Nähe des Autostrichs. Oft kommt sie abends da vorbei und sieht dann die jungen Mädchen in Satinhosen und Tennisröckchen als kleine Wachsoldaten aus den Türen wie aus Wetterhäuschen treten und in den Autos verschwinden. Wenn sie nochmal zurück muß, stehen sie wieder da, freundliche, böse, dienstbeflissene Zinnfiguren in der Kälte bei den großen, groben, knirschenden Autos, bereit für das Zeichen »Rührt euch«. Aber Veronika wußte, daß ihr Reden nichts nutzen würde, das Mädchen war schon auf dem Weg, und vielleicht, wenn sie es geschickt anfinge, wäre das gar nicht so schlecht, sagte Veronika amüsiert. Veronika sitzt da und sieht die Menschen lachen, weinen, schimpfen, sie fragt sich nicht, warum sie das tun, sie bemüht sich nicht, diese Dinge zu erklären, sie nimmt sie wahr und unterhält sich daran. Wenn sie helfen soll, hilft sie, weil sie benötigt wird und mitleidig ist. Veronika genügt die Handlung, das Heben der Arme, das Runzeln der Brauen, mehr will sie nicht wissen. Darum liebt sie besonders emphatische Menschen, darum bevorzugt sie Krach und Streit und fliegende Töpfe, denn sie langweilt sich leicht, wenn nichts geschieht. Wenn nichts Dramatisches, das man sehen kann, geschieht, geschieht nichts. Sie interessiert sich für sich selbst, in den Zeitungen läßt sie keinen Test aus. Erregt, animiert, entnimmt sie jedem von ihnen ein anderes Bild und betrachtet sich mit neuen Augen, das macht ihr fast soviel Spaß wie der teure Psychoanalytiker, von dem sie runter ist. Daher wird sie nicht über sich selbst verdrossen, obwohl sie sich ja nicht auswechseln kann wie einen zu oft angesehenen Liebhaber.

Die beiden Jungen am leeren Flußufer, auf dem kahlen Schotterwall vor dem kleinen Hafen, ganz allein und ausgeschnitten, umgeben nur von Wasser und Himmel! Ich, weit davon entfernt, hätte sie in diesem Augenblick für mich selbst, diese fremden Scherenschnittfiguren, erwecken, mich spielend leicht über die gesamte Distanz in ihre Geheimnisse versetzen können. Ich werfe einen Pfennig ins Wasser, um ihn für immer zu vernichten. Es ist wieder ein Tag ohne Leuchtkraft, eins ist so gut wie das andere. Matt verschieben sich bisweilen die vorderen Bäume vor den hinteren. Wenn die Handwerker, die Verkäufer, die Büroangestellten es sich erlauben dürften, die Hausfrauen, die Chirurgen, ließen sie, dem Gesetz dieses Tages folgend, ihre Arbeitsgeräte alle aus den Händen fallen. Das Laub macht kein Geräusch, auch wenn es sich bewegt. Aber man hört auf ein anderes, näherkommendes Donnern, das alle Zuversicht und Liebe zur Gestalt, wenn es mich erreicht, einplanieren wird mit der Taubheit, dem Selbstgefälligen, der Schlichtheit einer absoluten Richtigkeit. Und dann? Und was jetzt?

Also hat Willmer Schluß gemacht, irgend etwas wollte er nicht länger ertragen, einen Mangel vielleicht, und hat sich aufgehängt in seinem weißen, für sich und die Familie erbauten Schlößchen am Waldhang, am Wiesenhang, wo unten im Mai die Weißdornhecken bei einem glucksenden Bach blühten, Sumpfdotterblumen an Sonntagen, Fettaugen an behäbigen, frühsommerlichen Feiertagen, wo die Kühe in großen, wie ausgeklügelten Abständen den Kopf hoben und zu den immer schattigen Fenstern der Villa an der leichten Anhöhe mit guten Kuhblicken hinüberschauten, neidlos und ein wenig mit dem Fell zuckend. Wenn das Gras frisch geschnitten war, muß ihm der Duft bis über das Dach gestiegen sein, um den Schloßturm herum, abends. Das kann jemanden für eine Weile unbegründet glücklich und traurig machen, es kann sogar jemandem, wohnhaft in so vollkommener Lage, in einem brenzligen Moment, wenn alles nur noch auf einen Anstoß wartet, den Boden unter den Füßen wegziehen. Nachts haben sie alle drei, der kleine Mann, die große, vom Nacken ausgehend plump gewordene Frau, die weißhäutige Tochter, »als wäre kein Tropfen Blut in ihr«, sagten manche, die Eulen beim Jubilieren gehört, nämlich bei ihrem Schreien, Zischen, Fauchen, Heulen, aber fraglich ist, ob es ihnen Jahr für Jahr gefallen hat, vielleicht anfangs, vielleicht später überhaupt nicht mehr. Aber so einfach war das selbst für Herrn Willmer, der immer sofort bei Baubehörde, Stadtgartenamt, Stadtverwaltung einschritt und die einflußreichen, kurzfristigen Freunde einschaltete, wenn ihn und seine Familie etwas belästigte, nicht abzustellen. Doch kann es auch sein, daß die Balzrufe der Käuzchen und Eulen, angehört von seinem Turmfenster aus, da er sich als Chronist, Dichter, Maler empfand, als Einsiedler von Zeit zu Zeit obendrein, die einzig stabile Wunschtraumerfüllung seines Lebens waren, denn andere Dinge müssen ja nicht Wort gehalten haben. Ein Verrat, eine Verdunkelung fand ja irgendwann statt, so daß es sich plötzlich aufteilte für ihn, daß sein ganzes Leben auseinanderfuhr in zwei Hälften: Er sah zurück auf die Jahre, wo er jedes Ding, das der Schönheit diente in einer Weise, die er erkennen konnte, besitzen wollte, verzieren, vergolden, wuchern lassen aus allen Fugen mit Gier und Lust, und dann befand er sich unversehens in der zweiten Lebenszone, wo er durch die Stadt strich, mechanisch losgegangen, um ein Geschenk für seine beiden Frauen, einen Luxus für sich zu suchen, und vor den Schaufenstern stand und nicht mehr begriff, wie er einen dieser kostbaren, lächerlichen Artikel je besitzen wollte. Ach, die Mühe, sie auszuwählen, verpacken zu lassen, nach Hause zu tragen, auszuwickeln, zu genießen, diese Stühlchen und Leuchten, Bademäntel in eleganten Farbstufen, Filmapparate, Lederkoffer, Holzmadonnen, handbemalte Kacheln und Delikatessen. Es kam ihm vor, und nichts konnte er dagegen tun, als hätte man ihn aller Lebensfreude beraubt. Er mußte doch nur die Hand ausstrecken, nein, es half nichts, nichts trieb ihn mehr dazu an, und er mußte es hinnehmen mit Schmerz oder Wut. Der Drogist aus der alten Gegend hatte schon früh gesagt, Willmer sei im Grunde geistesgestört, jetzt glaubten ihm sicher viele.

Aber ich muß mich nur erinnern, an einen Abend, an eine Dämmerung Anfang Herbst, bei einem Weiher, auf dem verschleiert spiegelnden Wasser schwammen gelbe, braune Blätter wie seit Jahrhunderten, Wildenten tappten leise schnatternd am Ufer umher. Nur ein einziger Erpel stand still, mit etwas verdrehtem Hals, als wäre ihm ein Gedanke gekommen, und so stand er und stand und rührte sich nicht, so allein für sich, und die anderen nahmen keine Notiz von ihm. Aber weiter hinten, im Gehege der Damhirsche, die, schon behutsam prüfend, die Geweihe gegeneinanderstießen, lag ein sehr flacher Nebel über dem Boden, und, mit den so unwiderstehlich proportionierten Körpern eben herausragend, sprangen sechs diesjährige Tiere, wobei sie in der Luft jedesmal ganz kurz stehenblieben, in immer neuen Bögen und Bahnen, verwegen schnell in ihrer Dämmerungsekstase über die ausgedehnte Fläche. Ich war mutlos weggegangen und kehrte nun, nach diesen Anblicken, ich brauchte nicht mehr als zwanzig Minuten, unbekümmert zurück.

Als leuchtendes Wölkchen zieht eine Operettenmelodie den Tag über vor Frau Jacob mit den rosig gepuderten Wangen her. Ihre neue Bluse hängt eine Woche am weißen Schlafzimmerschrank aus der Zeit ihrer kurzen Ehe. Sie stellt sich morgens und abends einen Moment dazu, vertieft sich, und es kommt ihr vor, als habe sie dieses hübsche Teil für ihren toten Mann gekauft, schon beim Auswählen handelte sie ganz nach seinem Geschmack. Wenn sie schließlich damit vor ihre paar Freundinnen tritt, will sie letzten Endes, und daher sind ihr spitze Bemerkungen über die Wandlungen der Mode gleichgültig, nur ihm gefallen. Sie lächelt den Leuten zu, ja, aber lebt doch still für sich. Manchmal gibt es ein feines Glimmen, ach, sie bleibt noch ungläubig, es verflüchtigt sich anfangs, sie wartet schon, es wird ein festes Bild, sie sammelt sich voll Entzücken, es ist wie eine schwache Herbstsonne, ihr Leben mit all den einsamen Tagen, matt schimmernd, eine schwache, bei der man, wenn man sie ansieht, meint, man würde von einer sacht zehrenden Krankheit befallen. Aber dann gibt es die Augenblicke, wo die Sonne strahlend durchbricht, eine Erinnerung, eine greifbare, selbstverständliche Gegenwart, ein Schmerz auf dem Grund, natürlich, der Frau Jacob über Stunden gefangenhält und beschwingt und ihr einstmals beschlossenes Leben rechtfertigt, eine Erneuerung, ein unberechenbares, doch zuverlässiges Geschenk. Man erzählt ihr von Möglichkeiten, von Geselligkeit und Klubs, von Ausflügen und Reisen auf Passagierdampfern über Weihnachten und Neujahr ins östliche, ins westliche Mittelmeer, auch für sie erschwinglich. Dort wird man unter sich sein. Ein kaum spürbarer Nachhall von Sehnsüchten bewegt dann sekundenlang ihr Herz, doch schon lächelt sie wieder, schüttelt das nette, alte Köpfchen ein bißchen von oben herab und erzürnt alle, die es so gut mit ihr meinen und sie noch einmal zurückholen wollen, noch einmal aus ihrem vergeudeten Leben in die Wirklichkeit des heutigen Datums.

Aber es gibt auch Tage, wo das Kreisen und Rieseln der

Bäume nur knapp am offenen Fenster vorbeistreicht und weggewirbelt ist wie ein eigenständiger Körper, der kommt und sich schnell durch die Luft entfernt und den Abdruck eines genauen, aber zu flüchtigen Streichelns zurückläßt. Mit Müßiggängertum hat die Empfindung nichts zu tun, man kann mit einer Aktentasche aus einem Büro gekommen sein oder von einem langen Tag in der Ecke einer Autoreparaturwerkstatt, wo man Rechnungen geordnet hat, oder nach einer Schicht Gurkenstopfen am Fließband. Man muß sich nur in der Nähe großer Bäume aufhalten, eine Aufmerksamkeit ist nicht nötig, man spürt es schon, wenn es soweit ist, je erschöpfter, desto besser sogar. Dann hört man es nämlich um so deutlicher, und die kleine, sehr vergängliche, prägende Berührung ist noch viel ärgerlicher, schmerzhafter, weil die Glieder danach doppelt schwer sind, erst aufgestachelt und dann so unzufrieden.

Dann, wenig später, vielleicht nach dem Frisörbesuch, wo es so ein unerklärliches Reißen in ihr gegeben hatte, »Ach was, Einbildung, schon vergessen!« sagte sie sich längst wieder, saß Ruth in einem Wohnzimmer bei Rudolph, dem Maler, und Gaby, seiner Freundin, und Franz. Groß an der weißgetünchten Wand, von der man die Bilder abgehängt hatte, erschienen nun Gemälde von Carpaccio. Es war ein gemütliches Zimmerchen und verwandelte sich in ein goldenes Museum. Bei ihnen, wie Freunde unter sie gemischt, waren die Figuren von Hieronymus und den fliehenden Mönchen versammelt. Friedlich wartete der Löwe des Einsiedlers, der sich auf einen Stock stützte, aber allen Mönchen standen die weißen Kleider, die blauen Überwürfe schräg vom Weglaufen in der Luft. Sie flohen, ohne überhaupt hinzusehen, einer riskierte einen Blick auf die stille Raubkatze, aber seine Beine und der waagerechte Schlüsselbund waren schon längst zur raschen Fortbewegung entschlossen. Nur der Heilige, der Löwe, die Bäume und die sanft glühenden Häuser blieben ganz und gar außerhalb der Hektik, die bis in die Tiefe der Klostergebäude reichte. Ruth selbst wurde es wohl gemächlich zumute, als sie das ansah. Es interessierte sie, es fiel ihr auf, sie erzählte noch später davon, wie das Raubtier hier eingebrochen war, Unruhe stiftete und selbst wie ein Holzpferdchen steif aushielt, als hätte ein Sturm die Mönche erfaßt und nicht der Schrecken vor ihm, dem ahnungslosen Zeichen einer Lebensgefahr. Zweitens erinnerte sie sich besonders an eine Madonna auf einem Schemel in einem freundlichen Raum, nach zwei Seiten offen. Der Engel im rosa Gewand verschränkte die Hände unter der Brust und sah in das vor Erwartung schimmernde Gesicht der zarten Maria, eine Verkündigung – gelb, weiß, rostrot und himmelblau gestreift waren die Flügel des Engels –, die Ruth noch ruhiger machte. Nur auf dem Heimweg wurde sie nervös und aufgebracht gegen Franz. Im zweiten Teil des Abends hatten sie Dias von Rom angesehen. Franz lobte die schönen Fotos, aber sie spürte so scharf, so schneidend, als er sagte, nun müsse er selbst hin, es würde eine ganz andere Stadt entstehen, daß er nur die Interpretation Rudolphs nicht ertrug. Er wollte sich selbst der Stadt bemächtigen, ein kleinliches Ansichreißen. Sie warf es ihm nicht vor, aber ausgerechnet heute versetzte es sie in so große Wut, für sie selbst überraschend und unverhältnismäßig, daß sie während der gesamten Heimfahrt den Kopf von ihm wegdrehte. Sie konnte ihn fast nicht ertragen, bloß nicht die Hände am Lenkrad sehen! Wie wird Franz da wieder über die Gereiztheit seiner Frau gestaunt haben! Während in den nächsten Tagen das Löwen- und das Verkündigungsbild mit den Ansichten von Rom verschwammen zu einer Beiläufigkeit, jedenfalls hatte es zunächst den Anschein, sie wußte ja in Wirklichkeit noch lange danach über Einzelheiten Bescheid, beobachtete sie Franz und bemerkte nun, wie häufig er abends vor dem Fernsehapparat saß und sich über Stunden, zwischen frühen und späten Nachrichten, allerhand Klamauk ansah, immer maulend dabei. Nur, wenn er wohl spürte, daß ihre Frage, warum er denn nicht aufhöre damit, brenzlig in der Luft lag, schlug er sich vor Erheiterung auf die Schenkel, tat hochbefriedigt oder alarmiert bei einer Information über irgendetwas am Ende der Welt. Er hatte sich ja auch angewöhnt, die Zeitung von vorn bis hinten zu lesen, wie ein alter Mann, wie ein uralter Mann, dachte sie entsetzt über ihn, über sich, genauso schimpfte er dann über den blinden, immerzu uneinsichtigen restlichen Teil der Erde, der Menschheit. Er schaffte es kaum noch, einmal darauf zu verzichten, eine Belehrung mit dem Satz: »Aber sonst weiß das niemand. Aber sonst denkt keiner darüber nach. Aber das verstehen nur ganz wenige« zu beschließen, ein Refrain, der ihm die Dinge ins richtige Licht rückte. Danach konnte er tatsächlich eine Weile gestärkt an die Arbeit gehen. Wie deutlich er bei solchen Wichtigkeiten das »t« am Ende der Wörter aussprach! Ruth, in ihrer neuen Empfindlichkeit, schien nun plötzlich sein ganzes Vokabular aus Wörtern, die so endigten, zu bestehen, und wie er die Brotkrumen aufgriff und in energischen Würfen auf die Tischdecke schmiß zum Unterstreichen! Sie hörte jetzt seine Redewendungen ohne Liebe an, ohne Geduld. Wie Uhrzeiten ging er sie ab, ein Stempel auf Morgen, Mittag, Abend. Sie stellte sich vor seine Bilder, aber sie sah sie nicht, sie hörte viel eindringlicher seine Sätze und begann allen Zorn, der in ihr steckte, beinahe mit Erleichterung auf ihn zu laden. »Meine Güte«, sagte sie zu mir und weinte nicht im entferntesten, war aber sehr weiß im Gesicht, nur die Lippen sprangen rotgebissen heraus, »was habe ich für blödsinnige Techniken entwickelt, um mich klein zu machen (wie wenig das der Wahrheit entsprach, Ruth!), damit Diskussionen überhaupt möglich wurden. Nie wagte ich, mir Verwinkelungen auszudenken, so ein trauriger Spielplatz, alles endgültig und zu und im Prinzip überschaubar. Bloß nicht genau hinsehen! Ach, wenn doch mal einer diese Klötzchenwelt, weil keiner von uns beiden frei zu denken wagt und zu fühlen, mit einem Streich vom Tisch haute! Aber was nutzt es mir, das zu erkennen? Er sitzt da und lächelt sein Abendessen an oder runzelt die Stirn über den Kommentaren. Wenn ich mir über etwas aus derselben Zeitung Luft machen will, sagt er nur: ›Ach ja, Ruth, wir müssen unser Bestes tun, und wer außer uns denkt schon darüber nach?‹« Es gibt keine Spirale des Weiterdenkens, meinte Ruth wohl damals, auf dem Sofa, die Beine in weißen Strümpfen kindlich x-ig an den Spitzen zueinandergekehrt. Sie klagte Franz immer wilder an. Meinte sie, daß er sie an der Durchdringung der Welt und ihrer Verhältnisse hinderte, daß er alles nur in einen kleinen Heiligenschein um seinen eigenen Kopf ummünzte, eine winzige, niet- und nagelfeste Einzigartigkeit um sich selbst herum? Als ich sie kennenlernte, hatte sie es sich jedenfalls schon angewöhnt, an der Oberfläche wenigstens, wie er zu verfahren, sie dachte nicht eigentlich nach, sie gruppierte die Probleme um, sie dekorierte ihr kleines Haus mit Weltproblemen. Bei einem Abendessen wurden sie hervorgeholt und ein wenig umgeräumt, das hing von der Art des Hauptgerichtes ab und der Serviettenfarbe, die Energiekrise, die Überbevölkerung, die Zerstörung der Erde, die Kriege und Ausrottungen nahmen die Tönung der Tischkerzen an. Nur besaß sie darüber hinaus ihre Rastlosigkeit. Neu war damals und für mich ins Auge springend, daß sie auf einen Schlag sich davon absprengen wollte, und vielleicht benutzte sie Franz, da er sie schon nicht an ein anderes Ufer zog, eben zur Strafe als Abstoßstelle. Natürlich aber hatte sie sich nicht so geändert, daß sie nicht, von schwachen, unverzeihlichen Momenten abgesehen, Franz weiterhin nach außen verteidigt hätte. Sie lobte seinen Fleiß, daß er nicht vorwärtskam, nannte sie wahrhaftig sein Ringen. Ruth fiel nicht ein, sich irgend jemandem so sehr in die Hände zu geben. Je öfter ihr ein Ausbruch in meiner Gegenwart passierte, voll gehässiger Vorwürfe gegen Franz, desto überschwenglicher mußte sie ihn kurz darauf herausputzen, und um sie nicht zu reizen, ich spürte dann ja noch mehr als sonst, wie es in ihr zu flammen und zu zucken begann, nickte und glaubte ich ihr, so gut es eben ging, mit sanften Zwischenfragen, um sie nicht mißtrauisch zu machen. Damals konnte man fast mit ihr spielen, wenn man Spaß daran fand. Man mußte Franz nur ein wenig zu sehr, solidarisch gewissermaßen, mit freundlichen Äußerungen von ihr bedenken, schon fuhr sie im entgegengesetzten Sinn aus der Haut. Sie brachte das Kunststück fertig, wenn er, oder genauer, wenn der schöne Schein ihrer Verbindung angegriffen wurde, ihn gegen alle nur denkbaren Argumente als König hervorzukehren. Wie verstand sie da, aus der Faulheit, Griesgrämigkeit, Verbohrtheit, Rücksichtslosigkeit von eben wahre Wunder an schöpferischer Nachdenklichkeit, künstlerischer Gewissenhaftigkeit, Ergriffenheit, unwandelbarer Festigkeit, standhaftem Zielbewußtsein, das die eigenen Kräfte nicht schonte, zu zaubern! Aber zur Attacke aufs neue gereizt, konnte schon sein Körper zum Stein des Anstoßes für sie werden. Sie beklagte sich, daß er seit einiger Zeit zu viel Hohlraum habe, er sei nicht mehr angefüllt – es sei ihr ganz offensichtlich und erbittere sie – mit Gefühlen, geschweige denn Leidenschaften, Erinnerungen, Neugier, Wünschen, vielmehr habe sich alles darin verkrümelt. Er habe neuerdings zu viel Platz und zu wenig Gegenstände in sich. Nirgendwo spüre sie mehr, wie doch, sie wisse es noch schwach, früher einmal, die zum Bersten pralle, gespannte Körperform. Und doch waren das nur Anzeichen einer wesentlicheren Veränderung an Ruth. Sie selbst schien damals allein die Folge zu beschäftigen: Sie hatte einen Augenblick lang die Möglichkeit geahnt, in hohem Bogen aus sich herauszuschießen.

Da drängt sich gleich Martins Tante mit ihren Streichen auf. Sie erzählte ihm vertraulich, einmal im dunklen Kino, neben ihrem Mann und, was sie auch beim Spazierengehen meist täten, Händchen haltend (es sei ein Samstagabend gewesen, es habe draußen in Strömen geregnet, die ganze Zeit über war ihr Kleid vom darauffliegenden Regenmantel durchnäßt worden), sei ein unbezähmbares Verlangen über sie gekommen, dem links neben ihr sitzenden Mann, dessen Gesicht sie gar nicht angesehen habe, ihre freie Hand kurz aufs ebenfalls regennasse Knie zu legen. Sie müsse zugeben, so kurz nur, daß man es leicht als Versehen habe auslegen können. Nichts sei geschehen. Aber beim Rausgehen, sagte mir Martin, konnte sie nicht widerstehen, im hellen Licht es rasch ihrem eigenen Mann zu beichten, dessen Kopf, obschon er allerhand gewohnt war, automatisch zurückzuckte, und die beiden Männer starrten sich also an, während sie, klein und fröhlich zwischen den zweien, von einem zum anderen sah, berichtete sie Martin, und, trotz ihres Alters, als wären es ihre lieben Eltern mit ihr, dem frommen Kind, in der Mitte. So habe sie es für sich empfunden. Martins Tante gilt als ein bißchen verrückt, aber in liebenswerten Grenzen und vor allem: Ihr Mann liebt sie unerschütterlich und sehr lange, das schützt sie natürlich, und sie weiß das und fühlt sich sicher wie in Abrahams Schoß. Es umgibt alles sonst vielleicht Grelle an ihr mit einem warmen, verwöhnenden Licht. Man könnte vermuten, diese sich möglicherweise sacht steigernde Exzentrik einer alten Dame wäre der unentwegte Versuch, die Zuneigung ihres Ehemannes in Intervallen zu überprüfen oder sich, sollte die Gefahr bestehen, daß er an ihrer Seite einnickte, durch lautes Klingeln bemerkbar zu machen. Aber ich weiß nicht, sie sagt: »Ich bin ein Kind, ich bin eine alte Frau!«, und zwar strahlend. Ich nehme an, daß sie tatsächlich beides ist und beides gern. Auf diese Weise kann sie immer das ein bißchen Verbotene tun, das sie so reizt. Kokett ist sie nicht, aber sie stellt sich, glaube ich, vor, ein kleines Mädchen, noch immer, schon wieder, zu sein, das in der strengen Schulstunde heimlich Radiergummi ißt. Darum erzählt sie auch, als wäre ihr persönlich ein gutes Werk gelungen, wie sie erreicht hat, daß ein arroganter ehemaliger Chef ihres Mannes sich bei ihnen, nach Überreichen einer

Orchidee, es sei so eine für Wochen gewesen, unverwüstlich bis dorthinaus, mit seiner saloppen, feinen Cordhose auf den Sessel mit dem Katzenkissen gesetzt habe. Selbst mit einer Drahtbürste kriegte der die Haare nicht so leicht ab! Wen will sie in Atem halten?

Wie gern, mit welcher Leidenschaft hätte Martin sie also, wäre sie jünger und nicht seine Tante gewesen, schwärmerisch »Teufelin« oder »Hexe« genannt, wie immer, kaum daß eine Frau die leiseste Neigung zu List oder Tücke zeigte. Da verriet er so leicht, ohne es zu wissen, nicht nur seine geheimen Wünsche, auch seine Bescheidenheit. Ihm lagen so viele schöne Komplimente für Frauen auf der Zunge! Wäre ihm nur je ein bißchen standhafte Rätselhaftigkeit oder Offenbarung begegnet. Als er sehr jung war, hat er die Stimmung der Frühlingsabende kennengelernt. Hilflos saß er in einem Park, der ihn dicht und gespannt umgab. Er mußte die glücklichen Vögel anhören, und ein kleiner, weiterer Ruck hätte genügt und eine Frau, eine »Geliebte« wäre ihm, von dieser Landschaft erzeugt, ausgeworfen, ausgespuckt, erschienen. Es geschah aber nicht, und er wird sich rückblickend gesagt haben, daß ihm die Natur nicht solche einfachen Abspeisungen anbieten wollte, er sollte sich noch vollsaugen mit diffusen Hoffnungen, damit das alles, was er so, auf der Suche, wahrnahm, später in einer einzigen, ersehnten Figur wiederentdeckt werden konnte. Es handelte sich um das Anlegen der nötigen Facetten in ihm bei diesem wilden, ungelösten Hin- und Hergerissensein, bei diesen Schmerzen, deren Narben in allen folgenden Lieben gar nicht beansprucht wurden. Da ging er oft mit einem kleinen Gefühl durch ein großartiges Wetter. Sie wurden, das mußte er mehr und mehr feststellen, nie beansprucht, das totale Verlieben gelang ihm nicht. Martin, bei aller Schüchternheit, stürzte sich eine Zeitlang ins Vergnügen, mit geschlossenen Augen, aber es nutzte ihm nichts, er wurde dabei weder so glücklich noch so leidend, wie er sich das erträumte, wie er zu wissen meinte, daß es ihm passieren müsse. Dann zog er sich eine Weile in völlige Einsamkeit zurück. Ich beobachtete ihn nach so einer Phase, wie er, ausgelaugt vom Alleinsein, das Bedürfnis hatte, zu jeder irgendwie netten Frau liebenswürdig zu sein, um seinem Leben wieder Schwere, ein Netz vielfacher Verstrebungen zu geben, um es vorhanden und verankert zu machen, denn er hatte erfahren, daß er, während er scheinbar unter Menschen lebte, doch so entfernt von ihnen war, daß er durch die Maschen fiel. Damals sah ich ihn, wie er ständig Dinge auf dem Tisch, Zuckerdosen, Messergriffe und neben seinen Beinen Hunde und Katzen streichelte. Die Erwartungen gab er trotzdem nicht auf, jedenfalls nicht den Glauben an die prinzipielle Möglichkeit glänzender Erfüllungen. Nach Freundschaften, Ehen fragte er immer so hoffnungsvoll, man mochte ihm kaum schlechte Auskünfte erteilen. Er wollte so gern, daß Glück existierte, er wollte nicht neugierig die Wahrheit erkunden, sondern verlangte die Bestätigung eines Wohlergehens, einer Vollkommenheit. Präsentierte sich dann aber einmal ein überschäumendes Glück, erbitterte es ihn doch, weil ein anderer es besaß, und er konnte sich nur beruhigen, wenn er von vermenschlichenden Trübungen hörte, die ihn nicht zu sehr ins Abseits stellten. Sogenannte Tragödien im Bereich der Beziehungen nahm er als Fehler, als erbärmliche Entgleisungen in der Weltordnung zur Kenntnis, als »Prüfung nicht bestanden«, und erst nach dieser Strenge konnte er kummervoll werden. Glück muß umgekehrt für ihn auch etwas mit Leistung, mit gut absolviertem Examen zu tun gehabt haben. Begann er zwangsläufig, irgendwann ein Versagen an sich zu entdekken?

Dazwischen wieder Augenblicke, Tage, Stunden, ich achte nicht darauf, wie lange es dauert, wo ich nur irgendeinen x-beliebigen Punkt ansehen muß, an einer Baustelle, durch eine schmutzige Scheibe, auf einem Acker mit Wintersaat, egal, schon beginnt die Stelle aufzuglühen.

Petra, nun wieder, die an einem hellgrauen Apriltag die Augen aufschlägt und sieht, wie ein leichter Wind die Zweige bewegt. Sie fühlt, daß die Welt heute ein Dickicht ist, nichts Bekanntes ist diesmal, auf den ersten Blick darin, und sie, Petra, muß die Schneisen darein schlagen. Sie macht sich ans Werk für eine kostbare Stunde und fragt sich nicht, aber später, ob die Landschaft, die Dinge und Menschen von ihr geliebt werden um ihrer selbst willen oder als wertvolle, in ihrer Konzentration, in ihrer Schönheit und Häßlichkeit schwer zu erringende Beute. Was sie spürt, ist eine Aufregung, ein Jagdfieber angesichts jeder noch nicht erfaßten Beobachtung, Empfindung, und sie rennt herum und steht still. Atemlos und routiniert, ja profihaft beugt sie sich über die Wahrnehmungen dieser Stunde, bloß jetzt, wo sie so glücklich liegen, kein grober Windhauch, bis sie in ihrem Besitz sind. Aber ganz genau weiß sie nicht, ob sie sich nicht in Wirklichkeit unter dem Einfluß eines Schriftstellers, eines gestern gelesenen Buches befindet. Sagen sich die Sätze, ihre Eroberungen, nicht von selbst in ihrem Kopf auf und ziehen in Form jener Dichtersätze durch ihr Gehirn? Eines ist deutlich: Es ist eine Sache des Entschlusses, ob sie ihre Gefühle einzeln, wörtlich, gegenwärtig macht. Sie kann sich über sie neigen und sie mit Anstrengung und Geschick packen oder sie unerkannt vorübertreiben lassen. Dann hat sie etwas verloren, versäumt und kneift eine Weile böse die Augen zu, auch wenn sie ihr Kind ansieht und ihren freundlichen Mann. Beide merken auf verschiedene Art, wie zerstreut, abwesend sie mit ihnen umgeht, und sie selbst sucht und jammert, ohne daß es nach außen dringt, im Haus herum. Warum hat sie bloß nicht aufgepaßt und sich ablenken lassen! »Ich las einen Beitrag zur Literaturgeschichte«, sagte sie mir, »gleich maß ich mich an den Kriterien, am Glanz der großen Werke, lächerlich, komisch vielleicht, aber fand ich nicht zu allem bei mir eine Entsprechung? Lag das nicht alles zusammengerollt auch in mir? Keine Linie, die nicht in mir vorgezeichnet war. Wie zeitgenössisch und allgemein entdeckte ich mich in diesem Augenblick. Eine Begeisterung erfaßte mich über den Zusammenhang mit der großen Literatur, mit den Leistungen und Zielen der Dichter. Meine Zugehörigkeit! Flaubert, Joyce! Ja! Ja. Proust: Da trat zutage, was schon immer meine Absichten waren. Und so weiter!« Aber dann zog sie schon bald wieder die Mundwinkel zu einem leidenden Lächeln nach unten, denn es kam ihr der Zweifel, ob nicht alles, was sie aus Eigenstem bisher geschrieben hatte, nur das Werk des Zeitgeistes und als leichter Abdruck mühelos in sie eingesunken war. Welchen Zweck hatten dann alle erkämpften Minuten oder halben Tage?

Emma Bovary, Odette, dann Toni Buddenbrook und viele Frauen, die ich aus Büchern kannte, tauchten einmal gespielt leibhaftig auf, alles junge, hier selbständig ohne Hilfe vorwärtsgehende weibliche Gestalten, von Fontane, fällt mir ein, Colette. Sie gingen einzeln an den Zuschauern, ich selbst, Tante Charlotte, Onkel Günter waren darunter, auf einem roten Teppich, trippelnd oder gemessen, je nach Kostüm, Kleid, Gewand, entlang, drehten sich am Ende und schritten, tänzelten zurück, vier oder fünf Mädchen, immer dieselben, aber jedesmal verwandelt in eine bedeutungsvolle, uns allen seit Jugend bekannte Figur. Natürlich trugen sie nur ein Original aus der Zeit vor und nach 1900, und die Ansagerin verlieh den Modellen einfach unbesorgt den Titel einer Heldin aus jenen Jahren und zusätzlich ein passendes Zitat über Wohnungen, Stimmungen, Ereignisse, schwarze Spitzen und Pailletten, Kapuzen und Negligés, und die Mädchen, die ebenfalls ausgeliehenen, lächelten dazu oder schauten dämonisch, wenn ein Jugendstilgewand das gerade verlangte, geschwinde umfrisiert, von Kopf bis Fuß in eine fremde Welt gewickelt. Wenn wir es nicht gleich bemerkten, wurden wir von der Dame, die alles dirigierte, im weißen, barocken Museumssaal auf die Köstlichkeit der Sandale und die Abgestimmtheit einer perlengeschmückten Locke hingewiesen, wieder, wenn irgend möglich, mit einem klassischen Satz, einer heimatlich vertrauten, wenn auch inzwischen vergessenen Gedichtzeile. Wie wurde da mit uns verfahren? Plötzlich, nie hätten wir das zu träumen gewagt, standen Akteurinnen der alten Romane, Träume, Phantasien losgelöst aus allen Buchstaben, scharf umrissen vor uns und doch eingehüllt in die körperliche Gegenwart – und sie blieben ja, um die Täuschung vollkommen zu machen, stumm, sie mußten nur ausschreiten, alle notwendigen Sätze soufflierte uns die Arrangeurin –, in die erneut heraufdämmernde Vergangenheit und Zukunft ihres Romanschicksals. Diese Frauen, die Prachtexemplare einer ehrwürdigen Mode vorführten, behaupteten oder wurden mit der Behauptung ausgestattet, die tatsächliche Personifizierung – egal aus welcher schummrigen Ecke geholt, sie standen da mit Fleisch und Blut – eines kunstvollen, bei aller möglichen Tragik höchst zierlichen Lebenslaufs zu sein (auch Madame Curie wurde im Handumdrehen durch eine Anekdote zu Literatur), der uns einmal sehr bewegt und lange begleitet hatte. Die schummrigen Winkel waren genaugenommen unsere Herzen, unsere Erinnerungen. Vielleicht lag es daran, daß mir bei aller Bewunderung das Ganze etwas schmerzlich vorkam, auch gingen für mich diese Bekanntschaften ja nicht so weit zurück, erschienen nun aber in einem festen, unumstößlichen Zeitabschnitt. Onkel Günter jedoch genoß mit blanken, kindlichen Augen, er fand sich wieder, er wiegte den Kopf wie der Verführer dieser schönen, vorüberwandelnden Gestalten, ja, so gut kannte ich ihn, sie waren die

Verlängerungen all seiner in der Schwebe gehaltenen Möglichkeiten, denen er nun ohne besondere Verblüffung, aber mit Entzücken begegnete. Bei jeder von ihnen beugte er unwillkürlich von seinem Sesselchen aus den Kopf. Er besaß sie alle bedenkenlos, indem er sich von den lebendigen Mädchen, mehr noch von ihren Romanen, die ihnen an diesem Abend so üppig zuflogen, bezaubern ließ. Tante Charlotte applaudierte kräftig nach jedem Auftritt, lächelte, sagte: »Sehr schön!«, »Eindrucksvoll!« und hielt es doch kaum aus auf ihrem Plüschsofa neben mir. Jede Ansage quittierte sie mit einem gereizten Lippenpressen. Sie fiel nicht auf die berühmten Namen herein, ihr machte man nichts weis, sie schlug die Beine übereinander, hin und her, vor Ungeduld. Ich sah, daß sie im stillen diese Illusionsmädchen verhöhnte, sie spürte zu deutlich den Kontrast der Unbekümmerten zu den ziselierten Idealen in der Literatur. Aber ihr eigentlicher Zorn war ein anderer. In der Art, wie sie zu Hause alles vor uns lobte, kam er klar zum Vorschein: Sie selbst, während ich gern die Kleider getragen hätte, wäre gern die Ansagerin gewesen. Ja, sagte ich mir, warum dachte ich nicht gleich daran, das hätte ihr zugestanden, sie fühlte sich auf die zweite Stelle gerückt!

Nun aber ich selbst. Nachts halte ich mich manchmal rechts und links vom Körper am Laken fest als letzter Rettung und sage mir Namen auf, die meiner besten Freunde, auch Buchtitel. Vergangenheit und Gegenwart sehe ich als gewaltigen, unterschiedlich dichten Block, davor eine schaumige Masse: die Zukunft, die Zentimeter für Zentimeter erstarrt und sich verfestigt, bis sie Vergangenheit wird. Wenn ich sterbe, falle ich von den letzten, versteinerten Schaumgebilden hinunter in das Flüssige, das mich auflöst zu seinesgleichen. Lange hatte ich das Gefühl, alle Menschen, Dinge usw. wären letztlich genauso alt wie ich. Sicher, ich sah, daß es junge Hunde und alte Dome gab, aber in einem grundsätzlicheren Sinn war das alles von einem Anbeginn mit mir zugleich vorhanden. Es war nur mit unterschiedlicher Wachstumsschnelle aus dem Zeitboden herausgeschossen. Aber irgendwann trieben die Dinge und Menschen unaufhaltsam auseinander. Es gab das unerreichbar Fremde, Uralte vor mir und das unerreichbar Jüngere. Diese alte Wildsau (viel jünger als ich), dieser würdige alte Hund, jünger! Ein Zurückweichen des Lebens, der Welt. Alles existierte ohne mein Zutun, ohne Gemeinschaft mit mir zu haben oder anzustreben, es sah alles in eine andere Richtung von seinem Entstehen an.

Ruth begann öfter, wenn es sich einrichten ließ, aber auch, wenn Wichtiges in der Schule und im Haushalt liegenblieb dafür, unbeabsichtigt rücksichtslos, in sich selbst zu versinken. Mitten in Gesprächen schien ihr etwas in den Sinn zu kommen. Eigentlich sah sie aus wie jemand, der hofft, ihm würde etwas Vergessenes wieder einfallen. Sie stierte deshalb angestrengt oder auch fast blöde vor Geistesabwesenheit geradeaus. Das blieben merkwürdige, nämlich friedliche Momente bei Ruth. Ihre scharfe Zunge, ihre Unrast, mußte man annehmen, waren geschwunden, natürlich nicht für lange. Sie horchte auf das blitzartige, unwetterartige Ereignis beim Frisör, das sich wiederholte, ein Zusammenfahren ihrer Person und gleichzeitig ein Auseinanderfetzen, energiefressend, so daß sie sich danach ruhig, beinahe ausgebrannt fühlte. Nach außen erwähnte sie nur »Ich habe neuerdings die Idee, daß alles auch ganz anders kommen könnte«, »Ich hätte Fähigkeiten für etwas Wesentlicheres«. Das war schon alles. Sie wußte nicht, worauf das, was sie mit einem Handstreich durchschoß, hinauslaufen sollte, aber es überzeugte sie, sie wollte dem auf der Spur bleiben, ihr Gesicht wurde wacher und gesammelter. Ich entdeckte manchmal etwas Feuriges in ihren Augen, das mich gespannt machte. Wie würde sie sich jetzt und auf die Dauer verhalten? Etwas bemerkte ich schon bald: Sie benahm sich Franz gegenüber anders als früher. Immer, bei meinen gelegentlichen Besuchen, wich sie, wenn er sie berührte, zurück, nicht feindselig, nur erschreckt. Sie hatte eben gerade an etwas ganz und gar anderes gedacht und rappelte sich dann ja auch schnell auf und reagierte freundlich, aber das war nicht wegzumogeln: In der ersten Sekunde fühlte sie sich gestört in einem Grübeln, in dem sie keinen anderen duldete, fast war ihr Blick dann nämlich doch böse. Sie wehrte sich gegen eine Freiheitsberaubung. Ich beobachtete das. Ruth wurde ja schon wieder nervös, diesmal aus einem klaren Grund. Sie wollte keinen dieser verspielten Körperkontakte, die unversehens jederzeit auf sie niederstürzen konnten. Es war vielleicht wie eine ständige Furcht vor Mückenstichen, und sie durfte keinesfalls, sie wollte das doch auch nicht, nach den nun etwas lästig gewordenen Händen schlagen. Es handelte sich ja um die von Franz! Nun steigerte es sich rasch, und das kurzfristig zur Ruhe gekommene Schrille, schwelend Kreischende an Ruth, von dem niemand wußte, worauf es sich eigentlich bezog, da es sich stets auf neue, beliebige Opfer warf, am meisten auf sie selbst, Ruth Wagner, tauchte auf mit nun eindeutiger Richtung, auch die verknoteten Finger, die ewig verschlungenen, dünnen Beine, die zerbissenen Lippen, die Gespanntheit der bleichen Wangenhaut: Sie hatte die fixe Idee, Franz, ihr Mann, wolle sie bei ihrem Eigensprengungsversuch festhalten. War er nicht ständig auf der Lauer, sich eine unauffällige Berührung, ein geheimes Betasten im Vorübergehen zu erkämpfen, so daß sie in seiner Gegenwart, bis auf wenige gleichmütige Momente, immer darauf aus zu sein schien, sich von ihm wegzustemmen? Am meisten brachte sie aber gegen ihn auf, daß er sich angewöhnt hatte, alles, was sie sagte, angeblich nicht richtig zu verstehen, so daß er sie jedesmal um Wiederholung bat. Er machte das jetzt auch bei Seufzern, Ausrufen, wohlbekannten, nichtssagenden Redewendungen. Er zwang sie, all diese Beiläufigkeiten zwei-, dreimal nachzusprechen, nur um eine Verlängerung des Gesprächs mit ihr zu erreichen. So empfand sie es, mit Entsetzen, aber es half nichts. Mir gefiel dieses Zurückziehen des Ellenbogens, das Abwenden des Kopfes zunächst insofern, als es etwas auszudrücken schien: Das Wesen Ruths war eine Widerspenstigkeit, ein grundsätzliches Widerstreben. Ein falscher Eindruck! Nur ein Einfall! Einmal, in einem schwachen Augenblick, brach es aus Ruth heraus: »Diese zufälligen, gedankenlosen Annäherungen! Ich spüre, daß er sich absichtlich schwer macht. Bei mir kommen sie alle wie Absichten an, ich kann sie nicht sachlich oder so nebenbei hinnehmen. Das ist das Schreckliche. Für mich sind es alles Vorhaben, mich nicht in Frieden zu lassen, deshalb fühle ich mich angegriffen schon beim Geringsten.« Ruth horchte und lauschte und lauerte doch auf etwas, von dem sie sich einiges erhoffte, eine Möglichkeit, die vielleicht all ihre zornigen Anwandlungen, ihre Rastlosigkeit besänftigen, ach, bündeln würde zu einem endgültigen Durchbruch. Von der Tischkante, vom Wasserhahn nach der langen Zerreißprobe abspringen wollte sie, abstürzen, zerstäuben. Ruth wollte das? Ruth Wagner mit der Sauerlandtante und dem Goldschmuck, mit Franz im Kaschmirpullover? Ja sicher, sie sprach, ohne es zu ahnen, ja unaufhörlich zu mir herüber, sie informierte mich mit jeder ihrer nicht zu unterdrückenden Gesten, auch wenn ich es oft gar nicht mitkriegen wollte. Ruth hatte für mich etwas Überdeutliches, befreundet waren wir gar nicht recht. Franz behinderte sie und lenkte sie von ihrem Ziel ab. Sie mußte sich jetzt auf die Abwehr konzentrieren, darüber ging es nicht mehr hinaus: diese jede Gelegenheit nutzenden Bedrängungen bei einem kleinen Stolpern, Bücken, das vulgäre In-den-Hintern-Kneifen. Es machte sie mürrisch, auch wie er überraschend ihre gekrümmte Handinnenfläche berührte. Eine abgetrotzte, vom Himmel gefallene Intimität, für die sie ihn hätte ohrfeigen mögen. Wieso nahm er sich das heraus! Gewiß, nichts war dabei, aber wenn sie ihn dann so vergnügt, bisweilen triumphierend lächeln sah, wurde ihr klar, daß er sich freute, etwas erschlichen zu haben. Sie rieb vor Ärger ihre Hand an der Hüfte ab. Sie fror unter der nun doppelt allergischen Haut. Ruth mußte sich ja fragen, wenn sie sich mit einer nur halbwegs geschickten Wendung entzog, ob diese sich häufenden Verfolgungen nicht ein Zeichen waren, daß sie Franz nicht genug Sättigung, gar keine Zärtlichkeit mehr bot. Sie gestand sich das ein, aber trotzdem, sie konnte nicht anders, als sich zu entwinden. Wenn er nur gewartet hätte! Beim geringsten Signal schnappte er jedoch schon so verteufelt ermutigt nach den eingebürgerten Vertraulichkeiten oder, noch schlimmer für sie, die an nichts anderes mehr denken konnte, trumpfte mit einem neu erfundenen Betasten, Betupfen auf. Insgesamt – sie versuchte sich manchmal ein bißchen Hautkontakt bei den Kindern zu holen, aber das wurde ein unglückseliges Schauspiel, denn die witterten das falsche Spiel, die Kleine schüttelte feierlich den Kopf, die Größere begann zu übertreiben wie ihre Mutter, so kannte ich es ja schon – insgesamt hielt sich Franz sehr tapfer, lange Zeit zumindest. Sie fand ihn dickfellig, aber begriff sie denn nicht, daß es nur ein verzweifelter guter Glaube an ihre ehemalige Liebe war? Ich sah dann doch selbst von meinem Platz aus seine wütenden oder traurigen Blicke, seine sich verschärfenden Gesichtszüge, wenn sie ihm mit schlecht verhülltem Zurückweichen etwas Unverständliches bestätigte, eine Weltverdunkelung. Aber bald schon, als wäre nichts, wandte er sich seinen mustergültig belegten Butterbroten zu. Ruth aber war ja nicht prüde, auch wenn sie mittlerweile, auf eine qualvolle Weise, so wirkte, und da sie sich mit etwas anderem beschäftigen wollte, um jeden Preis, mußte sie sich verhärten und wurde häßlich dabei. Sie erzählte mir von einem Gespräch über ihre fehlende Zuwendung. Sie habe ihn nicht ansehen können, verstanden ja, aber wie sollte sie ihm denn klarmachen, daß sie sein zärtliches Reiben an ihr, diese matten Tätscheleien, dieses körperlich zum Ausdruck gebrachte Wohlwollen als so schrecklich unpassend empfand. Mein Gott, die eheliche Hingabe, den Beischlaf, das brächte sie schon, aber in ihrem gegenwärtigen Zustand sei es für sie fast pervers. Es sei furchtbar, daß sie es vor mir, einer letztlich Fremden, ausspreche. Um ehrlich zu sein, ich wünschte mir in diesem Moment dringend, sie würde nicht du zu mir sagen. Der Magen drehe sich ihr um, sie befinde sich woanders als ihr Mann, sie könne sich aber nicht erklären wo. Darum unterlasse sie den Versuch, darüber zu reden, aber warum fühle er denn nichts? Was für eine Geschmacklosigkeit, das sei es, eine Stillosigkeit, eine Absurdität, jetzt mit ihm ins Bett zu gehen, und er obendrein in dieser vielversprechenden Pose, sie glücklich zu machen. »Komisch«, sagte sie dann wieder lebhaft, fröhlich beinahe und wie zu sich selbst, eine Ungewöhnlichkeit bei Ruth, während der Unterhaltung mit Franz habe sie vor allem das Bedürfnis gehabt, den Mund voll mit Knäckebrot zu nehmen und es mit heftigen Kaubewegungen zu verzehren. Ich denke mir, Ruth hatte wie ich damals das Gefühl, daß sie in ihren Empfindungen einen Fehler beging, sie kümmerte sich allerdings nicht weiter darum.

Wieder aber, für mich, unter einem kalten Halbmond das Gerassel der schwarzen Bäume, das Ziehen in den Schneidezähnen, wenn ihr Brausen, ihr Sirren, ihr Rasen beginnt wie bei anderen das Reißen in den Knochen an feuchten Tagen. Dann sehe ich hinüber zur Katze, und wenn sie mich beruhigen will, muß sie nur die Vorderpfoten unterlegen, so daß die geknickten Gelenke vorstehen wie zwei Kissenzipfel: Sofort verwandelt sie sich in eine gute Nachbarin. So denke ich auch manchmal, wenn ich mitten in der Stadt bin, an den Eremiten von Grünewald, nicht an seinen ausgestreckten Arm jetzt, sondern an die sanfte Hirschkuh und wie ich mich dicht neben sie legen könnte, und einmal sah ich lange in einem Gehege ein Wildschwein an, immer größer wurde unsere Annäherung, es grunzte und trampelte durch die aufgeweichte Erde. Ich sah hin, und langsam wurde es von meinem Geist besessen, ich fuhr in das Tier oder das Tier in mich. Es war einfach und selbstverständlich, ein schöner Augenblick.

Die Käuzchen, die Eulen in den dunklen, zischenden Waldrandnächten hat also Herr Willmer oft angehört, je mehr auf sein Lebensende zu, desto öfter vermutlich. Wach lag oder stand er ja ganz gewiß weit nach Mitternacht noch, um seinen Tod zu planen. Über seine leichenblasse, hochaufgeschossene Tochter mußte er dann grübeln, so überaus beschützt von dem Tag an, als die Tatsache der Empfängnis für ihn, gewissermaßen vor der Mutter, feststand. Als sie noch in unserer Gegend wohnte, sah ich sie nur, ein dünnes Bein, ein Stimmchen hinter den Gebüschen, im Garten spielen, allein meist. Wer war schon harmlos genug für sie? Das mußte zwangsläufig jeder denken, der sie zu Gesicht bekam. Sie hatte etwas Feines, ja, beinahe Lebloses, vielleicht roch sie in Wirklichkeit ein bißchen nach Kartoffelkeimen, und irgendwann wird Herr Willmer auch diesen Verdacht gehabt haben. Wie lange drehte er die Nase weg von seinem Elfchen, bis er sich reinen Wein einschenkte? Jetzt mußte sie schleunigst in die andere Richtung beschützt werden: Sie ritt, spielte Tennis in den unsicheren Spuren der Mutter, höchste Zeit für so was, sie stand schwankend beim Wintermärchen auf der Bühne in einem Ballettröckchen, eine Schneeflocke, die man vorsorglich von vornherein immer nur taumeln ließ. Wie aber regelte es Herr Willmer dann später im Schlößchen mit den Jungens? Er wollte sie fernhalten, natürlich, er nahm sich die Zeit, an ihrer Seite zu sein, aber, so wenig es ihm paßte, trotz des zarten Schwitzens beim Tennisspiel und des schwachen Pferdedufts nach den Reitstunden begann sie, als ausgewachsenes junges Mädchen, wieder nach Kartoffelkeimen zu riechen und den krummen Gang der Mutter, um den er sich doch so gequält hatte, nachzuahmen. Also gestattete er Freundschaften unter unauffälliger Kontrolle, alle immer nur kurzfristig, und jeder, der die zerstreuten, blaßblauen Augen des Mädchens sah, glaubte unverzüglich, daß sie es ohne besonderes Interesse hinnahm. Man konnte hören, daß die jungen Männer neugierig waren, wenigstens einmal das weiße Schloß, zu dem sie früher oft hochgesehen hatten, über Frühlingsblumen und Kühe weg, von innen zu betrachten, mit dem Mädchen als Fremdenführerin meinetwegen, und das langte fast. Wenn jemand kühnere Wünsche spürte, wird er sich kaum getraut haben, das laut zu sagen. »Eigentlich normal und nett«, urteilte der Drogist, der noch immer Bescheid wußte. Jetzt lief sie also bereits unter »armes Ding«! Sie war zu kraftlos, was konnte Willmer bloß tun, um arrogant, lebenslustig, mondän oder bösartig zu sein. Vielleicht hätte ihm einfallen sollen, sie als Beweis seiner halbwegs künstlerischen Abstammung zu begreifen, als etwas edel Degeneriertes in seiner eigenen Natur, das in ihr ans Licht wollte. Nein, was ihm schließlich widerfuhr, war nichts als ein schlichter, für ihr Alter geradezu auf der Hand liegender Treuebruch an ihm. In ihrer stillen Art wartete sie nur den Tag ab, von dem an jeder Einspruch des Vaters erfolglos blieb. Bevor es dazu kam, als alles noch sorglos vonstatten ging, hörte er seiner Frau zu, in ihrem schönsten Wohnzimmer sicherlich. Da saß sie ihm gegenüber in einem langen Sommergewand, wenn es lau war bei geöffnetem Fenster, oder am offenen Feuer in einem Kaminkleid, das er ihr aufgedrängt hatte. Sie bewegte die Hände um einer Natürlichkeit willen und sprach Abend für Abend über einen geplanten Urlaub oder eine neue Tapezierung, denn sie wollte sich freuen darauf, über ein kleines Fest, denn sie wollte sich freuen darauf. Sie erinnerte sich an ein verlorenes Armband, an einen aus den Augen verlorenen, gemeinsamen Freund, an eine vergangene, gemeinsam verbrachte Zeit, denn sie wollte etwas andächtig und mit vielen Sätzen beklagen. Das machte sie immer so, das Reden auf etwas zu, hinter einer Sache her. Nur mit Mühe konnte er dann ruhig bleiben, dachte auch: Was sagen die anderen denn jetzt, hier, bei einer solchen Gelegenheit, was stellen sie an diesen Abenden an, wie bringen sie das hinter sich? Er tat das Reden seiner Frau ab als Geschwätz, hoffte, seine Nervosität über die Stunden zum Schlafengehen hinweg würde ihr entgehen. Ihr Hantieren mit den Ereignissen: wie das seiner Mutter, seiner Schwestern aus einer abgelegten, ärmlichen Vergangenheit, dieses Gemurmel, dieses nie zu Ende kommende Hin- und Herwälzen, als wäre das Zimmer, um Tisch und Sofa herum, nichts anderes, als ein großer, unentwegt kauender, vorverdauender Mund. Nein, Willmer begriff nicht, was er bei ihr zu seinem Glück hätte lernen können.

Ein Friedhofsstückchen, ein Platz auf einer Wiese mit einem schmalen Blumenstreifen, die zweihandbreite Bepflanzung über dem Kopf des Toten, später ein Stein, in einer

Sektion immer liegend, in der nächsten immer stehend, ist Frau Wagner geblieben als öffentlicher Ort zum trauernden Anhalten und Unkrautzupfen. An hellen Sonntagen, zur Hauptbesuchszeit wagt sie sich allein hin mit einer Handtasche, in der eine Harke und ein wenig Geld stecken. Früher war sie gern allein, sie sagt es selbst, da bildete das Alleinsein wohl einen dramatischen Raum zwischen den jederzeit möglichen Störungen, jetzt fehlt auf einmal der Außendruck, keine lärmende Familie, keine dringenden Bügel-, Stopf-, Essenzubereitungsverpflichtungen klammern die Löcher, die Pfützen ihrer nirgendwo auf Widerstand stoßenden Einsamkeit. Aber es gibt ja doch etwas, so ganz ohne Mittelpunkt und Geheimnis lebt sie ja nicht, sie besitzt etwas, das sie mit einem klagend zärtlichen Lächeln vorführt, sobald davon die Rede ist, eine nicht genau zu benennende Krankheit, die allerlei hohe Empfindlichkeiten verursacht und sie zu einer feinen Uhr, einem zuverlässigen Barometer macht. In die ungeordnete Leere ihrer Wochentage hat der Arzt strenge Befehle erlassen. Nun kann sie nach einem Gesetz tapfer sein oder sündigen. Ihre Disziplin, was Essen und Trinken und entsprechende Enthaltsamkeiten betrifft, scheint ihr – kräht aber ein Hahn danach, ob sie lebt oder stirbt? – ein Befolgen anonymer, tiefer Lebensregeln zu sein. Durch ihren Gehorsam wird sie sich selbst und der vernünftigen Welt kostbar. Insofern tut sie Gutes, wenn sie pünktlich die Herztropfen einnimmt und sich dem Kotelett verweigert. Sie betreibt das mit Schläue, die alte Frau, ihre Krankheit wird so zum Rezept für anhaltende Jugendfrische, sie besitzt einen zäh verteidigten Schatz. Nein, eine wissende Kranke, der ihr eigener Körper durch viele Erklärungen durchsichtig wird, will sie nicht sein. Sie hat sich für das Rätselhafte entschieden, für die seltsame Abrückung von sich selbst, so daß sie, Frau Wagner, wieder etwas zum Anstaunen, Bewachen, Verwöhnen hat.

War es aber so, daß Martin, mein Vetter, eines Tages den Verdacht, er würde in einer von ihm nicht begriffenen Weise versagen, so fort und fort, ein Jahr nach dem anderen, nicht mehr unterdrücken konnte? Einmal, auf einem Bahnsteig, an einem Freitagnachmittag, als er sich durch Prüfung des Wagenstandanzeigers informierte, wo er zu warten hatte, um sogleich den reservierten Sitzplatz zu erreichen, strömten ihm aus dem Bahnhofsgebäude Scharen von Lehrlingen und

Schülern entgegen, Jungen und Mädchen, die aus der Stadt heim in die entfernten Vororte wollten, alle in Jeans, Tennisschuhen und mit Plastikbeuteln in einer so verblüffenden Ähnlichkeit sie alle, und plötzlich stieg sehnsüchtig in ihm der Wunsch auf, ausgerechnet so ein Mädchen kennenzulernen, nicht, weil sie ihn wirklich interessierte, sondern als den reinen, aus dieser Masse herausgeschnittenen Prototyp. Aber wie hätte er das wohl anstellen sollen! Er machte es sich ja zu bequem, er hielt es schon für betörend, wenn er mit rauher Kehle seine verschiedenen Schüchternheiten beichtete. Als wäre das was! Als spränge dabei irgendwas für eine Zuhörerin heraus! So entstand doch ganz und gar nichts, kein Körper, keine Gestalt. Eine gute, aber schwerfällige Seele, wem nutzte das in diesen Dingen! »Etwas ist falsch an allem, ich stoße zum richtigen Leben nicht vor!« sagte er sich, wenn er allein war, und mir, bei einem Spaziergang, wieder um den künstlichen See. Er wollte nun entschlossen ans Werk gehen. Morgens, bevor er sich auf den Weg zum Verlag machte, frischte er sein Griechisch und seine Französischkenntnisse auf, jeweils eine halbe Stunde, eine weitere Viertelstunde las er Gedichte, vierzig Minuten beschäftigt er sich mit Philosophie und Erkenntnissen aus der Naturwissenschaft. Diesen Plan befolgte Martin strikt bis kurz vor seinem Tod, von sechs bis acht Uhr in der Frühe. Er raffte sich noch mal zu einem großen Anlauf auf und wirkte frischer dabei, ermutigt aus eigener Kraft. Alle ihm unwichtigen Bekanntschaften kündigte er, er wurde geizig mit seiner Zeit. Aber wieviel zählte dieser Schritt, der ihn äußerlich viel gewinnender machte? Ich stelle mir manchmal vor, wie er, selten ohnehin, sein Gesicht von einer einschlafenden, ganz zufriedenen Frau hebt und sie scheinbar lächelnd betrachtet, staunend, immer noch ungläubig in seiner Nüchternheit, daß es alles gewesen sein soll. Was wollte er denn eigentlich? Wartete er darauf, von einer verführerischen Stimme, Nixe, gekrönten Schlange immer weiter in den Wald, in den See gelockt zu werden, bis ihm Verstand und Sinne schwanden, oder doch auf die harmonische Behaglichkeit, für die er so anfällig war? Wollte er durch eine große Liebe Erkenntnis oder, in ekstatischer Ausrichtung, die besessene Verengung der Welt? Suchte er eine überaus zu liebende Person zur Auflösung aller Zufälligkeiten, zur Widerlegung des Zufalls für alle Zeit?

Oft kann ich mich, wenn ich ausgestreckt im Dunkeln liege, nicht mehr erinnern, ich müßte es tatsächlich ausprobieren, wie man sich die Hände wäscht, die anderer Leute drückt zur Begrüßung. Die Welt vom Tag gibt es nicht mehr, nur eine anhaltende Gleichgültigkeit, die mich ausmerzen will zu ihresgleichen. Unwillkürlich presse ich Gesicht und Körper mit aller Wut und Kraft auf die Unterlage. Dann fällt mir ein, daß jemand, zu dem ich schon lange Vertrauen habe, als ich aus seinem Fenster ein schönes altes Haus bewunderte, schadenfroh und streng zu mir sagte, der Ausblick werde bald zugebaut durch einen Büroturm. Eine Zurechtweisung für mich über die Realität! Und aus demselben Mund, bald hinterhergeschickt: Eine Nachbarin hat ihren Mann verloren, schrecklich am Grab geweint, nun wollten sie sich öfter treffen, denn das Leben gehe weiter. Wieder, diese Behauptung, wie ein Triumph zu mir hingezischt. Dann kann ich mich trotzdem an die Bäume im Herbst erinnern, ohne Vorbehalt an allen Stellen gleich hell bis ins Innerste, bevor sie nackt werden, bis ins Innerste, das jetzt ein Äußerstes ist. So argumentiere ich ab und zu nachts, stumm, für mich allein, bis mir die Augen zufallen, nicht immer, bis das Gute siegt.

Veronika, die Zupackende von Gottes Gnaden dagegen, die immerzu Konkrete, nun die schmalen Lippen vor häßlichen Zähnen zum Trotz blau-schwarz geschminkt. Aus Übermut läßt sie sich von breiten Eheringen an Männerhänden anziehen wie eine Elster, trägt sie ins Nest und verliert sie jedesmal oder schmeißt sie bald wieder hinaus beim unruhigen Flügelschlagen. Veronika, so begeisterungsfähig, so flüchtig. Ob sie ein neues Handwerk, einen jungen Dichter, eine Schallplatte entdeckt, man muß, allein deshalb, weil allem, was sie berührt, sogleich etwas Vergängliches anhaftet, darüber mäkeln und schämt sich zu spät, wenn sie dann, sofort überzeugt, leise widerspricht: »Mir gefällt es aber, mir jedenfalls!« Schon hat sie sich das Spielzeug fortnehmen lassen. Platz für das nächste! Etwas scheint ihr, wenn auch zu kurz, zu gelingen. Für sie haben nur die Regeln der sexuellen Anziehungskraft volle Gültigkeit, kein Verstand hilft dagegen, es ist ihr recht. Ein rauhes Klima, aber ein Wunder. Sie gibt sich dem mit allem Risiko, wie es sich gehört in ihren Augen, ohne irgendeine Verfälschung, ohne Milderungsgründe hin. Oft sieht sie aus wie ein skelettierter Paradiesvogel, weg ist alle Prächtigkeit, nur der alte Anspruch des erfolgsgewöhnten Knochengerüsts bleibt als letzter Hinweis auf eine gewaltige Federüppigkeit. Aber immer schwingt sie sich wieder auf und holt sich eine neue Vollständigkeit, wo sie sich eine Zertrümmerung einhandelte. Ich frage mich also, ob sie, vertieft in die einzige ihr denkbare Konzentration, die ihr die Welt verwandelt zu etwas Erträglichem, nicht alles Boden- und Luftwissen einsaugt und unbekümmert ausatmet und dazwischen sekundenlang besitzt. Eines gilt: Nichts, gar nichts anderem als diesen sonnenklaren Geboten setzt sie sich als Verursacherin und Erleidende aus, gut. Aber welch zuverlässiges, rechtbehaltendes Muster – was kann einem da Unordentliches zustoßen? – wird mit dieser harten Selektion über das Leben, über Veronikas Wirklichkeit gebreitet! So fest ist sie verankert, die flatterhafte Krankengymnastin, daß sie, wenn man ihr mit solchen Erwägungen nahe träte, antworten würde: »Da scheiß' ich drauf!«

Ich selbst bin in einem Regenmantel gegangen, mit einer Kapuze, tief ins Gesicht gezogen. Ich wurde daher nicht naß, zum Glücklichsein schien es keinen Grund zu geben, aber der Augenblick selbst, so abgeschnitten nach vorn und hinten, war schön, ich erkannte das zur gleichen Zeit. Ich sah ihn nicht in Verbindung mit Vergangenheit und Zukunft, ich stand im dick gemauerten Turm des Augenblicks. Von vorn und hinten fiel das Licht in die Gegenwart, und ich bewegte mich in nichts als der entstehenden Helligkeit. Das war das Geheimnis. Ich habe auch einen Kinderspielplatz nachts in einem Park gesehen, ganz leer, nur vom Mondschein schwach beleuchtet, die Spielgeräte hätten die Bauten von Tieren sein können. Aber dann, an einer anderen Stelle, mitten in der Stadt, eine ältere Frau, von der einen Hüfte, um den Bauch herum, zur anderen und zum Ausgangspunkt zurück war ein einziger kompakter Kreis geschlagen, ein Zylinder, ein brauner Rock. In einer Cellophantüte trug sie zwei weitere, ebenso braune Röcke von der Reinigung, beliebig alles, kein Entkommen, einer wie der andere, aber sie: so entschlossen, und da sah ich so lange hin und sie an, bis ich wußte, daß sie den gewaltigen Unterschied zwischen den dreien, sie allein, sehr wohl kannte.

Es war Petra, die eines Tages über Männerrücken sprach, von der aufsteigenden, gebogenen Linie, von licht- und schattentrennenden Modellierungen bei genau verteilten

Muskeln und Massen. Sie hatte kein sanftes Gesicht mehr, sie lächelte fanatisch. Ihr Scheitel war weiterhin schnurgerade über den Kopf gezogen, aber sie hielt ihn in wilder Andacht gesenkt: Sie sprach über einen einzigen Rücken unter vielen, sie versuchte ihn mit Worten zu berühren. »Sie wirken so herausfordernd kräftig und dadurch wie vorbestimmte Opfer, Lasten tragen zu müssen, und so kann man sich kaum fassen vor Bewunderung und Mitgefühl, vor Lust und Angst um sie.« Sie verriet sich ein zweites Mal, als sie, an einem Sommerabend, in einem weiten, mütterlichen Gewand, in dem sie ihren Mann offensichtlich entzückte, plötzlich mit heiserer Stimme für die Möglichkeiten der Liebe in allen Verhältnissen, auf allen Altersstufen zu streiten begann. Niemand hatte sie gefragt, niemand widersprach, aber sie konnte nicht schweigen. Sie mußte sich ereifern vor den anderen, die sie, im Dunkel um einen Gartentisch, vergaß oder für die Gesamtheit einer anzugreifenden Gesellschaft hielt. Und der dritte Ausbruch, noch deutlicher, vielsagender als die vorangegangenen? Damals häufte es sich, es muß die akute Zeitspanne gewesen sein: Sie beschrieb mir einen Bekannten in unwesentlichem Zusammenhang. Es gab irgendeinen Grund, darüber zu sprechen, sie rannte zwischendurch ein paarmal nach ihrem Kind, fuhr zu einem Kinderladen, machte einen Termin bei der Ärztin aus, holte das Kind ab, kaufte für alle ein und kam schon wieder darauf zurück. Sie schilderte mir Details seines Gesichts, seiner Hände, sogar seinen Mund, Anhaltspunkte seines Charakters. Sie merkte nichts, sie blieb unbefangen, sie brachte es nicht fertig, endlich aufzuhören damit: Ich kannte ja den, von dem sie angeblich erzählte, und wußte, daß nichts daran der Wahrheit entsprach. Sie hatte bloß seinen Namen benutzt, um dieses eine Mal, indem sie den seinigen vorschob, den einen, anderen Mann mit vielen Sätzen laut zu entwerfen. Also wußte Petra, daß man die Worte eines Mannes, sobald sie über die Lippen kommen, auf allerkürzestem Weg wegsaugen kann, nur durch eine zuschnappende Aufmerksamkeit, so daß sie sich gar nicht in der Luft, im Raum ausbreiten, verdünnen, verlieren. Sie hat es einmal erlebt, daß sie im puren Gegenübersitzen vorstieß in eine andere Wirklichkeit, zu ihrem ganz eigenen Wesen, und das war, wenn auch nie ohne Schmerzen, bei aller Beunruhigung eine Ruhe, eine unvergleichliche Begeisterung. Sie, Petra, mit ihrem duldsamen Marienantlitz, hat kennengelernt, daß sich, wenn eine Person nur für fünf Minuten aus dem Zimmer geht, bereits eine Einsamkeit ankündigt, und wenn sie im Gespräch den Kopf abwendet, ein Erlöschen aller Lebensfreude, ein verzweifelter Wunsch nach neuer Zuwendung, nach einem Zurückdrehen des Kinns, weil sonst nichts übrig bleibt von der Welt. Ganz sorgfältig sah ich sie auf ihrem grauen Großstadtbalkon die Tagespflänzchen von Unkraut frei zupfen und spürte doch ihre Gedanken, ob sie das alles, Mann, Kind, Wohnung, nicht bald verlassen sollte. »Liebe?« sagte sie später einmal, »ich erinnere mich, wie ich vor langer Zeit unter roten Kastanienblüten ging, in hochstehenden Wiesen tobten die Hunde. Ich konnte nicht langsam gehen, es war, als hätte ich bis an die Kastanienkerzenspitzen gereicht. Etwas strömte kräftig durch mich hindurch, die Luft, das Wasser. Jetzt ist es nicht mehr so.« Das Verhärmte in ihren Zügen erklärte sie mit der verzettelnden Arbeit in ihrem Haushalt, in der Kanzlei, ihrem Bedürfnis nach Sammlung, wenn sie schreiben wolle. Man weiß es schon immer im voraus. Aber ist der Grund nicht die schlimme, unverzeihliche Beleidigung, den einmal angeschauten Fluchtpunkt der eigenen Energien nicht erreichen zu können? Wie sollte sie nun noch an Bedeutsames, an schicksalhafte Ordnungen glauben, nun lief alles davon und zerstreute sich. Ihr nervöser, schutzbedürftiger Mann ahnte nichts, aber ich, ich hatte das Flackern in ihren Augen gesehen, als sie über die Berührungen schrecklich erzwingende Schönheit männlicher Körper in scheinheiliger Mehrzahl sprach. Das ist wohl vergessen, und nur noch selten wird sie den Anklang einer Erinnerung spüren. Petra hat es überschlafen und wachte wieder auf, wie es schien für immer, mit einer Leidensmiene für sich und einer sanft lächelnden für Mann und Kind.

Es hat eine Viertelstunde gegeben, wo Ruth allein im Musikraum für den Unterricht Instrumente zurechtlegte. Es war ganz still, nur manchmal strich sie über eine Gitarrensaite, schlug gegen einen Triangel, gegen das Xylophon. Sie trug ihr teures Kostüm mittlerweile in der Schule, das ließ sich ja überhaupt nicht verschleißen in seiner erstklassigen Qualität, aber natürlich saß der Rock schief und Flusen hingen dran, Ruth las sowas immer im Nu auf, die Fingernägel waren in Ordnung, ja, die Haare aber in Strähnen zerteilt, sie versuchte ein Lied zu singen, brach aber, da sie zu hoch eingesetzt hatte, ab. Sie begann immer so anspruchsvoll, aber dünn, ich habe sie nie etwas, nicht die kleinste Strophe, vollständig singen hören. Immer stimmte was nicht. Sie ging hin und her, fahrig und beschäftigt, nach ihrer Art. Plötzlich aber wieder dieses Stehenbleiben, diese Sekunde noch einmal, dieses gewaltsame Gerecktwerden ihrer Person aus dem Musikraum, aus Ruth Wagner, aus ihrem Leben heraus. Es sei ein Gefühl gewesen, als hätte sie vor vielen Jahren versehentlich einen Regenschirm verschluckt, so einen großen, ländlichen, wie sie einen besaß, und nun hätte er sich knatternd, aufspringend entfalten wollen. Sie wisse gar nicht, wie lange sie deshalb die Luft angehalten habe. Beim Hereintoben der Schüler jedenfalls habe sie sich sehr bemühen müssen, die Augen wieder kleiner und den Mund endlich zuzumachen. Das sei trotz des Krachs gar nicht leicht gewesen. Eine Trommel sei neben ihr zu Boden gefallen. Ach, eine Trommel! Franz wage sie jetzt nur noch mit den Fingerspitzen anzutippen. Diese Schüchternheit müsse sie doch, wenn sie bei Sinnen wäre, rühren, es komme ihr aber nur vor wie ein beliebiges Bedienen an ihrem Körper, als wäre sie so ein Tambourin, auf das jeder schlagen könne und ihr bleibe nichts übrig, als einen Ton abzugeben. Sie spüre das sinnlose Schürfen an ihrer Oberfläche, sie höre es, als würde jemand mit den Nägeln über eine Tischdecke fahren, so daß sich ihr die Haare sträubten. Sie sah noch müder aus als früher, aber die Augen glitzerten. Ich wollte den beiden, Ruth und Franz, nicht mehr so gern zusehen, es ging nun so verkrampft und knirschend zwischen ihnen zu wie damals zwischen ihr und der größeren Tochter beim Wiedersehen nach der Italienreise, später, am Tisch, ohne Worte eigentlich, der Stimmung nach, dieses Frieren. Beide zeigten so oft die Zähne, daß man glaubte, sie hätten doppelt so viele, nie war mir dermaßen ihr Gebiß aufgefallen. Es herrschte eine solche Höflichkeit, die sie dann abwechselnd besonders ruppig abschüttelten, daß ich immer die Abstände zwischen ihnen beobachten mußte, als wären das Stangen, die sie aus- und einziehen konnten, und über diesen in den Scharnieren knackenden Metallstücken redeten sie sich noch mit den alten Kosenamen an. Dann standen wir eines Tages im Zoo bei den Flamingos, auch die beiden kleinen Mädchen waren bei uns. Ich sah die dünnen Beine der großen Vögel an, mit dem

Knoten in der Mitte, wie sie sich so sicher auf jeweils einem ausruhten und doch in ihrer Gereiztheit fortwährend mit den Schlangenhälsen und den hochgewölbten Schnäbeln nach einander schlugen. Ruth ließ sich nicht anmerken, ob ihr die Ähnlichkeit mit sich selbst auffiel. Sie redete nur, überdreht wie meist, auf die Kinder ein und betonte so noch die Verwandtschaft, so schrill, so aufgeregt. Ein Flugzeug flog derart dicht über uns hinweg, daß die Tiere die Streitereien vergaßen und hochsahen und sofort, gleichzeitig alle, alle in einer Reihe, den gestutzten und den ungestutzten mächtigen Flügel ausbreiteten, so daß eine rosa Mauer mit einem tiefschwarzen Band darin sich vor uns entfaltete. Ruth aber hatte gerade woanders hingeschaut. Als sie auf meinen Hinweis reagierte, waren die Flügel schon wieder eingelegt. Kurz darauf aber, bei den Pelikanen, stieß Ruth einen Schrei aus, der ziemlich häßlich klang, wieder etwas, das wie Flusen und Haarsträhnen nicht zum teuren, von der Tante gestifteten Mantel paßte. Einer von ihnen hatte den Hautsack der unteren Schnabelhälfte ganz nach außen gestülpt, wie einen Ballon aufgeblasen. Vor uns stand ein ausgewechseltes Tier, nicht zum Wiedererkennen, und ich dachte, das hätte sie so überrascht, weil es unangekündigt geschah. Ihre Kinder brachen, die Mutter enthusiastisch nachahmend, in ein Echogeschrei aus. Da schwieg aber Ruth schon, und schon hatte auch der Pelikan den Beutel zurückgeklappt und den Schnabel verschlossen. Erst auf dem Rückweg fing Ruth an zu sprechen, es tat mir leid. Ich wußte, das waren Geständnisse aus ihrem Mund, die uns in Zukunft nur trennen konnten: »Ich komme mir vor wie dieses Tier, ich war bloß entsetzt, aber wenn ich nachdenke: Genauso fühle ich mich, es ist etwas verkehrt Symmetrisches, und jetzt wird es mir klar, dieses plötzlich Umgedrehte! Früher die Sehnsucht nach seinen Berührungen, jetzt die Abneigung, früher das Kämpferische in unserer Liebe, jetzt die Mattigkeit, früher die Erwartung, sobald wir allein waren, jetzt meine Wut, sobald sich ein derartiges Zusammensein anbahnt.« Ruth konnte sich gar nicht bremsen, ihr Leben mit Franz nun so aufzuteilen, in die Zärtlichkeiten, die sie betäubt hatten, und die, denen sie auswich, die sie abwehrte durch eine Drehung, ein Aufeinanderpressen der Zähne zur unauffälligen Verteidigung. Früher, jetzt! Früher jede Berührung eine Erkenntnis, jetzt jede Berührung ein Mißverständnis. Ich weiß noch, daß ich, während sie sprach, zu keuchen begann aus Abneigung, sie selbst schien sich in der geometrischen Abhandlung ihrer Ehe leichter und heiterer zu fühlen. Aber sie betrog sich, als sie sich, von der angeblichen Halbierung beflügelt, zu einer solchen Ausschüttung hinreißen ließ: Zur Vergangenheit, die der Gegenwart also umgedreht hätte standhalten müssen, fielen ihr ja kaum Beispiele ein, und ich hätte ihr sie auch nicht geglaubt. Sie aber sah zu, wie die Kinder bei Rot auf die Straße hüpften, so sehr nahm sie die Ausschmückung ihrer Einsicht mit, als reime sie sich von allein fort, auch schien sie sich dadurch als endgültige zu erweisen.

Im Zoo habe ich mir einmal große Mühe gegeben, den zerstreuten Blick einer Löwin auf mich zu konzentrieren, und ich empfand es als Sieg, als es mir gelang. In einem Zug spürte ich auch einmal etwas Umgedrehtes, wie Ruth. Ich hatte im Abteil über drei Stunden einem Mann schweigend gegenübergesessen, aber als er ausstieg, verabschiedete er sich so herzlich, als wollte er die lange Stille damit wettmachen, und wirklich, es war dadurch aufgewogen! Ein anderes Mal hatte mir eine Woche die einfachste Berührung gefehlt, und dann, am Morgen im Liegewagen, als der Schaffner leicht meine Schulter schüttelte, um mich zu wecken, geschah es, als wäre ich wieder fest in die Arme genommen worden. Aber das waren ja nur Momente. Ruth und ihre Symmetrieebene dagegen! Und es sollte bei ihr dann ja auch noch einmal zurückschlagen, wie sie es sich damals nicht träumen ließ! Mir kam es schon immer wie ein Betrug vor, von vornherein mit einem Plan in eine fremde Stadt zu gehen, weil man sich den Eintritt erschleicht, man erobert sie mit dem Papier in der Hand, ohne ihr eine Chance zur Gegenwehr einzuräumen. Man kann nicht verwirrt werden von ihrer wirklichen Vielfalt, schön und gut, dann verstellt sie sich natürlich und tut, als wäre die Anordnung der Straßen ihr ganzes Geheimnis. Durch lauter offene Türen rennt man hinein und kampflos wieder hinaus.

Tag für Tag geht während all dessen Frau Jacob, das Gesicht jungmädchenhaft nach einer vergangenen Mode bemalt, ob sie gegen zerbeulte Blechdosen oder auf nasses Laub tritt, ob ein Fetzen Plastiktüte sich um einen Absatz wickelt oder ein Steinchen durch die dünne Sohle drückt, in Schuhen, die kein Arzt, der ihre zerbrechlichen Beine sieht, billigen kann, die Stationen ihrer Liebeserinnerungen ab!

Das Kennenlernen durch Vermittlung einer Freundin, in einem Café mit Klaviermusik, einmal hat ihr späterer Mann sie hoch auf den Händen durch den Saal getragen, manchmal schweift sie ab, aber landet doch beim fälligen Rosenkranzgesetz, bei einem nach dem anderen (diese kleinen Ausbuchtungen, wenn ihr das Muster einer Krawatte nicht gleich einfällt, weil sie sich plötzlich an ein bestimmtes Kleid stärker erinnert, gestattet sie sich), sie kommt schon pünktlich bei der Todesnachricht aus dem Feld an, ein lächelnd geschlagener Kreis, etwas Ruhendes, das sie umrundet, so daß sich nirgendwo Staub absetzt, es glänzt nach jedem Rundgang frisch, aber verschieden, je nach Stimmung. Sie liebt die alten Leute nicht. »Alles wird nur noch schwächer an ihnen. Das ist ihr ganzes restliches Leben. Warum sehen wir uns alle so ähnlich, daß keiner Unterschiede bemerkt!« Aber sie sagt es sanft, ein zierliches Fragen, als setzte sie ein vergoldetes Täßchen mit einem lieblichen Klirren auf die winzige Untertasse. Es gab eine Zeit, wo sie kein Liebespaar, gleich welchen Alters, ohne Schmerz ansehen konnte. Jetzt sind es nur noch Erscheinungen wie Blumen oder Steine für sie, die sie wohlwollend, aber ohne heftige Gefühle betrachtet, wie an warmen Nachmittagen von einer Bank aus die Segler auf dem Wasser: Es ist für diese Leute das Glück, aber sie betrifft es nicht. Sie möchte nicht an deren Stelle sein. Sie besitzt ihre große Liebe, die nur sie angeht, für immer in sie eingeschlossen wie Herz und Lunge. Darüber verfügen alle Lebenden, aber nur ihr gehört dies eine Exemplar, und wenn sie das verlöre, dann nur, weil sie sterben würde, und so wäre es gut. Sie fürchtet die stillen Wochenenden nicht sehr, nicht sehr die dunklen Wintertage, nicht die Russen, nicht die Amerikaner, keine Einbrecher, nicht den Tod. Nur einmal, nach einem groben, aber mißglückten Überfall auf ihre Handtasche, hat sie zu Hause eine Weile geweint über den heftigen Ruck.

»Das ist Mord«, sagte Onkel Günter, als in der Nähe ein letztes Restchen Wildnis als Bauland erschlossen und ein großer Baum umgehauen wurde. »Einen Baum fällen ist Mord. Ein Baum hat eine Seele!« Auf diesen Nachsatz konnte er nicht verzichten. Er legte den Kopf nach hinten und sprach ihn aus, gerade deshalb, weil er spürte, daß Tante Charlotte und ich ihn fürchteten. In solchen Momenten überkommt es ihn, dann muß er einfach den Poeten spielen und fühlt sich, auch wenn er verlegen lacht, pudelwohl dabei. Tante Charlotte geht die Sache anders an, sie liebt die großen Leidenschaften, den großen Schmerz, die große Seligkeit, aber nur auf der Bühne, nur in der Literatur. Wenn sie Romane erzählt, erlaubt sie alles, versäumt aber nie, warnend hinzuzufügen: »Keine Ahnung, wovon sie gelebt haben!«, »Er hätte sich erst mal waschen sollen!«, »Nach soviel Tränen muß sie schrecklich verheult ausgesehen haben!« Dann geht es weiter, als wäre nichts, und sie schafft es auch, Onkel Günter und mir wieder das schönste Vertrauen in die gewaltigen Schicksalsbögen zu geben, was uns so gut gefällt. Sie sieht das und lauert auf den nächsten Augenblick, wo sie uns runterfallen läßt durch eine Zwischenbemerkung aus dem regelrechten Leben, und wir wissen nicht, was ihr mehr Spaß macht, uns in Gläubige oder in Zweifler zu verwandeln. Ihr Vergnügen besteht darin, wir durchschauen es beide, jederzeit diejenige zu sein, die bestimmt, ob die Mythen und Legenden gelten oder ob der Boden der Tatsachen das Maß ist. Wollte man einmal mit feierlichen Augen an die Wirklichkeit herangehen, waren das nur Verhältnisse, Seitensprünge, Kurschatten, Verirrungen, Pubertätserscheinungen, unfreundlich nicht, nur zurechtweisend. Aber auch da macht sie es, wie sie will: Begeistert läßt sie sich über einen Internisten aus, bis sie schließlich, aufstehend, hinwirft: »Aber häßlich wie die Nacht, obendrein bucklig!« Sie lobt ein schönes Mädchen, eine strahlende Gestalt, mit der sie im Bus saß: »Man mußte ihr sofort sein halbes Herz schenken, nur fürchte ich, daß sie einen Strich dadurch hatte!« Früher, wenn wir bei meinen Urlauben ein Café besuchten: »Der Mann drüben hat dich die ganze Zeit angesehen. Merkst du das nicht?« Damals stellte sie alle jungen Männer aus Spielerei als von mir abgewiesene Verehrer hin, bis ich keinem mehr unbefangen begegnen konnte. Und Onkel Günter ging es wie mir: Indem sie manches von uns anhörte, dann wieder wegschaute, uns das Wort abschnitt, die Geduld verlor, stutzte sie uns zurecht. Immer mußten wir uns anstrengen, daß alles nach ihren Wünschen geschah, darum liebten wir sie beide so.

Ich verlasse mich gegen alle Erfahrung darauf, daß Menschen und Anblicke, die mich einmal getröstet haben oder hingerissen, es beständig tun werden, aber natürlich schwindet der Schimmer, der ihre Macht war, von Zeit zu Zeit oder endgültig, und alles steht nur noch herum, die schlichten Gegenstände, Personen, Tonfolgen, ein Reim nach dem anderen und ich nackt dazwischen.

Das Anstrengende, manchmal Ermüdende, auch Erbitternde an Martin war seine Unentschiedenheit, ein Hin und Her seines Charakters. Von einem zum anderen Mal hatte er seine Figur radikal geändert, nie wußte man, ob er abgemagert oder aufgedunsen vor einem stehen würde, herabgesackt in eine Behäbigkeit mit träumerischen Anwandlungen oder angespannt, in einer neuen Zuversicht, etwas Erhofftem auf der Spur, oder, von den trüben Augen auf den übrigen Körper ausufernd, erschöpft bis in die merkwürdig biegsamen Finger. Aber die Unsicherheit nahm ab, als er mir von seinen Reisen zu berichten begann, immer zum selben Ort. Daß die Route durch die Alpen, mit der Eisenbahn, eine allgemeine und stets vorhandene war, wußte er ja, aber wenn er sie benutzte, schien sie nur für ihn dazusein, als Bestandteil seiner Reise waren die Berge, Flüsse, Täler, Seen für ihn besonders und einmalig aufgereiht in dieser Abfolge, wie er sie, den Kopf zwischen den Zugfenstern zu beiden Seiten schwenkend, bestaunte. Beim Durchrasen der italienischen Landschaft empfand er schon auf der Hinfahrt jeden Meter als Abschied, da er ja im nächsten Moment vorwärtsgerissen wurde zu einem neuen Anblick, ein Gefühl zerrte ihn zurück und ein anderes nach vorn in ein süßes, schmerzendes Gleichgewicht. Im Voransausen befand er sich in einer Bewegungslosigkeit, die ihn an Septembernachmittage zu Hause erinnerte. Dann war es so, daß sich in den Stunden des ersten Ferientages die Gerüche des letzten Jahres mit den gegenwärtigen vermischten, einen Augenblick suchten sie den Anschluß, dann schloß sich die Kette. Ohne eine Lücke zu bilden, setzte dieser Tag den letzten von damals fort. Wo blieb das dazwischenliegende Jahr? Es war anwesend, aber nicht chronologisch eingefügt, es gab keinen Platz dafür. Die alten und neuen Stunden verhakten sich, und das Jahr vom einen Sommer zum anderen löste sich wie die Harzperlen, vom wilden Kirschbaum im unordentlichen Garten unserer Kindheit tropfend. Trotzdem überraschte es ihn, so treu und genau, nach so vielen Monaten die behaglichen Sitze in den Felsen wiederzufinden, so höchst persönlich seinem Körper, als hätte sich nichts geändert, angepaßt. Schon beim zweiten Aufenthalt faßte er den Entschluß, immer wieder dorthin zu fahren, um der Gegend, die eine feste Strophenform dabei abgeben sollte, Jahr für Jahr andere Eindrücke zu entnehmen. Auf Rückfahrten sah er durch festliche, weiße und rote Oleanderstraßen tief in die abendlichen Städte, die dort so selbstverständlich standen, aber er wurde daran vorbeigeschleppt, weg, weg, und spürte doch den Sog, nie galten sie ihm, in ihrer in sich versunkenen, glänzenden Erregung. Er mußte nun eilig daran entlang und im nächsten Jahr wieder und dann ein Jahr älter.

»Ti amo«, höre ich aus dem Radio, beschwörend, die beiden Wörter. Es staffelt sich, ich singe mit, es schraubt sich höher, und ich singe ein bißchen mit, ein Zielpunkt, ein angenehmer Zustand ist erreicht, immer nur die Spirale dieser zwei Wörter, alles andere zählt nicht, der Zustand zählt, die Personen sind längst eingeschmolzen, und noch ein weiteres, wenn ich mitsinge, eine weitere Ekstase, die auch diese Anonymität hinter sich läßt, ich weiß nicht wie, kündigt sich an, bis das Lied zu Ende ist.

Ich habe im Park eine alte Frau und ein kleines Mädchen gesehen, eine Großmutter, die mit ihrem Enkelkind Enten fütterte. Es war Martins Tante, erst ganz zum Schluß hat sie mich erkannt. Ich selbst aber traute meinen Augen nicht. Die beiden waren gar nicht die einzigen, die sich mit den Tieren beschäftigten, überall am Ufer lärmten und lockten die Mütter mit ihren Kleinen, aber sie unterschieden sich von allen anderen so sehr. Obschon sie mitten unter ihnen standen, das fiel mir ja auf, bevor ich entdeckte, wer die alte Frau war, hatte sich um sie herum ein Abstand und eine stille Zone gebildet, niemand stieß daran. Alle spürten es also, keiner trat dem schweigenden Paar zu nahe. Ja, was taten sie denn so Besonderes? Sie nahmen aus einer Plastiktasche Brotstückchen, die manchmal dem Kind zu groß erschienen. Dann reichte es der Großmutter den Brocken und ließ ihn sich zerkleinern. Es mußte nichts dazu sagen, die alte Frau begriff sofort und half dem Kind ohne Zögern. Wenn sie gerade die Hände nicht frei hatte, warf sie rasch ihre Brotkrusten, ohne darauf zu achten, ob sie ein Tier erreichte damit, ins Wasser. Auch schien sie immer gleich zu wissen, welche der verschieden gefiederten Enten das Mädchen gern dicht zu sich locken wollte. Wenn sich das Kind in seinem Eifer zu weit vorbeugte, zog sie es, aber erst, wenn es wirklich nötig wurde, ruhig, ohne zu sprechen, ohne einen ermahnenden Blick ein wenig zurück. Man merkte, wie liebevoll sie den kleinen Körper berührte, sie tat es nicht oft, aber einen Moment blieben dann ihre alten Hände wie ein leichtes Streicheln auf dem Kind liegen. Es war eine Feierlichkeit, ein Ernst, der mich verblüffte, nicht nur in dieser Umgebung, sondern an der lustigen, allzeit aufgeregten Tante von Martin. Zwischen ihr und dem Mädchen herrschte ein Frieden, dem sich alles von allein fügte. Nur einmal lachten die beiden, das wirkte glücklich, aber wiederum auch feierlich, als eine Ente wie im Kinderlied den Kopf ins Wasser, den Schwanz in die Höhe streckte und gleich fünfmal. Es war ein Lachen, das besitzergreifend die tauchende Ente zur ausschließlich ihrigen machte. Mit der leeren Tüte drehten sie sich schließlich zu mir her, und die alte Frau erkannte mich, ja, sie war, so von vorn betrachtet, zu einer richtigen Großmutter verzaubert. Ich hatte nichts davon geahnt, dieses Enkelkind schien erst jetzt in ihr Leben getreten zu sein, und tatsächlich war es mit seinen Eltern vor kurzem aus den Vereinigten Staaten zurückgekehrt. Sie stellte mir das Mädchen vor, ich hörte den Namen gar nicht, ich sah nur den leidenschaftlichen, unbändigen, die restliche Welt zurücklassenden Blick, der auf ihm ruhte, ein Pfeil, der nach einem langen Weg zitternd vor Wucht in der schwarzen Mitte der Zielscheibe steckt.

Wie mußte Herr Willmer, nachdem seine Tochter ihn verlassen hatte, »meine Hoffnung, meine Zukunft«, wird er wieder und wieder zu seiner Frau abends in den Wohnzimmern gesagt haben, aber vielleicht zogen sie sich daraufhin für immer in das allerkleinste zurück, die leeren Stellen aufsuchen, wo er sich mit seinen Frauen zu zeigen pflegte, als er noch glaubte, glücklich zu sein! Vor den Fenstern von Cafés und dort drinnen auch vor Tischen hat man ihn minutenlang vor sich hinstarrend stehen sehen, nicht mehr elegant jetzt, das Haar zu lang, die Hemden nicht mehr frisch, die Krawatten nicht passend, am Tennisplatz, bei den Pferdeställen. Man sah ihn sein Schloß umstreichen, so mühsam gehend, als versuche er, seine Schuhe in unsichtbare Spuren zu setzen. Der Auszug der Tochter ging klipp und klar und endgültig vonstatten. Seine Frau bekamen die Leute nur noch in den Dämmerungen zu Gesicht, grau und massig, ein mit Spinnweben überzogener, trostloser Gegenstand. Aber silbern strahlend, straff gespannt lief doch irgendwann einmal eine Eisenbahnschiene neben ihm, als er aus dem Zugfenster blickte, die Schiene gleißend im rostigen, stumpfen Eisenbahnschotter. Ein rostiger Schleier hatte sich auch durch alte, von der Geschwindigkeit in die Breite gezogene Wassertropfen gebildet, alles war müde, draußen und im Abteil, alles vergilbt, und ungültig war ihm deshalb alles erschienen. Aber warum gab es nicht dann plötzlich den Einschnitt, die Ohrfeige, die Erkenntnis, daß es nur darauf ankam, diese Mattigkeit kräftig wahrzunehmen, sie an sich zu reißen! Warum reagierte er mürrisch auf einen mürrischen Anblick, anstatt ihn zu bezwingen durch das Eindringen in seine Geschlossenheit, das Durchstoßen seiner schuppigen Haut? Warum hat dieser Blinde, Eigensinnige nur bedauert, daß durch die schmierigen Fenster hindurch die Forsythien an den Hängen nicht zur Wirkung gelangten? Ja, ich weiß, schon auf dem Weg zum Bahnhof, durch die kahle, platte Gegend an einem Sonntagmorgen, nichts als Papierfetzen und zerknüllte Krokusse auf den öffentlichen Wiesen, hat er den Überfall einer großen Verlassenheit gespürt, eine Zerstückelung. Sein schönes, weißes Haus war weit weg und half hier nicht. Fast schien es unmöglich, durch diese flachgeklopfte ordentliche Landschaft bis zum Bahnhof durchzukommen, der schon in Sichtweite geriet, der Weg und er waren etwas völlig Verschiedenes. Aber hätte er sich nur willentlich besonnen, damals, auf etwas, das er wirklich liebte oder hochschätzte, dieser Dilettant und Teufel, wie hätte er das Unglückselige des Bahnhofsviertels um diese Zeit an den Rand der Bedeutung gedrängt oder sogar aufgehoben in einem stärkeren Bild in sich selbst! Wie hätte er einmal in seinem Leben, ganz unsichtbar, einer Schönheit zum Sieg verholfen!

Wenn ich unter einem besonders leeren Himmel gehe, spüre ich, wie sehr er eine Figur erfordert, einen Gedanken, wie er eine Notwendigkeit klarmacht. Liegt dann ein Schimmer auf den Halbschuhen, auf dem Hundefell, dem Laub, dem Papierkasten, frage ich mich: Was ist der Schimmer für sich allein wert? Er braucht die Dinge. Das glaube ich doch selbst nicht, der Schimmer, der Glanz kommt und geht, wie er will, und es gibt ihn irgendwo immer und für sich. Als ich dann in einer kleinen Kirche eine Reihe von Nonnen sah, still nach vorn gebeugt im Gebet, eine gleichmäßig geschwungene, wollige Hügelkette, hätte ich mich gern wie ein

Schimmer über gerundete Oberflächen gelegt. Prall waren sie vor Geheimnis, nie würde ich sie kennenlernen, nie würden sie, so angeschwollen vor Frömmigkeit, etwas anderes für mich sein als schöne, dunkle, gebogene Behälter, denen zur Vollkommenheit nur ein wenig auftreffender Glanz um ihre unbegreiflichen, unantastbaren Inhalte fehlte.

Wollte Petra eine große Liebe riskieren? Nun hatte sie nur einen wer weiß wie entstandenen, rasch beendeten poetischen Zwischenfall und ihn als das begraben. Sie ist ja auch täglich von einer solch besänftigenden, schwächenden Zärtlichkeit umgeben! Mußte sie da nicht einsehen, daß eine Zuneigung so gut wie die andere ist? Alles lief doch gut und friedlich mit Mann und Kind. Nur gab es jetzt auch keine Aufschwünge mehr. Einmal hat sie sich begeistert, es hat ihre Stimme rauh und ihr Gesicht tollkühn gemacht, nun versickerte alles, alles war sich ähnlich, dick, dünn, schmal, blaß, braun, matt, glänzend: Unter allem steckte letzten Endes eine liebe Seele, das begriff sie ja. Sie war mild, traurig und verantwortungsbewußt. Nur vergaß sie dabei, was eigentlich Liebe ist, sie war so liebevoll, daß man es kaum mit ansehen konnte, wie sie ihr Kind ans Fenster hob, ihrem Mann eine Tasse reichte. Eine große Geduld, das spielte sie gar nicht, hatte sich über sie gesenkt. Nein, Liebe gab es, recht betrachtet, überhaupt nicht. Es mußte eine Übertreibung, ein Irrtum sein. An einer gewissen Schwermut, das verstand jeder, war nur ihre Unfähigkeit schuld, sich in den dafür vorgesehenen Zeiten auf ihre Arbeit zu konzentrieren, so daß ihr die Monate unter den Händen zerrannen. Auch sie hätte sich nun ihr Leben aufspalten können wie Ruth, in die vielen Stunden, wo sie, irgendeinem Mann gegenübersitzend, so leicht vergaß, daß es ein Mann war, sie mußte es sich gewaltsam ins Gedächtnis rufen, und dann die Stunden, die wenigen, wo sie, einem gewissen gegenüber, wie brennende Zeichen jede kleinste Bewegung, jeden seiner Sätze als Signal eines völligen Andersseins wahrnehmen mußte, als das verlockende, verführerische Gegenteil von sich selbst, so daß keine einzige Sekunde unbemerkt verstrich. Was sie laut aussprach, waren Parolen: »Ich kann nicht ertragen, daß meine Familie bekümmert ist! Ich bin so zufrieden! Ich habe wenig Arbeit, mir wird soviel abgenommen! Mit dem Schreiben komme ich zurecht, auch wenn es ein paar Jahre länger dauert!« Aber sie verwechselte manchmal ihre Maximen, sie widersprach sich dann, als hätte sie Gedächtnislükken, und wirkte wie eine Katze, deren Körper, in den seltenen Momenten der Unentschiedenheit, in alle Richtungen zerfließen will. Petra ließ die Mundwinkel sinken, wenn sie sich unbeobachtet fühlte. Sah man sie an, nahm sie eine schöne, überzeugende Haltung des Glücks ein. Warum sollte sie sich auch anders benehmen. Allerdings verriet sie in beiden Positionen, daß sie nicht am Leben hing.

»Ein wichtiger Augenblick für mich, ein Augenblick der Zuneigung, den ich fest in meiner Erinnerung bewahre, ist ein längst vergangener. Als Onkel Günter noch Lehrer war, sagte er eines Tages zu mir: ›Manchmal wünsche ich mir, du könntest mir in meinem Physikunterricht für zehn Minuten bei meinen Experimenten zusehen!‹« erzählte mir Tante Charlotte an einem Sommerabend, als die Glühwürmchen um uns flogen, in Mengen, wie ich es nie erlebt hatte. Danach war sie still auf eine Art, die mir verbot zu antworten. Es sollte sich mir als etwas Besonderes einprägen! Onkel Günter machte das viel verschmitzter. Wenn er das Wort »poetisch« sagte, ein bißchen wie etwas Zudringliches, Schlüpfriges, lächelte er, als hätte er uns bei einer netten, unanständigen Schwäche ertappt, die wir aber alle drei in den Ferien gern voreinander zugaben, wenn auch verschämt, wie Leute, die einen Schwips gestehen, der nichts zu tun hat mit ihrem ernsten Leben sonst. Tante Charlotte quittierte das mit einem Einreißen der Stimmung: »Ich muß was für die Verdauung einnehmen!« Schon hatte sie wieder die Befehlsgewalt und konnte kurz darauf über unsere ernüchterten Gesichter spotten, indem sie eine kleine romantische Melodie trällerte. Wir beide waren nicht so schnell wie sie, aber genossen die Bequemlichkeit: Sie sagte uns, wie die Leute waren, heute positiv, im reinsten Wohlwollen geschildert, morgen verächtlich. Wir verließen uns auf sie, Onkel Günter hörte sie mit wehrlos bewundernder Miene an. So passierte es immer in unserer großen Familie. Die Männer saßen schwerfällig da und hatten täppische Wutausbrüche. Was sie zustandebrachten, war ein Gutenachtmärchen, ein Witz. Ihre Frauen aber wendeten und verdrehten leichtfüßig, leichtsinnig die Wirklichkeit. Ich selbst, da ich Tante Charlotte seltener sah und hörte, spürte noch die Angst, jeden Augenblick könne sich die stabile Welt umkehren, nichts blieb sicher, schon drehte sie daran und ein anderes Muster bekam recht. Sogar jetzt noch ergänzt sich fast zu allem, was mir lieb ist, von allein ein spöttischer Widerruf. Der stammt von Tante Charlotte, die anders nicht leben kann, die mit zornigen Augen immerzu Dinge in die Welt setzt, Geschichten, Gerüchte, Behauptungen, und wenn sie da sind, rüttelt sie gleich wieder daran, aber nie an sich selbst. Nein, ich glaube, nie an sich selbst, und es ist auch niemand da, der es an ihrer Statt tut, und da sie immerfort schüttelt und schiebt und umräumt, wäre es auch schwer, sie zu erwischen. Sollte es jemand einmal, vielleicht doch dieses eine Mal versuchen, würde sie ungeduldig rufen: »Aber ich bin doch dauernd in Bewegung!« und die wassergrasgrünen Augen niederschlagen, damit sie sich nicht in ihrer plötzlichen Atemlosigkeit, die ein Schluchzen verhindern muß, verrät.

Manchmal löst sich alles in mir auf, Herz, Eingeweide, Knochen, Anhänglichkeiten, Hoffnungen werden zermahlen. Ich weiß nicht wie lange, heult und knirscht in mir drinnen ein Erdaltertum. Womit hat das zu tun, frage ich mich, mit dem grauen, gleichmütigen Himmel, die ganze Nacht über dem Haus und alle Tage? Ich sehe einen jungen Mann, eine junge Frau, eben aufmarschiert, um sich gegen einen eisernen Willen zu stemmen, jetzt blutend verkrochen unter ein Gebüsch. Aber andererseits fühle ich den Staat immer nur als geschlossenen, unten offenen, mit Verkehrsschildern und Ortsplaketten beklebten Kasten, als Hut, der sich mir überstülpen will.

Ruth, Tante Charlotte und Onkel Günter, Herr Willmer, Martin und seine Tante, Frau Wagner, Franz, Frau Jacob, Petra, Veronika: An sie alle muß ich denken, ich muß sie unentwegt in meinem Kopf halten, damit sie nicht steckenbleiben und nicht versinken, ich bin noch nicht zu Ende damit.

Ach, die Katze, wie sie federnd durchs Zimmer geht, auf der Suche nach einem Schrecken, der einen gewaltigen Sprung verursachen könnte! Und morgens, wenn nichts geschieht in der stillen Küche, stumm wir beide: Wie sie sich staut und ballt und verdichtet, bis die Schraube, der Flaschenverschluß endlich abstürzt und der Katzenkörper, erlöst, springt. Ruth also, Tante Charlotte, Martins Tante wohl nicht mehr, Petra, Veronika: Wie sie offensichtlich in ihren Startlöchern lauern, jemand muß nur noch den Schuß abgeben. Was sie brauchen, ist eine Forderung mehr als Liebe, die ihnen ein Äußerstes abverlangt, und sei es unter Empörung und Schmerz. Nur herrscht kein Bedarf. Niemand sagt: Es ist nicht genug, streng dich an!

Ja, Ruth! Was dann passierte, hat sie mir gestanden, weil sowieso damit ein nicht mehr zu leugnender Anfang gemacht war, und sie erzählte es mir, da es ihre Auffassung von der eigenen Vornehmheit kränkte, in der Art eines Gags. Zunächst erklärte sie sich die neue Nervosität ihrer Haut, das feine unterirdische Sticheln mit ihrer Gereiztheit gegenüber allen Berührungen von Franz, die aber so selten geworden waren, daß es sich nur noch um eine Angst vor der prinzipiellen Möglichkeit, in einem unpassenden Moment angefaßt zu werden, handeln konnte. Einmal dachte sie auch, als sie mitten in der Musikstunde den heftigen Wunsch spürte, das Kribbeln zwischen Bauchnabel und Hüftknochen und gleich darauf unter der Achselhöhle wenigstens durch einen unauffälligen Gegendruck abzuwehren oder zu besänftigen, auf diese Weise würde sich noch einmal das nie ganz ernst genommene und sich so vielleicht rächende Regenschirmgefühl melden, das Gefühl, ein Regenschirm wolle sich, ihre Umrisse sprengend, aus der Mitte ihres Körpers zu seiner vollen Spannweite entfalten. Sie fuhr also, als sie die Meistersingerplatte umdrehte, mit dem Ellenbogen vorn über den Kostümrock und preßte, wie in gedankenvollem Zuhören, anschließend den Daumen, bei verschränkten Armen, unter die Schultern. Das sei ihr zu diesem Zeitpunkt überhaupt nur aufgefallen, weil sie nicht unbefangen darauf habe reagieren können, so vor den Jungen und Mädchen.

Abends, zu Hause allerdings, beim Telefonieren mit einer ausführlichen Kollegin wegen einer Schulmatinee mit Musik und Literatur, konnte sie sich kaum auf das Gespräch konzentrieren, so sehr hüpfte dieses kleine Stechen an ihrem Körper entlang, dermaßen oft hatte sie noch nie den Hörer von einer Hand zur anderen gewechselt, um das geringfügige, aber beharrliche Beißen, das von den Schulterblättern zu den Kniekehlen schlängelte, so lächerlich ja im Grunde, einzuholen, als wäre es, das schien sie ja noch zu erwarten, einfach totzuschlagen oder in seiner Launenhaftigkeit zu stoppen. Es wirkte auf sie wie immer ein und dieselbe Sache, weil es nie gleichzeitig an mehreren Orten war, sondern, allerdings in sich verkürzenden Intervallen, von einer Körperzone zur nächsten sprang, wobei sie keinen Moment an einen Floh dachte, dazu seien die Stellen von vornherein zu ausgedehnt und die Belästigungen nicht punktuell genug gewesen. Auch in der Nacht schlief sie unruhig. Franz störte sie dadurch nicht, da sie nur in der ersten Zeit ihrer Ehe ein gemeinsames Bett benutzt hatten. »Aus Romantik!« sagte Ruth. »Wir haben uns was davon versprochen!«, das warf sie einmal so hin. Die nächsten Tage ertrug sie in den Morgenstunden, während des Unterrichts, noch mit Fassung, wobei sie aber dazu überging, sich schrittweise viel ungenierter zu kratzen als am Anfang. Solange sie das Gesicht nicht dabei verzog, würde schon nichts als ungewöhnlich auffallen, auch bemühte sie sich, indem sie sich den Schülern gesammelter als sonst zuwandte, von dem, was sie hauptsächlich beschäftigte, abzulenken. Nachmittags, mit einer Steigerung zum Abend hin, wurde das Jucken allerdings so stark, daß sie besessen dagegen kämpfte mit ihren abgebrochenen, teilweise abgenagten Fingernägeln. Sie verfuhr rücksichtslos mit ihrer Haut, und es störte sie nicht, daß jetzt überall blutige Streifen entstanden, die, sobald sich Krusten bildeten, sofort wieder aufgerissen wurden. Das Jucken verwandelte sich in einen beruhigenden Schmerz, in ein leichtes Brausen, Brandungsprickeln, als Prasseln strich es über sie hin, und dann, wenn sich, diesen Eindruck ablösend, der Juckreiz von neuem ankündigte, in einem Generalangriff, noch zögernd, aber auf die gesamten Oberschenkel und sogar Schienbeine übergreifend – dabei wußte sie ja, wenn sie erst darauf antwortete, würde sie nicht mehr aufhören können mit verbissener Grimasse und krummgestellten Fingern wütend darüberzufahren –, wäre sie am liebsten nach draußen gerannt und davor weggelaufen. Mit ihren Kindern und Franz flüsterte oder schrie sie. Sie betrachtete ihren zerstörten Rücken, der wie das übrige gezeichnet war von den Spuren ihrer Nägel, als würde sie jemanden, aber nicht sich, bestrafen, mit ärgerlicher Freude. Vor der Wärme mußte sie Reißaus nehmen, auch vor dem Schlafen, es gab keinen Platz, an den sie sich wirklich hätte zurückziehen können. Es hörte ja nicht auf, sie mußte wach und auf der Hut bleiben. Selten setzte sie sich, was sie sonst verabscheute, eine Weile in die Badewanne, weil sie sich vom Wasser – immerhin, ob heiß oder kalt, war es ja naß – Kühlung erhoffte. Da saß sie zitternd und zusammengekauert und hatte Ruhe, fürchtete sich aber vor dem Aussteigen. Endlich begann sie, etwas so Kindisches, Albernes wie das Jucken für eine Krankheit zu halten, und ging, worum Franz sie schon lange gebeten hatte, zum Arzt. Dort erklärte man ihr, über den vermutlichen Ansteckungsherd wurde bis zum Schluß gerätselt, daß es sich um einen Befall von Krätzmilben handelte. Als man sie mit dem Wort »Krätze« so dreist und ohne Drumherumreden konfrontierte, löste es bei ihr, da sie es dermaßen absurd fand und sofort an die noble Sauerlandtante in ihrer prächtigen Villa mit Chauffeur und Gärtner dachte, mit den kostbaren Ohrgehängen und den imponierenden alljährlichen Familienempfängen, fast Begeisterung aus. Sie schaffte es gerade noch, sich vor dem Arzt ein Lachen zu verkneifen und, wie er es erwartete, die peinlich Überraschte zu spielen. Da der Arzt sich weigerte, ihre Neugierde über die nun entlarvte Krankheit zu befriedigen, befragte sie die Apothekerin, bei der sie Tabletten gegen Juckreiz und ein Einreibemittel abholte. Auch die zuckte ungläubig zurück und beteuerte, Ruth abschätzend, kein Zweifel, Ruth verstand es, die feine Abstammung zur Geltung zu bringen, so etwas könne passieren, ein unglückliches Zusammentreffen, schon ein Rolltreppengeländer, eine öffentliche Toilette sei sicher schuld daran, belehrte sie aber nicht, wie Ruth sich dringend wünschte. Sie rief es Franz an der Tür entgegen, sie war in Stimmung geraten, und erst später fiel ihr auf, nachträglich, daß Franz nicht, wie er es früher getan hätte, darauf reagierte. Was sie im Lexikon nachlesen konnte, war ihr viel zu wenig, aber das Jucken selbst hatte über ihrem prahlerischen Schrecken ausgesetzt. Nun konnte sie sich mit Grausen an der Vorstellung weiden, daß winzige Lebewesen die obersten Schichten ihres Körpers durchwühlten und sich mit jedem Kratzen an noch nicht eroberte Stellen transportieren ließen, vermehrungssüchtig obendrein. »Parasitäre Hauterkrankung!« sagte sie zu Franz. Er nickte nur so mit dem Kopf rauf und runter. Vor dem Schlafengehen schüttelte sie die Flasche, wie auf der Gebrauchsanweisung zu lesen stand, und bestrich sich, vom Haaransatz im Nacken und vom Kinn vorn bis zu den Zehenspitzen mit der Flüssigkeit, die sie als angenehm kühl empfand. Gespannt legte sie sich hin, vergnügt fast, nicht nur vor Erleichterung wegen der zu erwartenden Heilung, auch die Tabletten wirkten schon ein bißchen, zumindest bildete sie sich das ein, belustigt außerdem von dem fremden Gefühl, sich so in eine Tinktur, bis aufs Gesicht, vollkommen eingetunkt zu haben. Die Nacht aber muß schlimmer als alles andere davor gewesen sein. Alle Ungeduld, aller Zorn in Ruths Leben wurde nun übertroffen, nur, daß es diesmal einen medizinisch bekannten Grund dafür gab. Die trocknende, dann blätternde Emulsion, eine zweite, aufsitzende und nun reißende Haut, trieb Ruth dazu, sich im Bett steil aufzurichten und schließlich mit der härtesten Kleiderbürste den Körper abzuscheuern. Als sie, nur mit einem Mantel über dem Nachthemd, die Haustür aufschloß, um einen Gang um den Häuserblock zu machen, brachte Franz sie in ihr Bett zurück. Und doch war sie keine Sekunde im geringsten außer sich. Sie kam über den nächsten Tag weg, nachdem sie morgens die Reste der Emulsion abgewaschen hatte, und wiederholte die Prozedur noch zweimal. Auch diese Nächte fielen nicht besser aus, aber sie verlor, obwohl sie, sich schüttelnd, alle frischen Plätze im Bett aufsuchte, dann so lange bewegungslos lag, bis sie es nicht mehr ertrug und mit allen zehn Fingernägeln rasend über sich herfiel, nicht die Übersicht. Sie dachte: Was haben die bloß im Mittelalter gemacht! Ohne Unterbrechung sah sie sich zu, wie noch nie vorher, sie saß ihrem Körper in diesen vielen Nachtstunden gegenüber, sie betrachtete, wie er sich Erleichterung verschaffen wollte, und hatte kein Mitleid mit ihm. Sie legte ihn ab, wenn sie auch durch Empfindungen mit ihm verbunden blieb. Sie kratzte an ihm, als sollte um jeden Preis und ohne Rücksicht etwas zum Vorschein kommen. Sie jammerte, sie beschwerte sich, aber im stillen hörte sie dabei nicht auf, in einer ungewohnten Schwerelosigkeit über all das, diese schmerzhafte Bagatelle, zu lachen. Auch als die zerschundene Haut, und sie hätte kein Wort darüber verlieren müssen, man sah ihr nichts an, Gesicht und Hände wurden ja verschont, gecremt und gepflegt, langsam heilte und sich wieder vollständig nach außen hin verschloß, zwar nicht zu einer prallen Glätte, aber die habe ich an Ruth nie beobachten können, doch ohne Hinweise, führte sie es mir an den Armen vor. »Eine biblische Krankheit, eine biblische Heilung!« sagte sie, und wieder sollte es ein Gag sein: Auch während dieses Vorgangs betrachtete sie ihren Körper nicht wie etwas mit ihr Identisches, eher wie etwas, das sie sich hielt oder von dem denkbar war, daß man sich davon trennte, wenn es störte, so daß man insgeheim friedlich für sich existieren konnte, obschon es sich um niemand anderen drehte als um die eigene Person.

Die Linie zwischen den beiden Katzenohren ist auf dem Fensterbrett ein schwarzer, leicht gerundeter Horizont, der ganze, bis zur Charakterlosigkeit geschmeidige, dann wieder im Eigensinn erstarrende Leib aber ein Mittelpunkt der Welt, der keine Angriffsflächen bietet, schläfrig oder im Notfall die nicht durchgesetzten Wünsche rechtzeitig ändernd. An auf den Stühlen sitzenden Personen interessiert ihn die Kante der Schuhsohlen, um sich durch Anpressen einen Gegendruck zu erzeugen, durch Entlangschleifen des Halses, der Flanken erzwingt er sich eine Vergewisserung der Existenz, sobald es ihm nötig erscheint.

Bei den jährlichen Ankünften auf seiner Insel ging Martin bedächtig vor, er warf nicht den Kopf herum, um alles möglichst auf einen Blick wiederzuerkennen, über die Buchten weg, die Hügel hoch. Er ließ sich nur auf kleine Ausschnitte ein, auf abgezirkelte Ansichten. Langsam sollte es anschwellen, im fortwährenden Gleichgewicht mit seiner Erinnerung. Wieder schimmerten an den Hängen bleich die Blütenscheiben der wilden Möhren, als hätte man eine Ladung weißer Untertassen überall hingekippt, die aber, unerklärlich im Sturz angehalten, in regelmäßigem Abstand über dem schrägen Erdboden schwebten. Hinter ihm, über einem aufsteigenden Felsen, durch die tiefstehende Sonne von unten beleuchtet, kreisten mit ruhig ausgebreiteten Flügeln drei Möwen, hoch darüber aber, hoch, hoch darüber in ruhigen Wirbeln die Schwalben. Zwei Miragebomber donnerten über die Wasserfläche, und noch nach Minuten verwechselte er ihr

Dröhnen, das jetzt in seinen Ohren war, mit der nicht sehr starken, aber unentwegten Brandung. Von seiner hoch gelegenen Unterkunft aus konnte er die ihm genehmen Schauspiele bestimmen, das Meer, die Landschaft mit und ohne Menschen, Martin allein mit der Wildnis und dem riesenhaften Mond, der allerdings Geduld verlangte, wenn er, eine kühle Helligkeit vorausschickend, gefährlich und so langsam hinter dem schwarzen Steilhang hochkam. Am schönsten war es beim Einschlafen, mit dem Bild von all den über seinem Haus versammelten Sternen, die ihm Angst machten und ihn stärkten, und dem ungezügelten Pflanzendickicht, das ihn umschloß mit so kräftigender, strahlender Einsamkeit. Am Tag spürte er, wie die Eidechsen, Schmetterlinge, Ameisen, Insekten nach ihm fühlten und tasteten, abends die Fledermäuse und Zikaden, die Kröten. Überall streckten sich kleine, besonders lebendige Rüssel und Finger nach ihm aus. Einmal trat aus dem Gebüsch ein magerer junger Kater auf ihn zu, rund um die hellgelben Augen zerfetzt und zerschnitten, steif vor Wunden schritt er auf Martin zu, dem, als winziges Echo, die geringfügigen Verletzungen unter seinem rechten Fuß durch senkrecht auf den Steinen stehende Muscheln einfielen, aber auch die Krähenfüße einer Frau, bei der er einmal innerlich sehr staunte, wie lange die Lachfältchen brauchten, um zu verschwinden, nachdem ihr Gesicht schon wieder ganz ruhig war. Als das Tier ihn verließ, zu neuen Kämpfen wahrscheinlich, empfand er plötzlich alle die ausgelassenen, eigentümlichen Vogelschreie als Rufe, Seufzer sterbender Wesen. Er hatte zu Hause den Entschluß gefaßt, sich endlich mit der Geologie der Insel zu beschäftigen, aber dann, ein Buch über die Faltungen, Verwerfungen der unterschiedlichen Gesteinsmassen auf den Knien, genügte ihm das Bewußtsein, daß alles dort auf den Seiten stand, während er auf einer Granitplatte saß. Er hielt das Wissen in seinen Händen, es mußte gar nicht in seinen Kopf, er durfte wieder die Augen träumerisch verschwimmen lassen. Vielleicht hätte er doch am liebsten schon von Kind auf sein Leben auf diese Art zugebracht? Er vertiefte sich in das aus dem Erdinnern Drängende eines mächtigen, wie eine ungeschlachte Faust aus der Landschaft gestoßenen Felsbrockens, er sah seine wilde Entstehung und die fortdauernde Bewegung, das Altern des Steins mit seinen sanft getrübten Augen an. Seine Jugendträume? Schon stellte er sich vor, mit dem Blick auf den zum Meer abfallenden Hügel, der seine Sicht begrenzte, das erstaunliche, ersehnte Ereignis würde von dort aus auf ihn zutreten, es war unterwegs, sicher doch in Gestalt der für ihn vollkommenen Frau. Dieser Berg bildete nur noch das letzte Hindernis zwischen ihnen, die ganze Zeit hielt sie sich in Wirklichkeit dahinter, darinnen verborgen, und eines Tages, den sie bestimmen mußte, würde er aufplatzen und sie herauslassen.

Ich selbst, wenn ich mir Tage einfach wegwünsche, tue so, als stände mir immer noch viel Zeit zur Verfügung, schon mittags möchte ich mich dann wieder zur Nacht hinlegen, um eine Woche, einen Monat vorbeisausen zu lassen wegen eines erwarteten Termins oder der Ungeduld, im Leben ein Stück vorzuspringen. Onkel Günter aber, in einer anderen Stadt, verliert jede Minute einzeln, verliert jeden Augenblick wie ein alter löchriger Eimer Wasser oder Sand. Dann plötzlich, wenn ich es bedenke, scheint mir mein Trödeln eine Beraubung an seiner doch in derselben Gegenwart ausgestreckten Existenz zu sein. Die zahlreichen, sicher oft obenhin ausgesprochenen Glückwünsche zu seinem Geburtstag nahm er in so offengezeigter Dankbarkeit, so unverhältnismäßig glücklich an, daß sie alle verwandelt wurden durch sein Gefühl, rückwirkend auch für uns Gratulanten. Was war denn mit ihm passiert? Sein Gesicht zieht sich jetzt häufig zurück, um auf eine angenehme, einschläfernde Musik zu hören, in langen und längeren Phasen. Sobald er es an sich feststellt, erschreckt es ihn, denn er kennt noch die kalten Namen, die er als junger Mann für diese Zustände hatte, aber da wußte er ja nicht, wie süß das allmähliche Erfrieren inmitten einer warmen Umgebung ist. Bei einem meiner letzten Besuche fiel mir auf, daß er manchmal das Kinn anhebt, um durch die schmalen Augenschlitze noch etwas zu sehen. Das wird ihm leichter, als die Lider ein Stück weiter voneinander zu trennen. Seine Stimme, er schweigt noch mehr als früher, konnte sich nicht recht entschließen, ein Wort knapp und klar auszusprechen, er probierte ähnlich lautende aus. Es war ein Annähern an den Klang, wirkte aber weder nachlässig noch ängstlich, verspielt nur, als würde er zuerst den Schatten ansehen oder den Reflex, den ein Gegenstand erzeugt und dann, nach ausführlichem Rätselraten, das Ding selbst. Nur wenn ein Zuhörer nicht bereit war, bis dahin zu warten, am besten mit einem so listigen Lächeln wie dem seinen, wachte er auf und errötete tief vor Zorn über sich. Ich beobachtete während des kurzen Aufenthaltes, wie er sich einfaltet. Die Außenbezirke seiner Person werden nach innen gesaugt und sind verschwunden, als wollte er immer massiver und runder werden, kleiner und kompakter, auf ein letztes Stadium des Trotzes oder der Verwesentlichung zu, und seine Sprache, seine Interessen, bis auf wenige Ausnahmen, bleiben dabei zurück. Er zeigt seine geribbelten Handrücken und sagt gekränkt: »Die Zeichen des Alters!« Als wäre es das! Niemanden sieht er so lange und intensiv an wie seine Frau, noch viel ausschließlicher als jemals in den früheren Jahren nimmt er die Welt durch sie in sich auf, und kaum daß er die müden Augen weggedreht hat, müssen sie sich, einem radikalen Gesetz gehorchend, dem beweglichen Gesicht Tante Charlottes wieder zuwenden. Zuverlässig wie stets führt sie ihm, der schon der Schläfrigkeit des Todes verfallen ist, noch die kleinen, alltäglichen Dramen vor. Das ist vor allem der Familienklatsch. Wenn dann von ihm so etwas wie eine Antwort kommt, um das freundliche Spiel noch einmal mit zu versuchen, bleibt es ein sehr schwacher Widerhall und die verlegene Wiederholung oder Nachahmung ihrer wörtlichen Sätze. Durch Tante Charlotte aber geht wegen dieser Veränderung ein großes Stutzen. Ich habe sie nie, erst recht nicht in so anhaltender Verblüffung gesehen. Sie ist nur wenig jünger als er, aber worüber sie sich kaum fassen kann, ist das: Ihr gesamtes Zusammenleben über hat sie versucht, die Stärkere zu sein, alle Vorgänge um sich herum durch die Machenschaften ihres Mundwerks zu beherrschen und so ihn selbst, Onkel Günter, gereizt, aber scherzhaft letzten Endes, zur Probe doch nur. Jetzt ist der endgültige, irreversible Ernstfall, nicht wegzureden, sie betreffend, sie berührend, eingetreten. Keine Finten, keine Paraden helfen, und das, mit ihrer ungemindert energischen Auffassungsgabe, begreift sie sofort. All die berühmte Geistesgegenwart jedoch kann sie nicht so leicht aus dem sie ergreifenden Staunen reißen! Ein unbestechliches Faktum steht ihr im Weg!

Ob sie sich dehnt, reckt, rollt, krümmt, alles genießt die Katze neben mir, formt sich aus dem eigenen Körper ein Bett, zurückgezogen in den Schlaf, aus dem sie fast bis zum Erwachen sich erhebt und wieder absinkt, ein Aus- und Einatmen aus den Tiefen des Schlafbereichs zur nicht durchstoßenen obersten Grenze in die Wachheit und stufenweise abnehmend wieder in die Lust der Bewußtlosigkeit. So profitiert sie von der Abkehr aus der Welt auf allen Ebenen, weigert sich, Störungen zu bemerken, und nur selten erklärt sie sich durch einen flüchtigen Biß, einen Pfotenschlag bereit, als äußerstes Zugeständnis, einen lästigen Außenreiz zu registrieren, um neu und beschleunigt, dabei ausgestattet mit einem frischen Behagen der Vorfreude, dem stillen Grund eines Nichts zuzutreiben.

Ist es nicht so, daß Petra freundlich lebt, nach allen Seiten, aber doch Tag für Tag mit jeder Minute gleichmütig auf einer Höhe stehend, und dabei hofft, in Frieden gelassen zu werden für immer, den ganzen Lebensrest auffassen zu dürfen als sanftes Verglimmen nach einem Augenblick von großer Stärke, weil in so einer Interpretation immerhin ein poetisch-leidenschaftlicher Trost läge? Die Festlichkeit der schön von ihr ausgeschmückten Familiensonntage sieht sie merkwürdig zusammenprallen mit auch dann notwendigen Abläufen des Haushalts. Fast immer lärmt ein Haufen Kinder durch die Zimmer, die Rückerstattung für gelegentliche freie Stunden. So wird ihre Zeit, die so schlecht organisierte, gestaucht und rhythmisiert, und ist das nicht etwa gut? Im Winter sieht sie von ihrem Betonbalkon im Westen den hellen Glanz der ohne klare Umrisse untergehenden Sonne. Wenn sie benommen nach draußen tritt, verwechselt sie es mit dem Morgen, als der östlichen Seite, weil sie sich unversehens, bevor sie wieder den Kopf hängen läßt, an das Bild von etwas Zukünftigem, Verheißungsvollem erinnert fühlt. Hinterher ärgert es sie. Natürlich, solange es diese eine Liebesbeziehung für sie gab, gab es ein erstes und ein letztes Mal, jetzt fällt ihr alles in eine gleichmäßige Zufälligkeit auseinander. Denn woher soll sie die Kraft nehmen, gegen den Augenschein an etwas Absichtsvolles zu glauben? Wenn sie an sich zurückdenkt vor dem Ereignis, das sie in solches Dunkel hüllt, muß sie sich sagen: »Früher war ich allen Leuten freundlich gesonnen. Ich erkannte so mühelos an ihnen eine Liebenswürdigkeit. Ich hätte für alle ein Plädoyer halten können, aber das ging ja nicht, man mußte sich entscheiden, Freund- und Feindschaften aufbauen. Auch das gefiel mir, nur war es so künstlich, etwas Verspieltes, das Gute, das Schlechte zu behaupten, eine Laune, man konnte ja unmöglich alle leiden wollen, davon wäre man erschlagen worden. Wie sollte man denn die Sympathien dosieren? Jetzt ist es umgekehrt, ein Überdruß.« Und da sich das auch auf die eigene Person erstreckt, ist es für sie inzwischen eine Sache des Entschlusses, der Wahl, ob sie sich verhält wie ein stilles Wasser, unbewegt, besser: nachgiebig, ein bißchen äußeren Bewegungen ausgesetzt, oder sich zur Abwechslung auftürmt zu einem mittleren Wellenkamm, um ihre Persönlichkeit anzuzeigen. Meistens entscheidet sie sich, hinter dem bekannten, geduldigen Gesicht, für das erste. Auch bei ihrer Arbeit ergeht es ihr so: Wenn sie eine Weile behelfsmäßig, aber doch verbissen, geschrieben hat, meint sie, eine Pause einlegen zu müssen für die großen Mengen an Literatur, Buch um Buch, die es schon gibt. Dann kommt ihr die Erde zu klein vor, als daß sie unbedenklich noch etwas hinzufügen dürfte, denn hat nicht jeder Roman, jede Geschichte das gleiche Recht auf ein bißchen Platz? Zwei Zustände, von all dem abgetrennt aber, sind ihr, noch nicht sehr lange, vertraut: ein Erstarren im Sitzen, bei dem sie eine höchste, lautlose Helligkeit in sich spürt, und, wenn sie flach im Bett liegt, das Gefühl, ein wenig nur über dem Tod zu schweben, als würde sie schon ihr Spiegelbild in den Wellen eines glänzenden Todesmeeres behaglich unter sich schaukeln sehen. Dann kann sie sich kaum aus eigenem Antrieb losreißen, ließen Mann und Kind sie in Ruhe, wer weiß, was ganz sacht geschähe!

In der Gegend, wo die Vormittage voll sind von den Diebstahlsirenen, die Putzfrauen versehentlich auslösen, in den etwas tiefer als Willmers Schlößchen gelegenen Häusern, besonders aber in der Straße, wo er früher wohnte, hat man sich ausführlich das häßliche, gequollene Gesicht des Erhängten, die schiefe Zunge, die glotzenden Augen vorgestellt und es als abschließendes Urteil über sein Leben aufgefaßt. Eine märchenhaft gerechte Strafe. Die arme, dumme Frau, die bemitleidenswerte Tochter! Nur über sein hinterlassenes Vermögen oder eventuelle hohe Verschuldungen weiß man nichts. Niemand hätte gedacht, daß er so enden würde, aber diese Überraschung ist jetzt das einzig Plausible: Getrieben zur Tat haben ihn Verrücktheit, Größenwahn seines zerstörerischen Charakters, eine mögliche Krankheit. Der Verlust von Freunden und schließlich der des umsonst behüteten Kindes sind ja nur notwendige Folgen gewesen. Ich sehe Herrn Willmer aber jetzt allein und verwahrlost durch die vielen Zimmer seines Hauses gehen, an diesem letzten Morgen, seine Frau wird erst am Abend von einem Besuch bei ihrer Mutter zurückkehren, in Pantoffeln durch den Garten streichen und wieder in den Flur treten mit nassen Füßen, nasser Brust unter dem offenstehenden Morgenmantel, feuchtem, in die Stirn hängendem grauem Haar. Im Spiegel sieht er sein verdrecktes Gesicht, er hat also mit seinen Händen nach Stirn und Mund gegriffen, die Hände sind voll von dunklem Matsch. Er hat draußen die Erde angefaßt oder die Wangen sogar an den Gartenboden gedrückt. Er blickt durch die Scheiben in den bleichen Garten, in den bleichen Regen und erkennt an seiner beschmutzten Schlafanzughose, daß er auf die Knie gefallen ist, aus Müdigkeit, aus Schwäche, es war nicht unangenehm, die Berührung mit der weichen, schwarzen Masse, und noch jetzt spürt er den Geruch. Eigentlich möchte er es sofort nochmal versuchen, nun also geplant. Er hat viel getrunken, für sich, am Abend, und weiß nicht, ob er wirklich nüchtern ist. An die Kopfschmerzen ist er gewöhnt, auch an die Gedanken, die seit längerem üblichen, an jedem Morgen. Was ihm auffällt, sind die davon abweichenden. Wieder sieht er sich in den Regen, in den, anders als er, so ordentlichen Garten hinausgehen und, nicht in der Mitte, bei Springbrunnen und italienischer Putte, sondern in einem Winkel, wo die Erde nackt ist, auf die Knie hinuntergehen, nicht fallen, nicht sacken, feierlich, in diesem Moment wird es ihm nämlich bewußt: feierlich, etwas wie eine Etikette, könnte man sagen, vorsichtig und erstaunlich sicher ausführend, das Gesicht an den Boden drücken zwischen den ausgebreiteten Handflächen. Er sieht es immer wieder, und von Mal zu Mal wird der ganze Vorgang leichter, schwebender und gleichzeitig immer älter, jahrtausendealt, bis keine Bewegung seines Ganges mehr zufällig bleibt. An eine reale Wiederholung ist nicht mehr, nie mehr zu denken. Er begreift, daß er mit dieser Handlung einem noch schwankenden Entschluß seines Kopfes zuvorgekommen ist. Alles, was er jetzt im folgenden tut, steht aber im Bann dieser Festlichkeit, alles geht vonstatten wie vorgeschrieben, und er gleitet vorwärts auf schrecklichen, in Abschnitten vor ihm aufleuchtenden Schienen. Wie großartig der Regen aus den Wolken stürzt! Er beginnt, langsam Gesicht und Hände abzuwaschen, erst dann, rasiert und gekämmt, nimmt er ein Bad. Danach zieht er ruhig Wäsche,

Strümpfe, einen normalen Straßenanzug, Krawatte und auch Schuhe an. Später wird er einiges wieder ändern, jetzt, so sorgfältig gekleidet, raucht er die eine Zigarette. Die stets unsichtbare Zeit wird plötzlich gegenständlich in einer Maßeinheit, die, anders als Minuten, Jahre, ganz auf ihn abgestimmt erscheint, vereinigt mit seinem Atem. Einmal hat er über einem Berg die Sonne aufgehen sehen, ruckhaft und ohne Verweilen, in derselben Deutlichkeit, einmal einem großen Kater, der regungslos mitten in seinem Garten stand, wer weiß wie lange in die Augen geblickt, bis sich das Tier umdrehte und geschmeidig, gemächlich, ohne den Kopf zu wenden, davonschritt. Einmal ist er mit Frau und Tochter an einem Vorfrühlingsabend durch den Park eines großen gelben Schlosses gegangen, an einem schnurgeraden Kanal entlang. Sie waren zu schnell gewesen, jetzt wußte er es, sie hatten sich für den Park, den Kanal, den Mond und den Vorfrühling viel zu schnell durch den Abend bewegt, er fühlte jetzt noch den falschen Luftzug. Nachdem er sich um Strick, Stuhl und Hals gekümmert hat und bereit ist, oben, im Turmzimmer, schließt er die Augen, und da passiert es, daß er sich an eine Bildfolge in einem Fernsehbericht erinnert, Aufnahmen mit Teleobjektiv und in Zeitlupe. Ein Seeadler stürzte mit beschleunigtem Flügelschlag und dann angelegten Schwingen auf den Wasserspiegel über seinem Ziel zu, durchschoß ihn und tauchte, einen Fisch zwischen den Krallen, in ganzer, mächtiger Gestalt wieder hoch, die gewaltigen Flügel schlugen das Wasser aus sich heraus und wogten als schützender, bergender, tödlicher Mantel um die sterbende Beute. Damals hatte er nur gespürt, wie tief ihn diese Umarmung berührte, die ihm riesig erschien, als wäre er selbst von der Größe des erjagten Tieres. Jetzt fühlte er den Schmerz und das alles verdunkelnde, erlösende Umschlossenwerden durch das Bild, das ihn auflas, einließ, an sich nahm, hochriß, forttragen würde. Es war jetzt so stark, der Anblick und das Eintreffen, daß er sich nicht einmal mehr anstrengte zu hoffen, es möge der allerletzten, nun folgenden Zeitspanne, die seinen Willen auslöschen würde, aber war das nicht längst geschehen, standhalten.

Plötzlich sieht die Katze aus einer Ecke meinen Rücken an, so daß ich mich, auf stummen Zuruf gewissermaßen, umdrehen muß, starrt mich an, als hätte ich mich, auf einen Schlag, zu etwas Ungeheuerlichem entwickelt. Notgedrungen stelle ich also ein Ungetüm dar ohne mein Zutun, dem eine allerhöchste Aufmerksamkeit gilt, ein Schnattern, eine Erregung, unterbrochen von einem Gähnen, dann wieder mit gleicher Inbrunst aufgenommen. Sie läßt sich auf kein Wiedererkennen ein. Aus einem Bedürfnis nach Unterhaltung werde ich als Fremdes behandelt, dessen kleinste Regung ein hysterisches Aufzucken verursacht. Genauso unvermittelt entzieht sie mir ihre Beachtung, und eine Wollfluse, ein imaginärer Punkt tritt an meinen Platz. Wie sie sich darauf versteht, den Raum nach Belieben zu glätten und aufzuwirbeln, zu polstern als dämmrige Höhle oder leerzufegen in die Abstraktion einer einzigen, alle Energie aufbrennenden Beziehung!

»Ist dir schon mal aufgefallen«, fragte mich Ruth, »wie sehr Franz von Punkten angezogen wird? Wenn auf einer weißen Tischdecke ein winziger Krümel liegt, kann man sicher sein, daß er nach einiger Zeit mit der Fingerspitze darauf tippen wird. Wenn aus einer braunen Kanne ein Stückchen Porzellan gesprungen ist, muß er irgendwann die kleine helle Lücke berühren. Wenn jemand einen Leberfleck auf dem Arm hat, wird er unter einem Vorwand bald erreicht haben, daß er ihn nebenbei einmal streift. Wenn im Theater jemand vor ihm sitzt mit einer Fluse auf der Schulter, pickt er bei der nächstbesten Gelegenheit mit der Programmheftkante danach, aber das alles nicht aus Ordnungslust, dazu wirkt es viel zu genießerisch. Wenn möglich, läßt er den Finger ja auch auf dem Punkt, als hätte er ihn auf diese Weise getroffen oder gefangen, besiegt, erlegt.« Vielleicht verzog ich das Gesicht, sie fügte schnell hinzu: »Es hat mich nie gestört, ich empfand es immer als lustige Eigenart. Ich habe es ja schon früher bemerkt, aber nie mit ihm darüber gesprochen.« Sie sah nicht gut aus, blaß und knochig, sie lächelte wie noch nie: schwermütig. Ihre Krankheit konnte sie doch nicht nachträglich so mitnehmen. Es kam aber schlimmer: »An der Nordsee, kurz nach der Geburt meines zweiten Kindes« – so hatte sie sich noch nie ausgedrückt, was bedeutete das denn, auch redete sie mehr zu sich selbst, leise, ich verstand sie kaum über ihren schmalen Wohnzimmertisch weg, ich schob einen Stapel Notenblätter zur Seite und beugte mich vor: »Ja, kurz nach der Geburt meiner zweiten Tochter standen wir uns plötzlich im Badezeug in der Öffentlichkeit gegenüber, richtig komisch, so nackt im Freien, man sieht sich viel erbarmungsloser an, unbekleidet in der Natur, finde ich, und einerseits mit den Augen der Fremden drumherum, andererseits aber auch nicht, denn ich weiß noch, wie ich dachte: Seine Beine sind ein bißchen mager geworden, sein Bauch ist ein bißchen vorgewölbt, die Schultern hält er nicht ganz gerade. Ein erwachsener, nicht mehr junger Mann! Es erstaunte mich, aber er gefiel mir. Franz erzählte mir am Abend des Tages, ihm sei, als er mich in der Sonne auf das Meer habe zugehen sehen, der Gedanke gekommen: Ein Mädchen ist Ruth nun nicht mehr, sie ist eine Frau! Woran das liege, wisse er nicht, eine Veränderung des Körpers, des Ganges, aber es gefalle ihm. Uns beiden gefiel dann die Vorstellung, daß wir beide uns so, von Jahr zu Jahr verändern würden und daß die Zuneigung jeden Schritt mitmachen würde.« Jetzt lächelte sie nicht schwermütig, sondern, ebenfalls etwas Ungewohntes, verlegen, als sei ihr erst eben wieder bewußt geworden, wer ihre Zuhörerin war, daß es überhaupt eine gab. Dann sah sie mich voll an, mit Augen, in die Tränen geradezu gesprungen sein mußten, aber sie wollte ja unbedingt noch weitersprechen, auch wenn es nur noch stammelnd ging: »Genauso wie du hat Franz früher oft, spätabends, hier gesessen, wenn er leicht betrunken war und vorher zuviel gearbeitet hatte, in der Schule am Vormittag und den Rest des Tages, eine Quälerei, an einem Bild, um ein bißchen Üppigkeit, also ein paar Gläser Wein, der letzten Stunde abzuluchsen. Wir waren beide sehr müde, aber er wollte so gern noch Gesellschaft haben. Irgendwann lachte er mich dann an, über den Tisch weg, als wollte er mir mit vollem Gewicht entgegenfallen, daß ich ihn gar nicht hätte auffangen können. Ich hatte dann immer das Bedürfnis, wenigstens meinen Rock auszubreiten.« Sie brach so bekümmert ab, daß ich den Satz stumm fortsetzte: »Jetzt kommt es auch noch vor, daß er nach dem Malen so da sitzt, aber es passiert nichts mehr.« Wieder konnte ich mich nicht damit abfinden, daß Ruth ausgerechnet mich für solche Geständnisse gewählt hatte. Ich mußte einfach dafür herhalten. Gleich würde sie bestimmt doppelt arrogant werden. Ich betrachtete das Zuckerfäßchen, das schön bemalte. Bei meinem ersten Besuch hatte ich angenommen, etwas Besonderes wäre darin verborgen. Ich erinnerte mich, wie ich enttäuscht den gewöhnlichen Zucker darin entdeckt hatte. Als ich hochsah, waren die Tränen verschwunden. Sie schluckte nochmal kräftig und sagte: »Entschuldigung, wirklich Entschuldigung! Franz war in der letzten Zeit immer gut gelaunt und freundlich. Er hat viel vor sich hin geflötet. Wenn ich am Atelier vorbeiging, hörte ich ihn pfeifen. Er hat seine Sachen selbst weggeräumt. Er ist schon morgens heiter aufgestanden und ohne über die Welt zu klagen. Er saß mit uns beim Mittagessen und sprach, aber wie abgelöst von uns, so daß ich jetzt diejenige war, die ihn, zur Vergewisserung, gern berührt hätte. Er ließ das geschehen, aber auch nicht mehr als das, er fühlte sich unberührbar an. Ich hatte den Eindruck, er sähe an meiner Stelle etwas anderes. Er bewegte sich wie in einem Dunst, alles was er tat, schien sich auf eine andere Sache, oder besser, einen anderen Menschen zu beziehen. Er befand sich in dieser unverdrossen guten Stimmung, weil er immerzu, in Gedanken, in Kontakt mit jemandem, nicht mit uns, stand.« Sie sprang auf und lehnte sich gegen das Bücherregal mit den vielen dicken Kunstbänden, die sie Franz vom Geld der reichen Tante geschenkt hatte, die Hände steckte sie tief in die Hosentaschen. Sie drückte den Kopf gegen ein Brett und sah die Decke, bei steifgemachtem Körper an: »Er hat sich eine Geliebte zugelegt. Du wirst nicht raten, wer es ist. Mir selbst wird schon bei dem Namen schlecht, aber gut: Gaby, Rudolphs ehemalige Freundin.« Mir stand sofort das Abendessen vor Augen, wo Ruth angesichts dieses weißen, runden Geschöpfes fast die Nerven verloren hatte. Mir fiel auch schwer, zu glauben, daß Franz mit ihr zurechtkam. Aber eins war klar: Es bedeutete eine radikale Abkehr von Ruth weg, hin zum Anschmiegsamen und Blühenden, zum Koketten, zum Naiven. Es traf Ruth an ihrem schwächsten Punkt. Obschon doch noch gar nicht die Rede von Endgültigem war, dachte ich schon jetzt: Er macht dieses große, etwas ziegenhafte Mädchen, das mit der Zunge an Kinn und Nase reicht und ihn besonders liebte, wenn sie ihre Familie schockierte, zur Verliererin. Er hat ihren einzigartigen, großzügigen Sinn für Hierarchien vergessen oder kein Interesse mehr daran. Wie sie gelassen den Dreck in eine Ecke kehrte, um eines festlichen Essens, eines schönen Spaziergangs willen, wie sie mit schlechtem Gewissen, aber doch seelenruhig das Konto überzog, um ihm zu Weihnachten das teuerste, eleganteste Hemd zu schenken, für einen Opernbesuch, wie sie unbesorgt in scheußlichen alten Schuhen herumlief, weil ihr der

Sinn nach einem prächtigen Strauß Rosen im Winter stand, wie sie nach einem zusammengekratzten Frühstück mit Freunden, die über Nacht geblieben waren, jedem eine einzige, handgemachte Praline oder in Deutschland nicht erhältliche Zigaretten offerierte und ihre Rosen im Überschwang verteilte! Er hat nicht mehr die Kraft, die enorme Skala ihrer Gefühle zu ertragen, von der kreischenden Überspanntheit bis zur heftigen Anteilnahme und Hilfsbereitschaft. So weit war es doch gar nicht, warum dachte ich denn so felsenfest bereits in der Vergangenheit? Warum sollte er das nicht wieder schätzen lernen, mein Gott, eins konnte man Ruth mit Sicherheit nicht vorwerfen: Kleinlichkeit. Aber auch nicht übertriebene Eifersucht. Ich sah in ihrem Wohnzimmer herum, alles befand sich doch an den vertrauten Plätzen, doch ich spürte ja die fremde Politur. Ich konnte nichts Tröstliches, Einschränkendes aussprechen, alles argumentierte hier schon laut dagegen an, auch das bemalte Zuckerfäßchen weigerte sich. Ruth drehte sich dem Regal zu, ich wollte mich leise verabschieden. Es schien ihr recht zu sein, da sagte sie mit einer Stimme, als hielte sie ein Beil mit beiden Händen hoch über dem Kopf: »Wäre es doch eine andere, eine Frau mit Format!«, dann aber, als sänken ihr die Arme nach unten mit der zur Erde gleitenden Waffe: »Jetzt weiß ich also, was ihm die ganze Zeit gefehlt hat.« An der Haustür fügte sie noch, etwas krächzend, hinzu: »Kein Wunder!«

Absichtlich legt die Katze kindlich den Kopf schief, es soll mich rühren wie die hilflose Rückenlage oder herausfordern. Nach Bedarf sondert sie todsicher wirkende Töne und Haltungen ab, infantil und erhaben, ohne Übergang. Sie stimmt mich um, wie sie es gerade benötigt, sie rollt, duckt, bläht sich auf, macht sich gewaltig und klein, und man meint, daß sie dabei innerlich lächelt, während sie über die hervorgerufenen Gefühle hinwegsteigt durch Gestaltwechsel und wie über Gliedmaßen. Für ihr Wohlergehen sind alle Mittel recht. Personen und Dinge unterscheidet sie nicht, nur sind die Personen biegsamer, beugsamer. Auf der von der Heizung erwärmten Marmorplatte reckt sie sich und wünscht eine flüchtige Berührung, mehr auf keinen Fall, rollt sich zusammen, geliebt, nicht liebend, unverständlich, reizend, rund.

Die ersten Tage von Martins letztem Urlaub waren bestimmt durch die Steine, die großen, glänzenden und die braun und grün bewachsenen, sie alle bespült und übergossen und wieder vom Meer zurückgelassen. Er sah das Stunde um Stunde an, die beweglichen Wellen, die unbeweglichen Steine, kriegte den Blick nicht davon los, und das einzige, was er dachte, war: Am Abend werde ich verblödet sein, aber ich könnte mein Leben so verbringen! Die Lahmlegung seines Gehirns gefiel ihm so sehr, daß er sich eine ganze Woche verordnete mit keiner anderen Beschäftigung als der Betrachtung rund geschliffener Granitbrocken unterschiedlicher Färbung und Größe, die vom Wasser überschwappt wurden, damit sich der Rhythmus dieser Wiederholung in ihm fortsetzte und den Geist leerräumte und freiwusch. Die Abwechslung bestand darin, daß er sich manchmal von einer Felswand den Rücken stützen ließ oder einen aus dem Meer ragenden Vorsprung bestieg, einmal die Augen schloß, um das Heran- und Wegrollen nur über das Gehör aufzunehmen, eine keineswegs schwächere Überflutung, oder alles bis aufs Sehen auszuschließen versuchte, so daß die Wellen aufklatschten und sichtbar sich leise grollend zurückzogen und ihm zwischen die auseinandergesperrten Lider drangen. Im Laufe der Zeit, im dauernden Anblick der sich störenden, vereinigenden Wellen, stellte sich aber doch eine Art Erkenntnis ein, nein, eigentlich war es so, daß er einsank, tiefer, ohne Anstrengung, in die Erkenntnis eines geheimen Musters, eines umfassenden Rätsels. Er hätte allerdings kein Wort darüber sagen können, es durchwuchs ihn, aber stumm bis ins Gehirn. Er gestattete sich dann wieder, beim Anstarren der vorderen kleinen Brandungswellen über alles mögliche nachzudenken auf bequeme Weise: Dazu mußte er nur beschließen, das Spritzen des Wassers an den Felsstücken als Veranschaulichung unterschiedlichster Dinge zu begreifen. Schon taten sich verzwickte Ableitungen auf mit dem besonderen Vorteil, daß er im Spekulieren diesen einen unverrückbaren Punkt hatte, die harten, immer neu aufglänzenden Steine, das in sich ruhende, ruhelos wiederholte Bild, das ihm weiterhalf. Eine Vorstellung setzte sich dabei hartnäckig durch, so daß er sich endlich darauf einigte, das Schauspiel vor ihm nur unter diesem Gesichtspunkt anzusehen oder unter gar keinem, was dann auch nichts änderte, so zwingend wurde ihm dieses eine Bild, es würde ihn so oder so verwandeln: Eine ungeheure, allgemeine Kraft schien in regelmäßigen, beharrlich fordernden Schüben gegen ihn selbst zu schlagen, und gleichzeitig war er, Martin, es, der in ebenfalls unnachgiebigen Anläufen diese Kraft bedrängte. Zwischen den hin- und herkippenden Bedeutungen entstand eine nicht mehr zu entflechtende Verklammerung. Martin redete mit keinem Menschen, nur selten mit sich selbst. Es fehlte ihm nicht, er spürte eine geradezu auffressende Sehnsucht nach Einsamkeit, ein Stein zu werden unter den vielen, dazuliegen, versteinert, für alle Jahreszeiten, überspeichelt vom Meer. Die größte, langsam sich abzeichnende Versuchung war aber zunächst das Schweigen, und seine stillen Erfahrungen nur noch durch Taten zukünftig auszudrücken wurde fast ein Entschluß. Spielte sich nicht tagtäglich vor seinen Augen, hier jedenfalls, überhaupt schon genug Handlung ab, heftiger, dann sanfter plätschernd? Er fing an, von einer bescheidenen Einsiedelei zu träumen, mit strengen Regeln nach der Natur und zutraulichen Tieren. Hatte die Landschaft nicht das Aussehen eines gigantischen, vor dem Meer und unter dem Himmel aufgeschlagenen Gesangbuchs? Je größer nämlich die Abneigung gegen gesprochene Wörter in dieser Gegend in ihm geworden war, desto überwältigender entfaltete sich der Wunsch zu singen. Damit schien ihm das Schweigen nicht gebrochen, sondern gesteigert zu sein, und da er allein war und weitab von anderen Häusern wohnte, schämte er sich nicht und sang laut aus sich heraus, was ihm einfiel, bis er ungläubig abreiste, um doch wieder ein Jahr lang mit seiner Aktentasche in den Verlag zu gehen.

Oft sitzt man Menschen gegenüber, die allein durch ihr Dasein, ihre Blicke und Sätze die eigene Person in Altbekanntes und daher Trostloses zerlegen, und wirklich, man selbst spürt, deutlich und aussichtslos, daß man ohne Widerstand in Altbekanntes, Trostloses zerfällt. Selten sitzt man Menschen gegenüber, die einen so begeisternden Zusammenschluß der Einzelstücke bilden, daß alle ihre Bestandteile vor Neuheit blitzen und blinken, und ich bin mitgerissen in eine Überraschung, die mich selbst betrifft. Plötzlich kommt mir Tante Charlottes Veränderung vor, als habe sich eine Person vom ersten Typ zum zweiten gewandelt, gerade jetzt, wo sie, wie ich es häufig bei Frauen ihres Alters sehe, sobald sie irgendwo Platz nimmt, ein Taschentuch zwischen den Fingern zusammendrückt, mit Schnupfen hat das nichts zu tun, aber es wirkt ungemütlich. Die Kaffeetasse setzt sie nicht mehr zuverlässig nach jedem Schluck auf die Untertasse zurück, sondern daneben, etwas dichter an sich heran. Außerdem schafft sie es nicht, außerhalb des Hauses auf engste Tuchfühlung mit ihrer Handtasche zu verzichten, umschlingt sie im Bus mit beiden Armen auf ihrem Schoß, packt sie in Cafés auf den Tisch oder klemmt sie neben ihre Hüfte in den Sessel, auch erkennt sie Geschenke, die sie vor zwei, drei Jahren machte, nicht auf Anhieb wieder, und ihr Gesicht scheint manchmal in ein resigniertes Alter zurückzufallen, dann aber vorzuspringen in eine so kühne Helligkeit und triumphierende Jugend, wie sie fast nie von den Zwanzigjährigen erreicht wird in einem solchen Augenblickskonzentrat. Als weitere Folge ihres großen Bedürfnisses, noch immer Leistungen zu erbringen, eine ihr unvermutet zugewachsene Aufgabe tadellos zu erledigen, habe ich in den ersten Tagen ihr Benehmen Onkel Günter gegenüber mißverstanden. Wie sie lebhaft erzählte, vergnügt durch die Zimmer lief, ein eben gekauftes Kleid vorführte, um ihn an seinem allmählichen und vollständigen Einschlafen zu hindern, wie sie, abweichend von allen Gewohnheiten, koste es, was es wolle, Reisepläne schmiedete, um ihm Mut für das kommende Frühjahr zu machen, mit Feuereifer nach allem griff, was ihn einmal verlockt hat, um seine Lebensflamme wieder aufsteigen zu lassen! Befand sie sich denn nicht in der alten, machtfordernden Weise in ihrem Element? Nein, das täuschte jetzt wohl, das kam nur noch durch ihre große Energie, die sie auf andere Verhältnisse übertrug, vielmehr hinübergerettet hatte bei ihrer Verwandlung: Sie war ja nicht mehr wütend! Sie hatte ja angefangen, einen Frieden auszustrahlen, jetzt, wo sie zum ersten Mal Auge in Auge mit einer unbeeinflußbaren Tatsache stand, mit einer Wirklichkeit, an der sich nichts herumdeuteln ließ. Das Eindämmern ihres Mannes weckte sie spät, aber noch rechtzeitig aus ihren Spiegelfechtereien auf. Von ihrer Gereiztheit, ihrer ständigen Nervosität bei den zu trägen Umständen redete sie mit einer spöttischen Wehmut wie von etwas weit Entferntem, aus einer verschollenen Zeit. Nur das »r« sprach sie, wenn es auf ein »a« folgte, betont hart aus, aber nicht als Signal einer drohenden Ungeduld, sondern um anzuzeigen, daß Dinge, die mit ihr in Berührung kommen, nicht aus Gummi sein dürfen. Ich sehe sie in einem kleinen Zimmer sitzen, aus blauen Porzellantassen trinken sie den Nachmittagstee wie viele Jahre schon, sie beide, immer noch Tante Charlotte und Onkel Günter, ein Ehepaar, Mann und Frau, aber betrachten sie einander dabei auf einmal nicht viel grundsätzlicher, auch wenn sie ihre Gebräuche beibehalten? Onkel Günter, mit dem dieser neue Zustand anfing, läßt nicht erkennen, ob er den Unterschied bemerkt. Aber ich, ich sehe das Gesicht seiner Frau, ich fühle ihr Staunen vor der Todesnähe, vor einer Zwangsläufigkeit, und sie, sie schließt nicht die Augen. Sie hebt den Kopf, sie schützt sich nicht vor einer Erkenntnis, sie sammelt sich, sie weint nicht, sie strömt, indem sie sich hastig die Lippen schminkt, eine gefaßte, große Zärtlichkeit aus. Ich habe beide ein altes Weihnachtslied singen hören, ein schönes, altes Hirtenlied, es klang so zitternd und hoffnungsvoll. Onkel Günter setzte sein altes Poesiegesicht auf, Tante Charlotte ihre unerschrockene Kämpfermiene, die keine ironische Einschränkung diesmal duldete. Etwas Tröstliches schienen sie gemeinsam zu erreichen, eine Heimat, eine Kindheit, an einem Herbstmorgen, wo alle Dinge draußen erst leise verhüllt, schrittweise aufleuchten und sich durch den Dunst hindurch allmählich und feierlich verdeutlichen, so wie der Weihrauch vor den goldenen Geräten des Altars geschwenkt wurde, früher, in den festlichen Andachten, damit, immer prunkvoller schimmernd, Tabernakel und Monstranz, Kerzenhalter und Flammen daraus hervortreten konnten. Da sitzen sie auf der Bettkante, kleine Figuren eng beieinander unter dem kalten Himmel über dem Haus, und aus ihren Mündern steigen Atemsäulen, als würden sie beide sachte brennen.

Als Kind habe ich an einem späten Sommerabend unter dem Sternenhimmel auf einer Schaukel gesessen und in der Bewegung obendrein den Kopf verdreht, damit die Sterne sausten, ich an ihnen vorüber, sie an mir, ich mitten in sie hinein. So verdreht auch die Katze ihren Kopf, um die Welt anders anzusehen, und ich betrachte sie übrigens auch, dieses unverständliche, offenkundige Wesen, um wie in den Sternenhimmel in eine gegenwärtige Vergangenheit zu schauen, jederzeit und so bequem.

Eigentlich muß sich Petra inzwischen eingestehen, daß ihr Lächeln gar keine Heuchelei ist. Sie spürt eine anwachsende Freundlichkeit in sich selbst, etwas zwingt sie, alle Menschen um sich herum in ihr Herz zu schließen, stärker, als es früher einmal war, aber wie damals wendet sie sich manchmal ab. Sie will klare Linien, darum versucht sie eine Reihenfolge von Zuneigungen für sich aufzustellen und verteilt auch die alten Adjektive. Die einen nennt sie arrogant, andere langweilig, prahlerisch, verbissen, wetterwendisch, aufregend. In Wirklichkeit steht sie allen nahe. Soll sie das als etwas Gutes ansehen, diese gerechte, gemessene Verteilung ihrer Aufmerksamkeit? Ist es nicht besser, sich zu entzünden zum Äußersten an einem einzigen Punkt? Hat sie sich nicht einmal in einem Zug, der sie fortriß von einem dann für immer vergangenen leidenschaftlichen Augenblick, in Fahrtrichtung sehend, so heftig zurückgelehnt, daß die Lokomotive gegen dieses Stemmen und Sperren nicht anzukommen schien, von ihr aufgehalten wurde, so daß sie, Petra, den Eindruck gewann, der Zug müsse durch sie auf der Stelle stampfen? Vielleicht passierte es auch von allein, durch einen gewaltigen, übergreifenden Willen, denn sie selbst war doch viel zu gelähmt, um irgendwas zu beabsichtigen. Hatte sie denn nicht mit ihren puren, wild angepreßten Schultern ein Loch in die Plastiklehne gebrannt? Lange konnte sie nichts vom Gespräch des mitreisenden Paares verstehen, und später, als sie begriff, daß Frau und Mann nicht zusammengehörten, sondern die eine dem anderen ausführlich vom Krebstod ihres kürzlich verstorbenen Ehemannes erzählte, ließ es sie gleichgültig, als hätten die beiden über verschiedene Wurstsorten geredet. Aber war das nicht Liebe gewesen, wie sie sein sollte? Jetzt allerdings entwickelt sich ihre Freundlichkeit gegenüber Menschen, denen sie ins Gesicht sieht, von der matten Regelmäßigkeit, die sie mühsam in Form bringen mußte, zu etwas für sie selbst Verführerischem. Anders kann es nicht sein, es verlockt sie, es ist etwas Anschwellendes, und das Nachgeben, das sie fürchtete, ist angenehm, eine Versuchung, sie weiß nicht, eine Schwäche?, wankend zu werden. Von Beliebigkeit kann nicht die Rede sein, es fällt ihr in den Schoß und macht sie unsicher, aber darüber nachzudenken nutzt nichts. Sie wendet sich den leibhaftigen Menschen zu, und es ermüdet sie nicht. In der Stadt mit den Leuten, fast alle im gleichen neuen Zeug, in der trübsinnigen Kaufhausluft, dachte sie: Wenn ich nur ein alles umfassendes Bild für diese stickigen, stumpfen Stadträume fände! Das Luftgewölbe über uns ist endgültig abgeschnitten, auch wenn da gar kein Dach ist über den Straßen. Alles billig gepolstert, verschalt über brüchigen Gestellen und abgekartet, jeder Schritt, jede Zuckung, die einer von uns macht, ist vorausgesehen und geplant zwischen den einlullenden Attrappen, alle Konturen haben sie verschwimmen lassen, als gäbe es keine Widerstände mehr in der Welt. Treiben sollen wir, schweben ohne Eigengewicht, all die immer und gern hoffenden, dumpf gläubigen Schafe. Würde ich nur einen Satz, ein Bild dafür finden, das die Wahrheit blendend und berstend heraustrennte aus diesem Gewoge und Voranstolpern, dann könnte ich uns retten aus den flüchtigen, selbstgefälligen Nachahmungen der Realität! – Von ihrem hohen, grauen Balkon aus sieht Petra einen Jungen mit dem gelben Schulranzen der Erstkläßler und darüber hinaus in kesse Farben gekleidet die baumlose Straße entlanggehen, verloren, ganz gedankenverloren, sehr langsam, als müßte er eine schwere Rüstung schleppen, aber auch, als hätte er sie vergessen wie alles um sich herum, erschöpft, aber in sich versunken. Er weiß ja nicht, wie sehr er jetzt, wo sie ihn betrachtet, die gesamte Straße beherrscht mit seinen geraden, eine Last tragenden Männerschultern. Dann geht sie ins Zimmer zurück und hat noch eine halbe Stunde, bis sie ihre Tochter in den Kinderladen bringen muß. Sie wendet sich ihrem Daumen zu, der von einem schmutzigen Pflaster an der Kuppe überklebt ist. Sie knibbelt daran und zieht es in Stücken von der Haut ab. Der Einschnitt am Nagel ist jetzt weiß, aber sobald sie daran drückt, quillt das Blut nach. Sie klebt das Pflaster wieder um die Daumenspitze herum, so fest wie möglich, sieht dann aber noch einmal nach. Jetzt ist ein Blutfleck auf der mit Mull belegten Innenseite. Sie bringt das schnell, unwirsch in Ordnung, weil sie sich besinnt. Das Pflaster umschließt den Daumen so eng, als würde sie jemand dort anfassen oder sogar herzhaft beißen. Es riecht nach frisch geschnittenen Zwiebeln. »Unter einer knurrigen Stunde«, sagt sie, »spüre ich manchmal einen herzhaften Zubiß: die Formulierung!«

Ein Mißbehagen bildet sich aus, in kleinen, gurrenden Tönen beginnend, wahrscheinlich eben erst im Bewußtsein der Katze angelangt und schon bekanntgegeben, ansteigend, ausgeschüttet jetzt in klagendem Geschrei, vollkommen nach außen gestülpt und so losgeworden. Im Laufe einer Woche geht sie alle Stimmungen durch, die sicher Ursachen haben, wenn auch meist keine offensichtlichen. Im Winter wälzt sie sich vormittags in den Sonnenflecken auf dem Sofa, hemmungslos, und harrt, steif vor Ekstase, am Nachmittag in der Hitze unter einer beschienenen Plastikfolie aus. Von einem Höhepunkt lebt sie dem anderen zu, leugnet die Zwischenräume durch lange Schlafperioden im Trüben und zieht beim Erwachen alle aufgesparte Energie des Tages zusammen in einer Verkörperung.

Ruth hat doch noch eine Waffe in die Hand genommen, nicht ein Beil, aber ein großes Brotmesser. Ich stand in ihrer modernen Küche neben ihr, als sie flammend und zischend darauf niedersah und es in ihrer Faust vibrieren ließ. Es war so kahl um uns herum. Sie haben Neonlicht über der Anrichte, und Ruth, mit einem so weißen, übernächtigten, abgezehrten Gesicht, schien von dieser spätabendlichen Kälte ganz versengt zu sein. Ich hörte sie, sie schluckte nur oft, sie mußte wie ein Redner Wasser trinken: »Wenn ich sie jetzt hier bei mir hätte, würde ich ihr dieses Messer in den dicken Leib stoßen. Was danach passierte, wäre mir egal.« Als sähe sie endlich ihren wirklichen Gegner, so starrte sie vor sich hin, einen Sammelpunkt, auf den ihr Zorn zuschießen könnte, wie Tante Charlotte zum Loswerden aller Kraft den Tod nicht als das abgedroschen Unwägbare, sondern als sich unausweichlich Annäherndes erkannt hat. »Ich habe sie gestern von weitem gesehen. Sie schaukelte sich, als gäbe es für sie keine Gefahren, sie hat gelacht, mit dem ganzen breiten Maul, vor Schadenfreude. Er läßt es zu, er lacht vielleicht mit. Vor einer Spiegelsäule sind sie stehengeblieben und haben sich so nebeneinander wie das achte Weltwunder bestaunt.« Sie sprach leise, schnell, abwesend, dann stach sie mit der Messerspitze senkrecht in die Tischplatte. »Ich habe nicht geahnt, daß man jemanden so hassen kann. Wenn ich an diesen Butterberg denke, diese zerfließende Person, möchte ich brüllen vor lauter Haß. Ich könnte vor Haß meinen eigenen Kopf vor die Wand schlagen, um nicht ihre grinsende Visage vor mir zu sehen.« Ich glaube, es war Ruths einziger Ausbruch während dieser Zeit. Nach außen lief alles ruhig ab. Franz hatte seine große Liebe gefunden, an ein tolerierendes Zusammenleben, das Ruth mit einer anderen Frau, die sie hätte schätzen können, wahrscheinlich dulden würde, war weder von Franz noch von Ruth aus in diesem Fall zu denken und die Scheidung bereits in die Wege geleitet. Sie würden es diskret handhaben, keine Kämpfe. Dieser Abend war einer der letzten von Ruth in ihrer Wohnung. In den nächsten Tagen schon wollte sie mit den beiden Kindern fürs erste, nein, nicht zu ihrer Mutter, das ertrage sie jetzt noch nicht, sie wolle weder Gejammer noch Sticheleien, das brächte sie auch für sich allein zustande, zur Sauerlandtante. Die würde sich aus stilistischen Gründen jeden Kommentar versagen, da sie mit dem Schiefgehen der Ehe ja recht behalten habe. Das große Haus dort stehe voller riesiger dunkler Schränke. Schon als Kind habe sie mit Begeisterung die vielen Schubladen, die so gewichtig und doch ohne Geräusch nach vorn rollten, aufgezogen. Natürlich könnten ihre Töchter den Vater sehen, wann sie Lust hätten. Das Finanzielle sei sicher ein Problem, aber eher für Franz. Sie selbst müsse sehen, wie sie ihr Musikstudium und ihre praktische Erfahrung, nach einer Pause, die sie sich gönnen wolle, am besten nicht in einer normalen Schule, einsetzen könne. Ruth nahm wie in einem Café so offiziell Platz auf einem Küchenstuhl, den sie erst mit dem Fuß hervorgezogen hatte, stützte das Gesicht in die Hände und schloß die Augen. »Komisch«, sagte sie wieder so leise vor sich hin, »ich habe die Oper ›Tosca‹ sicher schon zehnmal gesehen, und immer ist es dasselbe. Wenn der dritte Akt auf der Engelsburg beginnt, sehe ich vor mir, was passieren wird, ich sehe es genau, aber es ist noch nicht soweit. Ich muß also miterleben, Minute für Minute, wie die Gegenwart nach dem Plan der festgefügten Handlung sich voranbewegt. Das Ende ist noch nicht da, aber ich habe die Voraussicht, das Bild des Erschossenen und der sich zu Tode stürzenden Frau, es ist ein Trichter, in den alles eingesogen wird, dieses vorbereitete Ende, ich sehe die beiden lebendig dastehen, auf der Engelsburg, und singen von einer Zukunft, die doch längst abgeschnitten ist.« Ohne sich um einen Übergang zu kümmern, erzählte Ruth mir dann von der Freundin ihres Mannes. Sie arbeitete nicht mehr im Hotel. Nachdem sie eine kleine Erbschaft gemacht hatte, schien sie sich weder für Rudolph, den Maler, noch für ihre früheren Berufspläne zu interessieren. Mit rotgefärbten Haaren war sie jetzt als Verkäuferin von Schwarzwälder Wurst- und Schinkenspezialitäten wechselnd auf den Märkten in den Stadtteilen tätig, offenbar selbständig. Sie besaß einen Lastwagen, dessen Laderaum man zum Verkauf aufklappen konnte, »wie die Schießbudenleute, aber in einem weißen Kittel«. In welcher Weise die beiden nun weiterleben wollten, konnte sich Ruth nicht vorstellen.

Angefangen hatte das Ganze wohl während ihrer Krätze. Sie war viel zu abgelenkt gewesen, um etwas zu bemerken. Kämpfen wäre sowieso nicht für sie in Frage gekommen, zu keinem Zeitpunkt. Entweder liebte man sie oder man liebte sie nicht. Mir kam es so vor, als empfände sie die Untreue von Franz eher wie etwas Nachgeäfftes, eigentlich Lächerliches und Tölpisches, als das verzerrende Spiegelbild einer wirklichen Leidenschaft. Das war das Beleidigende für sie: Die beiden bildeten ein Buffopaar, Franz, immerhin Franz, und Gaby. Sie führten alle die richtigen, vorgeschriebenen, klassischen Figuren aus, aber eben wie Hans und Grete, mit Holzpantinen, ohne Eleganz. Einen Augenblick dachte ich an Hagel und Schnee. Ich wäre gern aus dem Küchenlicht gerückt, aber sie wollte nicht. Mir tat Ruth ja leid, aber ich spürte eine Erleichterung darüber, daß sie nun fortzog und ich sie vielleicht nie mehr wiedersehen müßte. Ich wollte lieber gelegentlich an sie denken, Ruth konnte einen nämlich mit ihrer Art so unglücklich machen, sie schickte einfach, ohne es zu ahnen, aber bisweilen auch mit Absicht, ein Unglücklichsein in die Welt. Zu verstehen war das jetzt, o ja, früher hatte sie in ein Wohlwollen, in eine Aufmerksamkeit hineingelächelt, zu Anfang sogar mit jeder Geste Entzücken bei Franz erregt, und jetzt war sie davon verlassen, beliebig, wie ungezählt, wie gar nicht mehr mitgezählt. Sie konnte sich eine Liebenswürdigkeit zurechtlegen, extra für ihn, er hätte nicht mal hingesehen oder peinlich berührt den Kopf weggedreht. Franz hielt sich nun, wie sie meinte, schadlos an dem dummen, üppigen Fleisch, an der Sorte von Frauen, die sie immer gefürchtet oder verabscheut hatte, wie sich nun zeigte, zu Recht. Bei den wenigen Konfrontationen mit ihrer Nebenbuhlerin war ihr jede verbindliche Geste unmöglich geworden, es verdorrte ihr alles, je charmanter sich die eine gebärdete, desto schärfer, bösartiger, schon des Gleichgewichts wegen, mußte Ruth sein. Sie befand sich plötzlich in einer Welt ohne Widerhall. Da sie abgelehnt wurde, galt sie sich nun selbst als widerwärtig. Hatte sich nicht ihr Blut in den Adern in Säure verwandelt, die sie von innen auffraß? Deshalb bewegte sie sich nur noch so abgehackt. Sie erinnerte sich, daß sie, bei allen Schwierigkeiten der vorangegangenen Zeit, doch in der Gleitflüssigkeit einer prinzipiellen, gewohnheitsmäßigen Zärtlichkeit gelebt hatte, in einem bewährten, schmuddeligen Morgenrock, immer noch kleidsam, falls man nicht einen fremden, kühlen Blick darauf warf. Nun war das überhaupt nichts mehr. Ach Ruth, Franz stellte den männlichen Teil eines Buffopaars, aber hatte sie, in ihrer grellen Küche, nicht etwas von eng zusammengepacktem, gefrorenem Geflügel? Franz war für sie nicht attraktiver geworden durch sein Verhältnis, sie sah ihn gestikulieren wie einen Affen und konnte nicht glauben, daß es die Wirklichkeit war. Gut, er sollte tun, was er mußte! Aber indem er sich entfernte, entfernte sich soviel Lebensnotwendiges, die sanfte Lebensselbstverständlichkeit mit. Ich habe Ruth nach diesem Abend nicht wiedergesehen, auf den letzten Metern sprangen bessere Freunde und Freundinnen ein als ich, klare Parteinahmen fanden statt, man tröstete sie. Ich saß nur noch in der Küche und spürte mit einem Mal, daß dieser giftige kleine Raum das ganze Unheil ausgebrütet hatte mit seinem erbarmungslosen, jede Falte, jeden Winkel aufstöbernden und leblos machenden Licht. Wie konnte sie hier vor einer Stunde in solcher Hitzigkeit gestanden haben, mit einem Messer in den Händen, in dieser Tiefkühltruhe! »An die Kinder denkt er gar nicht!« sagte Ruth noch gegen Schluß, sie leierte das fast, sie sagte das nur zur Form, das wußte ich. Sie zog eine Grimasse wie jemand, der einen Witz erzählt und niemand lacht oder alle lachen nur höflich, so daß man als armer Stümper dasteht, dem die Zustimmung verweigert wird. Das Selbstvertrauen war ihr, als letzte, glättende Schicht, zerstört. Ruth! Ich drückte ihre Hand zum Abschied, ich hätte sie beinahe umarmt, mir fiel ein: Wie es Mode ist! – bei Ruth wurde eben alles sofort künstlich. Ich ließ es. Ruth hatte ein Gesicht wie eine Brotschnitte, von der jemand mit steifer Klinge die Butter abkratzt.

Die Gewohnheiten ihrer Umgebung, den rhythmischen Wechsel der Umstände begreift die Katze als feste Einkerbungen im Tageslauf und verlangt sie als Zeremonie. Wenn sie durch eine weitgeöffnete oder einen Spalt offenstehende Tür einen Raum betritt, absolviert sie selbst eine bekannte Abfolge von Haltungen, ernsthaft, aber wie bei etwas eben erst Erfundenem und so, als müsse die darin enthaltene Atmosphäre erst gefügig für ein Eindringen gemacht werden. Dazu gehört die Wahl des unterhaltsamsten, also kompliziertesten Umwegs zu einem Ziel, das Übersehen und dann Beschleichen eines neuen Objekts in immer engeren Kreisen, das dessen wirkliche Ausdehnungen erst sichtbar macht, und später das Hindenken auf die hohe Fensterbank, so daß der Sprung am Ende wie von selbst erfolgt, als trüge sie eine Kraft von außen spielerisch dorthin. Sie ist die Beherrscherin aller Distanzen, beim vorbeiflatternden Vogel duckt und reckt sie sich nicht anders als bei der höher fliegenden Beute, die ein Flugzeug ist.

Martin ist bei einem Eisenbahnunglück ums Leben gekommen, als er wieder auf dem Weg zu seiner italienischen Insel war. Man hat ihn tot zwischen den Trümmern gefunden, äußerlich aber kaum beschädigt. Er ist an inneren Verletzungen, wahrscheinlich während der Bergungsarbeiten, gestorben. Er wird auf seine Rettung oder sein Ende gewartet haben, lange oder ganz kurz, und verstand also, daß er eine bestimmte Stelle, schon zum Greifen nah, nur noch Stunden entfernt, nun unendlich von ihm weggedehnt, auf einer weißen Bank, ein besonderer Platz, dem Meer direkt gegenüber – er konnte ihm von dort aus morgens, mittags, abends, in diesigen und mondhellen Nächten ohne Hindernis ins Gesicht sehen –, nie wieder betreten würde. Weit weg war diese Bank und der Ausblick und er hier, in bitterer Ausstoßung, zu schwach, um sich zu rühren, für sich, nicht angesichts eines Schmerzes, sondern voll davon. Nun erinnerte er sich an ein zierliches Damenschreibpult, man mußte es auf einen normalen Tisch setzen, es war ihm als Kind geschenkt worden, mit schöner Intarsienarbeit, die ihn immer gereizt hatte, sie vorsichtig, mit einer Zirkelspitze, herauszuschneiden. Niemand konnte es öffnen, ein Erbstück. Schließlich brachte es ein Spezialist fertig. Es war vollgepackt mit Taschentüchern. Er sah auf einem Zeitungsfoto Allende vor sich, nur das Gesicht, wenige Tage vor dessen Tod, der Inbegriff eines untröstlichen Grams. An dieses Bild hatte er auch oft zwischendurch gedacht. Es waren die bekümmertsten, einsamsten Augen, in die er je in seinem Leben geblickt hatte. Er sah Genovefa unter der Erde in ihrem Sarg liegen, als wären Erde und Holz durchsichtig und Genovefa wieder jung, und oben kauerte die Hirschkuh, um in ihrer Treue und an ihrer Trauer zu sterben. Er sah die Füße eines alten Mannes im Krankenhaus, wo er während des Studiums einige Wochen gearbeitet hatte. Die Füße waren so schuppig, daß er, als er dem Mann die Socken auf dessen Wunsch ausgezogen hatte, fürchtete, das Fleisch würde abblättern bis auf die Knochen. Der Mann wollte nur die Füße etwas an die

Luft halten und ließ sich dann die Socken wieder anziehen, weil die Schwestern verlangten, daß er sie immer trug, damit nicht soviel Hautstückchen im Bett lagen. Er sah auch einen anderen Mann in diesem Krankenhaus, auf derselben Station, ein gelb-brauner Mensch und sehr dünn. Er hatte Leberkrebs und flüsterte nur. Martin sah die Glücksklee-Milchdose, die er ihm behutsam unter einen der Bettpfosten klemmen mußte, damit er in dieser Stellung weniger Schmerzen litte. Er roch etwas, dann fiel ihm das Bild dazu ein und er wußte: Holz und Schweiß, als er dreizehn war, in einer Schule, in der Mädchen und Jungen abwechselnd vormittags und nachmittags Unterricht hatten. Sie schoben, ohne einander je kennenzulernen, kleine Botschaften in die Bankritzen, und sein Herz hatte damals deswegen so geklopft, daß er dachte, sein Nachbar würde es hören. Auf einer Straße, von Menschen bis auf einen leer, aber übersät mit Steinen und Papier, stand ein junger Demonstrant. Es war ein junger Demonstrant in dünnem, durchnäßtem Zeug, heftig weinend – um was es ging, fiel Martin jetzt nicht ein – wie an einem frischen Grab. Und noch einmal sah Martin sich selbst, damals auf dem Bahnsteig, und die Jungen und Mädchen mit Plastikbeuteln und Turnschuhen und hätte gern einen von ihnen gesprochen oder berührt. In einem sehr dunklen Zimmer, das einem den Atem verschlug in seiner Dumpfheit – immer nahm er sich vor, den nächsten Atemzug erst wieder draußen zu tun, aber dann schaffte er es doch nicht, so lange die Luft anzuhalten –, saß in der finstersten Ecke Fräulein Heuel, die Dichterin. Sie dichtete dort nicht, sie sah aus dem Fenster. Sie hatte ihn entdeckt und hereingerufen. Jetzt gab sie ihm die fürchterliche, feine Hand. Er mußte sich zu ihr setzen, sie lächelte. Wie wenige Haare, wie viel Kopfhaut! Sie sprach nicht, er war es, der sprechen sollte. Nie hörte sie auf zu lächeln, aber sie war die einzige Dichterin, bei der er jemals so nahe gesessen hatte. Aus den Frauen, an die er jetzt unbedingt denken wollte, wurde immer wieder Genovefa, nun aber »ihre Blöße« nur mit Moos und Zweigen bedeckend. Er sah sie wie einmal eine Frau, die er hatte heiraten wollen, hinter einer Glastüre leise sprechen, verzückt. Als er eintrat, verriet sie ihm aber nicht, weshalb. Er sah einen Fußballspieler bei einem Elfmeterschuß, den der Torwart hielt, und still stand der verhinderte Schütze und ließ seinen Kopf wie unter der Last einer gewaltigen Schuld, demütig und bestraft, ohne zu widersprechen, tief auf die Brust sinken. Im Zimmer eines Altersheims lag Tante Paula, seine Großtante, der häßlichste Mensch, den er je gesehen hatte, mit einer engen Haube um den uralten Kopf, blind und schwerhörig. Als Junge hatte er sie mit seinem Großvater, ihrem Bruder, oft besucht. Es hieß, sie sei früher eine schöne Frau, beinahe mondän gewesen. Er hatte zuerst gefürchtet, ihre Blindheit könne ansteckend sein, er wollte sie nie anfassen. Ihr Zimmer war die Höhle der schwärzesten Häßlichkeit. Daß aber jemand sie so treu besuchte mit Süßigkeiten und den schönsten Trauben, die er kaufen konnte, obschon Tante Paula sie ja gar nicht erkannte, nahm ihr in Wirklichkeit alles Schreckliche. Nun wußte er es wieder: Sie war es, die ihm das Schreibpult hinterlassen hatte! Einen Augenblick schienen sich die Bilder, als wäre er eine Siegessäule hochgewandert und begänne von vorn damit, zu wiederholen, obschon er weiterkommen wollte. Er sperrte sich trotz seiner Schmerzen und sah eine Weile gar nichts mehr. Dann aber stellten sich die Hügel der Bucht um ihn, die Büsche, die Tiere begannen ihn anzublikken, die Felsen wuchsen und hoben sich, er hatte Wasser, Erde und Luft, ein Feuer raste mit einem Geräusch wie ein starker Regen zu ihm herab. Über ihm stand schon eine rote Wolke, es erfaßte ihn, er fühlte die ganze Erdkugel als lebendigen Körper, zu dem er gehörte und dessen Glück und Unglück er an verschiedenen Stellen spürte. Damit hatte er nicht gerechnet. Er hatte auf den Triumph einer einzigen, unerhörten Erscheinung gewartet, die sich durch alle anderen hindurchbrennen würde. Nun wurde er eingesammelt in etwas Allgemeines, und es war das Richtige und eine Erleuchtung. Gerechnet hatte er mit Stufen, mit Strophen der Wahrnehmung auf der Insel, von Jahr zu Jahr. Jetzt wußte er, daß sie ihn wie ein Trampolin von Mal zu Mal höher schleuderte, er glühte schon, er stürzte und stieg als Rauchsäule über die Möwen, über die ruhigen Wirbel der Schwalben hinaus.

Trampelnd stürmt nun aber die Katze die Bodentreppe hoch, drückt absichtlich die Körpermasse auf und schnellt von den Holzstufen ab. Eine Bewegung dann im Gebälk des Dachstuhls, ein Hin- und Herfliegen über große Abstände zwischen den Verstrebungen, ein Verstummen mit einemmal, eine Lautlosigkeit, ein angehaltener Atem überall, ein polterndes Hervorbrechen und ein Ansehen aus finsteren, staubigen Nischen, eine hin und her zuckende Anwesenheit. Still steht die Katze im freien Raum. Für einen Herzschlag, einen erkennbaren Moment stoppen die Sprünge in der Luft. Sie prahlt und regiert in diesem nur ihr in solcher Weise zugänglichen Bereich. Sie schaut aus der Höhe auf mich herab und fixiert mich aus dem Dunkeln. So argumentiert, fragt und antwortet sie. Sie verrenkt sich für unser Gespräch. Jeder neue Blickwinkel, jede Verbiegung des Kopfes ist ein Einwurf, ein verblüffender Schachzug, die Pointe in einer Diskussion.

Die Augen geschminkt wie ein Sonnenaufgang: vom Horizont – das ist der untere Wimpernrand –, mit Wölbung und Strahlen der Sonne darüber – der Augapfel, die Wimpern –, aus der Dunkelheit immer heller werdend bis zu den Brauen. Sie gleichen dem feierlichen Aufsteigen des Lichts, die kräftige Farbe umgibt den Mittelpunkt, und so nachgeahmt, ist dieser schöne, verheißungsvolle Augenblick, solange die Schminke hält, andauernd, wenn man neuerdings in Petras Gesicht sieht. Es muß das Aufsteigen der Freundlichkeit sein, der Aufgang einer freundlichen Macht, die alle ihre Bedenken überflutet, eine Begierde, die sie lange unterdrückt, eine Leichtigkeit, die sie lange absichtlich beschwert hat und die sich nun, unbezähmbar, in ihr entfaltet. Manchmal, wenn sie still im Bett liegt, läuft ein Feuer durch sie hindurch, zusammengehalten, am Ausbruch gehindert nur durch ihre Haut als allerdünnster Kaminwand. Ein Streichholz ist sie, das an der Welt entlangfährt, um sich wieder und wieder zu entzünden. Petra sagt nicht: »Diese kurze Liebe! Ein Schulfreund, jemand, den ich als Kind kannte, dann lange nicht, dann plötzlich wieder, zu spät. Und nun sieh dir die Lust der Bäume an, sich endlich nackt zu zeigen, in diesem Sturm, sich anzubieten und zu unterwerfen!« Sie entdeckt aber in der farblosen Luft goldene Einschlüsse, letzte Blätter, die scheinbar verbindungslos in der Durchsichtigkeit stecken, weil man in diesem Licht die kleinen, sie tragenden Stiele und Zweige nicht bemerkt. Ihr Bewußtsein ist prall von so vielen Dingen, die sie nacheinander aus dem Gedränge holt und einzeln betrachtet: ihr Kind mit der Brille, deren Hälfte vorübergehend zugeklebt ist, die Tönung eines spätherbstlichen Gestrüpps, ihren Mann, der sich in den Nacken greift vor Freude, ans Kinn faßt vor Schreck, einen Mann, der auf einer Mauer sitzt, warm angezogen, weil er draußen geschlafen hat, und ein halbes Brot aufißt. Manchmal, wenn sie durch einen mageren Park in der Nähe geht, entzückt sie diese Dürftigkeit bereits, Büsche, acht Bänke, vier Papierkörbe, daß sie Herzstiche bekommt vor Vergnügen, auch einer einfachen Pfütze kann sie sich an guten Tagen nicht versagen. Sie wendet sich einem Flüßchen zu, einem Mops im Geschirr: Nur ein bißchen Aufmerksamkeit, schon schlagen die Dinge, als hätten sie auf der Lauer gelegen, mit verzehnfachter Zuneigung zurück, so sehr, daß sie, vergebens, nicht mehr hinsehen will, es umzingelt, erdrückt sie. Bei manchen Textstellen, die sie liest, muß sie schwer atmen wie eine korpulente, treppensteigende Frau, aber vor Begeisterung. Wie anstrengend!: »Salzgeruch war in der Luft, unendliche Weite und ein Vogelgekreisch ringsum in der Höhe, als würden unsichtbare Messer gewetzt. Simon mußte staunen über die Lichtfülle dieser Aprilabende. Er verstand nichts von Geographie, er erklärte sich die Helligkeit nicht mit der hohen nördlichen Breite, sondern er nahm sie als Zeichen unverhüllter Güte im All, als reine Gunst.« »... doch ein Besessener bezieht auch die geringsten Geschehnisse auf das Eine, das ihn ganz erfüllt.« »Sogleich sang sie das Lied mit allen Strophen, die auf verschiedene Gegenstände übersprangen, aber alle eine gleichmäßige Sehnsucht, ein Gewisses wiederzusehen, ausdrückten.« Sie erinnert sich an eine Geschichte, in der ein Mann nach einer Buslinie fragt, die Antwort lautet: »Richtung Polarstern.« Das will sie sich weiterhin merken. Sicher, es gibt auch die Tage, wo sie auf einer Spielplatzbank sitzt und schreien und platzen will vor Wut auf die Leute, die eine Straße überqueren, in einen Bus einsteigen und die sie vernichten möchte, nur weil sie in dieser Art vorhanden sind und sich währenddessen die Sekunden und Minuten hinter ihr anhäufen zu einem hämischen Beleg. Aber was bedeutet das gegen die vielen anderen, wo alles, was sie anspringt, was ihr zustößt, etwas Absichtliches ist, jede Abbildung, jedes Mienenspiel, jeder Satz sauber und deutlich als Signal vor ihr steht und sich in sie senkt, damit sie ihn bewahrt, ohne ihn enträtseln zu können? Nachträglich sogar, ein Sommer zum Beispiel, so feucht über Wochen, daß rechts und links der Autobahn nicht nur die Baumstämme, Pfähle und Pfosten grün wurden, sondern auch ganze Gehöfte in der Ferne, neu erbaute

Siedlungen, Kühe und Pferde auf den Weiden. Welches ist der glücklichere Augenblick, fragt sie sich, wenn sich in einem Ereignis die Idee einer Geschichte abzeichnet, also der gefundene oder erzeugte Fluchtpunkt, das helle Licht am Ende des Flurs, dem ich nun zustreben kann, oder wenn es sich, nachdem alles vorbereitet ist, zu verästeln beginnt, ein Wachstumsprozeß der Entsprechungen und Spiegelungen, und der Stoff, fragt sich Petra, von einer Kanzleiakte hochsehend, das Muster begriffen hat und sich daher entfaltet aus eigener Kraft? Es raschelt. Das sind lauter Zettelchen mit Notizen, die sie tagsüber in Taschen, Ärmel, unter Gürtel und BH-Träger steckt. Sie kann sich nicht bewegen, ohne zu knistern.

Durch ein Geräusch an der Küchentür kann ich den dunklen Schatten einer kleinen, ungegliederten Masse auf dem Glasdach auflösen in vier sehr viel kleinere Massen, die Pfoten jetzt, die sich nervös, im Zusammenhang, abwechselnd auf die drei Außenränder der Überdachung zubewegen. Mit einem Aufklappen der oberen Fenster rufe ich leise Schreie hervor, zu mir hoch, bis ich mich nach draußen lehne und nach unten flüstre. Es gelingt mir auch, die Katze durch Verstellen der Stimme zu beunruhigen, durch einen veränderten Gang zu erschrecken. Mit dem Ausstoßen ungewohnter Laute zwinge ich sie zu verrückten Augen, indem ich den Arm aus unüberwindlicher Höhe strecke, zu einem Wimmern vor Ungeduld. Mit ein paar Tönen auf der Mundharmonika locke ich sie auf meinen Schoß, da nähert sie ihr Katzengesicht dem meinen so sehr, bedrängt, erpreßt, daß sie im nächsten Moment, was sie sich immer schon wünschte, sprechen wird.

Franz ist mir in der Stadt entgegengekommen, kaum zum Wiedererkennen. Wir mußten voreinander stehenbleiben. Er versuchte, sein Glück zu verbergen, als gehöre es sich nicht, auch wenn er angestrengt aussah von den hinter ihm liegenden Wochen, etwas verwildert, aber nur zum Zeichen, und es überzeugte mich sofort, daß alles Kleinliche von ihm abgefallen war. Er hatte einige Bilder an einen bereitwillig zahlenden Atomphysiker und dessen Kollegen verkauft: »Ich glaube aber nur«, sagte er, und sein Kopf pendelte ein bißchen, »weil die sich nicht darüber beruhigen können, daß ein leibhaftiger Erwachsener sich zu seinem Lebensunterhalt mit dem Malen von Erdklumpen und Grashalmen zu beschäftigen traut.« Wir standen beisammen und gingen ab und zu hin und her, um Leute vorbeizulassen, wir sagten nicht viel, es erübrigte sich. Franz schien zu wissen, was man ihm ansah. Manche alten Bekannten grüßten ihn nicht mehr, er sagte kein böses und kein gutes Wort über Ruth, er war lediglich, das konnte er unmöglich verstecken, ein maßlos erleichterter Mann. Ruth aber, noch immer provisorisch mit den Kindern bei der Sauerlandtante, wie sie in der Vorstellung ihres früheren, nein, dieses ihr nun ganz fremden Haushaltes versinkt, im Ausmalen des neuen Lebens ihres Mannes, in dem sie, ohne betrauert, ohne vermißt zu werden, abwesend ist! Es schließt sich über ihr, als hätte sie, Ruth, nie gelebt, allenfalls als erkältender Schrecken und endlich von selbst abgestorbener Irrtum. Ihr eigener Körper kommt ihr abhanden darüber, so vertieft sie sich in das Bemühen der beiden, sie auszulöschen durch eilig aufgenommene, intime Zeremonien in ihrem alltäglichen Dasein. Auf ganz andere Art als früher würde Franz klingeln und die Tür aufschließen, seine Tasche absetzen, sich aufs Sofa fallen lassen! Im Grunde gibt sie ihr Einverständnis: Sie kann sich die Welt als Rundes, Vernünftiges nur noch ohne sich selbst vorstellen. Sie liegt in ihrem Bett und sieht über die unnütz lange, abgelehnte Strecke von der Brust bis zu den Füßen hinweg. Viel schärfer als damals, mit der Krätze in der Wanne, fühlt sie nun eine Abtrennung von diesem Körper, sie, Ruth Wagner, empfindet ihn selbst inzwischen als eine Zumutung. Beim Frühstück sieht sie die jungen, sich eben erst zu vollkommener Glätte formenden Gesichter ihrer Töchter an, manchmal, im Badezimmer, taucht ihr eigenes im Spiegel zwischen denen der Kinder auf. Dann fährt sie zurück vor dem Anblick und hofft, und kann doch nicht widerstehen, es sich einzuprägen, daß die beiden noch nicht bemerken, wie erbarmungslos durch die hellen, friedlichen Mädchenköpfe das Schrille, Graue, Leblose der Mutter ans Licht gezerrt wird. Noch einmal erinnert sie sich an den Tag am Strand, wo sie und Franz gegenseitig Zeichen einer Veränderung beobachtet hatten, in der Öffentlichkeit, in der Sonne, und es sich am Abend wiederholten voller Zuneigung, und wie sie damals dachte, daß trotz einer gewissen, sich offenbar für eine Frau ziemenden Furcht vor dem Voranschreiten der Jahre das Interesse an den Umwandlungen ihres Körpers vermutlich viel größer sein würde als ihre Angst davor und daß sie die Symptome eher belustigt zur Kenntnis nehmen, wenn auch nach den Regeln der Kunst vor Franz verbergen wollte, aus Zärtlichkeit. Ist ihr jetzt nicht aber das eine wie das andere gleichgültig? Ihre Freunde, über die sie sich früher so gern in Andeutungen erging, Männer, die sie immer noch verehrten in den großen Städten, ruft sie die nun nicht auf, von allen Seiten herbeizuströmen, um sie zu trösten, indem sie ihr Gelegenheit geben, nach Herzenslust geistreich, spitzzüngig, langzüngig zu sein? Nein, Ruth rührt sich nicht, Phantasien über diese verdienten, abenteuerlichen Bekannten reizen sie nicht, sie wundert sich selbst. Mit der Trennung von Franz hörte das auf. Sie hat sich ganz zusammengezogen, ihre Haut spürt sie täglich um sich herum schrumpfen, eine permanente Gänsehaut. Einmal in der Woche fährt sie mit der Tante und den Kindern in die Stadt in ein vornehmes Café, sitzt dort kerzengerade um die Wette neben der kerzengerade sitzenden Tante, die ein Zigarillo raucht, läßt die Kinder gewähren, die sich genau innerhalb der vorgeschriebenen Grenzen unmanierlich benehmen, so daß sie beide, Tante und Ruth, dazu lächeln dürfen, über die Tische weg, zu anderen älteren Damen. Bis Ruth aufspringt, so plötzlich, daß fast immer etwas umfällt dabei, sich für eine halbe Stunde beurlaubt, auf der Straße steht in dieser beträchtlich kleineren Stadt, als sie doch gewohnt ist, verwirrt wie eine Landfrau, kurzfristig mit geballten Fäusten, aber dann in einem teuren Laden vom Geld der Tante, sie hat nun alle Hemmungen verloren, einen Schal, eine Bluse oder, wenn es besonders voll war im Café, voll mit älteren Damen, ein ganzes Kostüm kauft. Ein paarmal ist sie in die Oper gefahren. Dort trifft sie einen weißhaarigen, großartig aussehenden ehemaligen Musikprofessor, an dem sie hängt, weil er sie hin und wieder auf ihre Ähnlichkeit mit seiner Vision von einigen Heldinnen der Opernliteratur hinweist, trinkt in der Pause ein Glas Sekt mit ihm, stößt versehentlich mit der Hüfte oder dem Ellenbogen an seinen gewaltig vorragenden Bauch, was er jedesmal zum Anlaß nimmt, sie rettend zu umarmen, als wäre sie in höchster Gefahr, hinzustürzen und am Boden zu zersplittern. Sie geht ein bißchen darauf ein, aber es ermüdet sie bald, und so redet sie mit dem gestikulierenden alten Herrn, der, glänzend auf Abstand Hof haltend, grüßt und nickt, verbeugt und zuwinkt, über Finessen und Ruppigkeiten eines Dirigenten und vergleicht mit ihm in der zweiten Pause die letzte Arie des Tenors mit der seiner eben erschienenen Plattenaufnahme, erzählt auch von ihren Berufsplänen. Ruth läßt sich aber Zeit, sie gönnt sich eine ausgedehnte Schonfrist, sie kann es sich leisten. Sie vergräbt sich nicht in Arbeit, sie geht mit den Kindern in der Gegend herum und paßt auf, was mit ihr, von allein, geschieht. Wenn sie mit der Tante über Franz spricht, tun sie es beide in großzügiger Form, aus Arroganz ihm gegenüber und voreinander. Aber am Abend sieht Ruth in den Badezimmerspiegel und fragt sich, was sie denn für Gedanken gedacht hat, daß sie so ein Gesicht gekriegt hat davon, so ein übliches Frauengesicht, vernünftig, resigniert, auf eine verbitterte Art zu irgendeiner aussichtslosen Ausschweifung bereit. Ihr fällt auch ein, daß sie sich als Kind geweigert hat zu glauben, sie könne jemals solche Frauenarme bekommen, und nun ist es doch passiert, sie hat den heimlichen Übergang versäumt. Ihre Arme wirken auf sie wie die Oberfläche kochender Milch, die schon einen Stich hat, es sind schwache, aber unheimliche Bewegungen darunter zu erkennen. Jeder, der mit den Verhältnissen vertraut ist, hat die Lösung, die auch für Ruth die einzig in Frage kommende ist, parat: Franz benutzte sie für seine ersten, schwierigen Lebenskämpfe, nachdem ihn zunächst das bizarre, scheinbar unerreichbare Mädchen unter dem Aspekt des Seltenheitswertes provoziert hatte. Im Laufe der Zeit aber wurden ihm die speziellen Ausprägungen ihres nicht zur Ruhe gelangenden Wesens zu strapaziös, obendrein in Verbindung mit ihrem schnellen Altern, dem Schicksal ihres Typs, diesen für sie häßlicher als für ihn ausfallenden Narben ihrer gemeinsamen Anstrengungen. Niemand spricht das vor ihr aus, es wird stumm an sie herangetragen, und sie hat den Entschluß gefaßt, sich die auf der Hand liegende Erklärung zu eigen zu machen. Ausgedörrt und eintrocknend, in einem eleganten Kostümrock sehe ich sie mit dieser befriedigenden Formel im Café sitzen, mit Tante und Töchtern, ein Jahr nach dem anderen, mit schlichtem, wertvollem Schmuck und scharfen Mundfalten, aufspringend plötzlich, mit geballten Fäusten, aufstampfend, einen ungeduldigen Befehl zu den drei zischend, die Straße dann hinauf und hinunter Ausschau haltend mit rastlosen Augen, auf und ab gehend, sehr schnell, gegen jedes Hindernis tretend, sie spürt, sie läuft beinahe, da, Ruth rennt, da, da ist es ja wieder, wie es sich in ihr, wie sich der Regenschirm entfalten und sie rücksichtslos sprengen will! Wohin mit ihr? Wohin mit Ruth?

In den ersten Monaten gab es bei der Katze eine Erforschungssucht, einen Ergründungswillen in den weit geöffneten Augen. Mit hohen Tönen antwortete sie auf gesprochene Sätze in einem hartnäckigen Wunsch nach Verständigung, bis sie sich irgendwann abwandte und zurückzog hinter die Grenzen des Tierseins. Damals sah ich auch ihr Bemühen, den eigenen, im Sprung entschwindenden Schatten zu erbeuten. Unermüdlich betrachtete sie ihr Spiegelbild, näherte sich an, bis sie gegen das harte Glas stieß, umschlich es, bis es ein für allemal aus der Welt ausschied, übersehen für immer. Bemerkte sie, mit dem Vorgang auf einer Höhe, das fieberhafte Wachsen im Frühjahr um sie herum? Dachte sie nach über die tägliche Veränderung der Landschaft, über die hochschießenden Gräser, die gesenste Wiese, staunte sie? Nichts war ihr je zu erklären. Wer war schuld, wenn es regnete, wenn die Lampe anging mitten in der Nacht, wenn die Sonne verschwand? Wie ist sie anwesend im Leben? Ohne Bewußtsein mit ihm verschmolzen und so am lebendigsten? Was wären das für Ruhepausen, anders als Schlaf, ein kluges Nichts, ein glückliches Atmen!

Und nun Frau Wagner, die Mutter von Franz, Ruths wenig geschätzte Schwiegermutter, die inzwischen eingeübte Witwe mit ihrer Diät und den Medikamenten. Pünktlich träufelt sie, mißt mit Teelöffeln ab, schränkt sich ein, enthält sich an trüben Tagen, an langen, nicht endenwollenden Tagen, schwankt ab und zu: Was gliedert ihr eine Woche besser, die Askese oder der Übertritt? Wenn ihr die Zeit zu träge fließt, weil sie beinahe schmerzfrei war, hilft ein Zahnarztbesuch. Schon dehnen und ballen sich die Minuten. Aber ich sehe sie, als sie mit einer Nachbarin schematisch über Spritzen und Wetter jammert – gelänge es ihr, die vielen Kummerworte zurückzuhalten, wie gewänne sie die Schönheit eines Muskels, der sich spannt zur Beherrschung, nicht zum Angriff, einer Arienstelle, die ganz leise wird vor in sich gekehrter Kraft –, bei jedem Treffen die gleichen Sätze, im selben Moment stumm in einer Empfindung befangen, in einem Gedanken, einer Bewegung, die nur nicht in Worten nach außen dringt. Auch die täglichen Handgriffe ändern sich nicht, um Gottes willen, das muß alles abgeschritten werden, wie ein Kleid bis zum letzten Knopf geknöpft, doch dabei existiert eine Einsicht, die sie in sich verschließt, nichts wissen Arzt und Ärztin davon, ein Gefühl, das nicht paßt zu ihrer in Mattigkeit zusammengeschrumpelten Welt, diesem Ende vom Lied, dieser Nüchternheit hinter aller Glorie. Mit keinem Wort verrät sie sich, denn sie hat ja keine Geste dafür, nicht das Wort.

Auch Martins Tante noch einmal, die nicht meine Tante ist, die Großmutter plötzlich, auch wenn sie noch immer beim Obsthändler »Grenoble-Walnüsse« verlangt, nur weil sie so dramatisch »Grenoble« sagen kann. Sie hat ihrem Enkelkind ein Seidentuch geschenkt, ein kostbares, großes, ihr allerschönstes. Jetzt ist es über dem Anorak ein schillerndes, wehendes Kleid, an der Schulter geknotet, in dem das Mädchen neben ihr über die Wege hüpft, eine ernsthafte Tänzerin, ein junger Vogel, der seine Schwingen prüft. Beide, die alte Frau und die Kleine, gehen versunken zwischen den Leuten, mit glänzenden Augen und sprechen wenig, ein leidenschaftliches Paar. Sie bleiben für sich, im Gedränge, im Bus, im Einkaufszentrum. Martins Tante und ihre erste Vertraute, die Großmutter und der einzige ihr verwandte Mensch. Sie bücken sich, heben etwas vom Boden auf, wenden sich einander zu und bücken sich wieder. Sie sammeln Herbstblätter, rote, goldene, geflammte, die allerschönsten, die kostbaren, und halten sie gegen das Licht.

Frau Jacob als letzte, in einem neuen, seidigen Nachthemd jetzt. Sie nennt es natürlich champagnerfarben, wie es ihrem Mann, dem lange verstorbenen, in der kurzen Ehe gefallen hätte. Im Spiegel bemerkt sie, wie gut ihr rosa gepudertes, duftendes Gesichtchen und das sanft gleißende Gewand zusammenpassen, und sie sagt: »Ach!« Niemand wird sie darin sehen, höchstens Pfleger und Arzt, wenn sie ins Krankenhaus muß. Dabei fällt ihr ein, wie ihr einmal, zwei, drei Jahre nach dem Tod ihres Mannes, etwas Schreckliches zustieß, denn damals lebte sie noch in einer heftigen, sicheren Trauer, in einem ganz unerschütterlichen Gefühl auf ein Ziel zu. Die Empfindung für den Wert der einzelnen Tage hatte sie verloren, wertvoll war ihr nur die Annäherung, die Zuspitzung ihrer geheimen, aufrechterhaltenen Liebesgeschichte in ihrem eigenen, erwarteten Tod. Ein Bruder, Schwager, der Vater, sie erinnert sich nicht, war zu Besuch. Sie weckte ihn morgens durch ein Klopfen an der Tür und hörte durch das Holz die Erwiderung, das heisere, rauhe »Ja« eines erwa-

chenden, faul im Bett ausgestreckten Mannes. Wie mußte sie
da erstarren, hinter der Tür, in einer so heißen Sehnsucht, als
hätte ein vergessener Instinkt springlebendig auf ein vertrautes Signal reagiert. Nun war es geschehen, die natürliche
Trauer half ihr nicht mehr. Sie wurde nicht mehr so einfach
von der Welt abgeschlossen, sie geriet in eine lang andauern-
de, furchtbare Zerstreuung, bis sie begriff, daß es von nun an
eine Sache des Entschlusses sein würde, die Höhepunkte ihres
Lebens, die immer neu betrachteten und so veränderten und
mit ihrem Weiterleben umrahmten Erinnerungen zu benen-
nen und zu bestimmen, zwischen Angeboten und Verheißungen eine Folgerichtigkeit für sich selbst zu wünschen und
danach auszuwählen, Freuden, glückliche Zustände anzunehmen oder links liegenzulassen, je nachdem, ob sie ihrer
noch zu vollendenden Liebesgeschichte, dafür hatte sie sich
entschieden, nutzten oder nicht. Sie lächelt über ihr Nachthemd, das niemand ansieht, wie damals, als es ihr gelang, über
ihren schönen, von da ab ungewürdigten Busen zu lächeln. Es
würde ihr nicht gefallen, daß ich mir das häßliche, so ganz und
gar reizlose, schmucklose Fräulein Hoffmann, dem sie
manchmal an der Haltestelle begegnet, als ihre Schwester
vorstelle. Ich frage sie aber nicht danach. Das spartanische
Fräulein in Halbschuhen und Lodenmantel, so düster, so
schroff, das jeden abgeknauserten Pfennig in die Sammlungen
für die Dritte Welt steckt, arbeitet in einem Pfarrbüro und
nutzt alle Angebote kirchlicher Veranstaltungen. Wer sie dort
einmal laut und sehnsüchtig singen gesehen hat, ein blöken-
des Schaf, ein heulender Wolf, eine triumphierende Amsel in
der Frühlingsdämmerung, erkennt ihr feuriges Herz. Draußen geht sie mit strengen Schritten ins Büro, nach Hause,
wohin sonst. Das sind andere Zwillinge als die in Ruths
Frisiersalon, aber beide, Frau Jacob und Fräulein Hoffmann,
kennen keinen Alltag und keine Zufälligkeit, jedoch das schöne Gefühl, ohne Furcht zu sein, wenn es der Tradition nach so
sein müßte, nicht aus Empfindungslosigkeit, nicht blind für
Gefahren, sondern über sie hinaus.

Die Katzen stehen alle untereinander in Verbindung, egal,
wo man sie trifft, um das einzigartige Katzenwesen gemeinsam darzustellen, ohne Abriß, über die Länder verteilt, ein
großes Netz. Jeder Knoten darin ist eine Katze. Ihr Machtbe-
reich gilt immer bis zur nächsten, die Fäden sind ihre geheim-
nisvolle Verständigung.

Teil II

Damals, im November, setzte meist in den Morgenstunden der Nebel als Schwächung der Konturen ein. Zwischen den Dächern und Bäumen fand ein sanftes Anfüllen statt, eine graue Auspolsterung und Geheimniskrämerei in den Anfängen. Bis zur Dunkelheit folgte dann ein enger und enger werdendes Einspinnen des Hauses. Ich empfand es als Zärtlichkeit, die eigentlich immer weitergehen müßte, bis man an ihr, nachdem sie die Wände durchdrungen hatte, nach einer stillen Ohnmacht erstickte. Aber auch als ein Ein- und Ausatmen, als sich hebender und senkender Brustkorb wich der Nebel oft vom Haus zurück und schwappte wieder heran. So jedenfalls dachte ich es mir gern: ein stufenloses Annähern oder ein regelmäßiges Hin- und Herschwanken. Manchmal traten die Goldrutenstauden aus dem farblosen Hintergrund der kahlen Büsche, feurig gezeichnet, und blasser, doch ausreichend, um seine Anwesenheit zu verdeutlichen, wiederholte sich der Glanz auf den Baumstämmen. So ragten aus dem Garten nach einer Weile aus dem bleichen Dunst überall kleine, leuchtende Stücke, auf den Himmel, den ich von meinem Platz aus gar nicht sah, als einen lichterfüllten hinweisend, stärker, als er es in nackter Ansicht je sein konnte. Gleichzeitig breitete sich in mir ein unbegründetes Vergnügen aus, verdämmerte wieder, ohne Ergebnis, doch angenehm für den Augenblick. Die Leiter warf einen Schatten gegen das grüne Gartenhäuschen, das war etwas Einfaches. Aber ich brachte es nicht fertig, den Blick davon zu wenden. Nichts verbarg sich dahinter, aber es berührte mich so sehr. Ich sagte mir auf: Leiter! Gartenhäuschen! Schatten! und wußte: Ich hätte es hundertmal tun können, das half gar nichts. Einige Tage vorher hatte ich das Frühstück unterbrochen und war auf den Nebel zugegangen bis an das Ende des Gartens, wo er so kompakt stand, und dann war er nirgends sichtbar in meiner Nähe, er schien sich vor meinen Schritten zu entfernen. Nur die Luft tropfte. Ich sah hinten von der Wäscheleine in die Küche: Da hatte ich eben noch, dem Grau gegenüber, im Gemütlichen, Hellen zu sitzen geglaubt, und nun hing die Lampe düster in einem fast schwarzen, mit Staub gefüllten, melancholischen Zimmer, in das ich gar nicht mehr zurückwollte. Zwischen Erde und Himmel waren gewölbte, schimmernde Flächen errichtet, die sich aber der Berührung entzogen. Mein Vater schien auf dem Tablett eines riesigen silbernen Teegeschirrs zu stehen. Er trug einen dicken Schal und hielt den Kopf der Erde zugeneigt. Mit einer Harke kratzte er Blätter vom Rasen, sie waren feucht und mit dem Gras verklebt. Er rührte sich kaum vom Fleck und steckte ein Hustenbonbon in den Mund. Wie langsam er es auswickelte! Wenn die Eichelhäher schrien, schwang er seine Harke gegen sie, um sie noch mehr zu reizen. Fragte ich ihn, ob er den Fluß riechen könne, schloß er sofort die Augen, legte den Kopf in den Nacken, blies großartig die Nüstern auf und saugte die Luft ein. Endlich nickte er mehrmals und sagte kühl: »Nicht die Spur!« Ich kannte dieses Gesicht gut, so sah er immer aus, wenn etwas ein Witz sein sollte. Es gab bei ihm noch oft den Reflex, eine Schlagfertigkeit mit einem Geldstück zu belohnen.

Ich hatte angefangen, ohne festen Beruf mit meinem pensionierten Vater in diesem kleinen Haus zu leben.

Jeden Morgen kam er langsam und laut die Treppe herunter. Vor der Küchentür hörte ich ihn noch einmal keuchen, den Atem sammeln zu einem jung wirkenden Morgengruß. Dann mußte ich, nach einer stillen Verabredung, sobald er eintrat, herumfahren, als hätte er mich beim Dösen ertappt, und leise aufschreien, und warum sollten wir einander um diese Zeit enttäuschen? Ich sah in sein zufriedenes Gesicht und prüfte mit dem üblichen leichten Schrecken die blauen Ringe, eine schöne Farbe, für sich genommen, unter seinen Augen. Ich selbst hatte schon vorher gefrühstückt. Dabei ließ ich das Rübenkraut aus wechselnder Höhe aufs Butterbrot sacken und sah zu, wie es sich vor dem Auftreffen wand und drehte, immer geschwinder, immer gelenkiger, bis die Schnittfläche vollständig vergittert war durch meine Geschicklichkeit. Ich stellte mir die Werktätigen vor, die sieben Minuten von hier entfernt die S-Bahntreppe hinaufstürzten, ohne ein Wort zu sagen. Viele nahmen zwei, drei Stufen auf einmal. Die wenigen, die runterrannten, machten alle die gleichen krummen Knie. Ich erinnerte mich an keinen einzelnen, nur an die für Momente dicht besetzte, wie um Menschengröße höher verlagerte und dort, in der schiefen Ebene der Köpfe, unordentlich vibrierende Treppe. Einen festen Standpunkt für diesen Eindruck gab es nicht. Die Werktätigen! Ich spielte mit dem Rübenkraut wie als Kind schon, und niemand machte mir Vorhaltungen, daß ich nicht aufhörte, noch immer nicht, und einen Ehrgeiz dabei hatte, dem Schnittenrand sehr nahe zu kommen, ohne ihn zu überschreiten. Dann leckte ich den Sirup von den Fingern und gab mich widerstandslos der Reihe nach einem Rieseln in den Ohren hin, einem Sausen im Kopf, einem noch gut erträglichen Schmerz, den ein Zehenkrampf verursachte.

Ich hatte nach dem Abitur und abgebrochenem Studium ohne Pausen, ohne großen Erfolg in der Werbeabteilung einer Bank und den Kulturabteilungen zweier Industrieunternehmen Geld verdient und ebenfalls fast ohne Unterbrechung nacheinander, da es einmal begonnen war, mit drei Männern zusammengelebt, einmal lang, zweimal kurz.

In diesem November dachte ich oft: Es könnte vorgestern sein, es könnte übermorgen sein. Aber es passierte auch, daß ich mich täuschte: Mit dem mehrfachen Ruck eines jeweiligen Kopfhebens räumte eine sachliche Strenge das Glänzen, als wäre es eine Entgleisung, fort. Es herrschte etwas, das Bestand hatte, die Urlandschaft des Nüchternen, Alltäglichen, Vernünftigen, so wie ich als Kind die Erwachsenen empfunden hatte: nicht einmal böse, aber neutral, aufrecht stehende, zu Körpern geformte Neutralitäten. Wenn man sie berührte, kriegte man eine Gänsehaut, wie an solchen Tagen. Es erkältete mich durch die Scheiben hindurch. Mit meinem Vater aber verstand ich mich immer besser. Ich hatte das Gefühl, es würde von der Küchendecke auf uns herunterschneien, so dicht, daß wir uns kaum über den Tisch hinweg erkennen konnten, und ohne daß sich der Schnee auf dem Boden ansammelte, kamen wir doch schmerzlos, angstlos in diesem rasenden Vorbeisausen der Flocken um. Ich teilte es ihm auf der Stelle mit, das gefiel ihm. Ohne Zögern dachte er sich etwas Schlimmeres für uns beide aus und strich mir zum Schluß über die Wange mit einem zärtlichen, ein wenig mitleidigen »Wir Träumer!«. Wenn ich wollte, konnte ich an einem Alltag, zur normalen Arbeitszeit, am Fluß spazierengehen. Es roch dort gut. Links stand die rote Sonne über grünem Wasser, aber die Schiffe wurden in diesem Licht schon alle grau. Sie rauschten und brausten dem Meer zu. Sie zogen ihm still entgegen mit wachsender Entfernung vom Hafen, immer siegesgewisser und ohne Aufenthalt. Schließlich nahm der Horizont sie an sich, als hätten sie mit ihm nicht eine Zukunft, sondern eine heroische Vergangenheit erreicht. Ich wäre dann gern bis zur Mündung gewandert und hätte dabei durch die Schnelligkeit der Vorwärtsbewegung die Luft zu einem Gegenzug gezwungen. Hier ging ich manchmal mit Ruth, wenn sie, nachdem sie eine Weile durchgehalten hatte mit ihrem Entschluß, vor der Welt nur noch gemessen aufzutreten, den Stau der Wörter nicht mehr ertrug. Wörter in Stürzen, in Stürmen, unwichtig welche, brachen aus ihr heraus, bis sie wie ein schlaffer, ausgeschütteter Spielzeugsack auf eine Bank im Freien, auf einen Stuhl im Café sank.

Auch damals blieb ich abends immer länger auf als mein Vater. Ich klopfte locker an seine Schlafzimmertür, er schlug dann sofort als Antwort mit seinem Ring gegen die Bettkante und hustete ein bißchen. So verabschiedeten wir uns zur Nacht. Später betrachtete ich mich vor dem großen Spiegel in meinem Zimmer. Ich fühlte nichts Besonderes dabei, beinahe eine Gleichgültigkeit. Aber ich wünschte mir dann meist, ein einziges Mal zu wissen, wie es sich mit einem fetten Körper lebt. Einmal hätte ich mich gern in einem solchen Schwappen und Wogen befunden, so fleischig und schwer. Ich dachte mir, daß man wohl durch das Gewicht und den Umfang immerzu an sich selbst erinnert würde. Wenn es soweit war, daß ich mich als vertraute, auswendig gewußte Oberfläche ansah, drehte ich mich weg, etwas daran erschreckte mich. Vom Bett aus, mit einer kleinen Lampe neben mir, beobachtete ich den Raum. Um diese Zeit freute ich mich, wenn ich Spinnweben entdeckte und sie leicht über mir schwangen. Ich ließ die Augen, in wachsender Schnelligkeit zwischen den Gegenständen hin und her laufen. Vielleicht waren so die festen Distanzen zu verändern? Sobald ich das Licht löschte, hätte ich gern jemanden neben mir gespürt. Die Finsternis bröckelte, die Fetzen wollten sich an der Abrißkante wieder vereinigen, es wurde nur schlimmer dadurch. In anderen Nächten stand die Schwärze still, verdickte sich jedoch zu einer Übermacht. Aber ich brauchte ja bloß einzuschlafen, und schon war alles vorbei.

Mein Vater ist jünger als Onkel Günter, dafür aber schon lange Witwer. Meine Mutter war die wesentlich jüngere Schwester von Tante Charlotte. Wir hatten immer in ziemlich kleinen Verhältnissen gelebt. Als sich das im Laufe der Zeit ein wenig änderte, bemerkten wir es in Wirklichkeit nicht. Das Häuschen, das mein Vater und ich jetzt bewohnen, außerhalb der Stadt, in einem Vorort, dessen Zentrum man aber noch Dorf nennt, ist sein Eigentum – ein großes Grundstück gehört dazu – und inzwischen, über die Jahre hin, ein beträchtlicher Besitz geworden. Als uns beiden das so recht zu Bewußtsein kam, faßte ich den Entschluß, eine Weile mit der regelmäßigen Arbeit aufzuhören. Nie wieder wollte ich, für die Repräsentation einer Firma, Ausstellungen zu Ehren alter Schauspieler, Wettbewerbe mit naiver Malerei und reimenden Kindern organisieren. Für immer würde ich es nun komisch finden, mich kurzfristig gefreut zu haben an der allgemeinen Kategorie der dramatischen Aufarbeitung solcher Sachen und am Gelingen derartiger Unternehmungen. Besonders überzeugt war ich allerdings nie gewesen, geschickt ebensowenig. Es ging immer gerade so, an halbverantwortlicher Stelle, obschon es mich anfangs überraschte, in der Zeitung von Ereignissen zu lesen, die ich, wo vorher gar nichts gewesen war, mit Überlegung hergestellt hatte. Einmal, nach einer sehr anstrengenden Woche, passierte es, daß ich mich, als das rote Licht der Spülmaschine bei meiner Rückkehr noch leuchtete, fürchtete, sie abzuschalten, aus Widerwillen vor diesem kleinen Erlöschen. Aber trotz meiner Erschöpfung dachte ich gleich hinterher: Warum zerstört mich nichts? Aus Wut, daß mich nie etwas zerbrechen wollte, habe ich schon als Kind oft selbst Dinge kaputt gemacht und einen Neid auf diese glücklichen Gegenstände gespürt. Besessen war ich. Nie hat etwas, so wie ich wollte, auf mich reagiert. Dornen habe ich mir in die Finger gepreßt und Nähnadeln flach unter der Haut durchgestoßen. Nachmachen wollte das trotz aller Anstiftungsversuche auch keiner.

Jetzt aber sah ich morgens an den Ästen die Regentropfen schillern, der ganze Garten wurde so ein zusammenhängender Raum. Ab und zu brachte ihn eine Drossel zum Einsturz. Auch wenn nur ein paar Tropfen fielen, schien doch bis zu den hintersten Bäumen alles klirrend einzubrechen. Im grauen Himmel stand eine undeutliche Sonne, nichts weiter als ein Reflex, ein mattes Glanzlicht, als würde ich mich, wie mein Vater im Nebel, in einem gewaltigen Wassertropfen befinden, und nur zu Beginn konnte man sicher sein, daß es ein Boden war, auf den man seine Füße setzte. Ich sah auch die Sonne weiß, scharf umrissen, ohne Ausbreitung fast, manchmal verschwand sie, aber an einem anderen Ort, wegen der verschiedenen Dichte der Wolkenschicht, bildeten sich große Lichtflecken, so daß die Sonne innerhalb kurzer Zeit an immer anderen Plätzen des Himmels nacheinander aufzutauchen schien. Auch fuhr ich im Dämmern über die Autobahn und sah die sanfte, helle Gräue der Welt zu beiden Seiten über den Äckern. Dahin laufen! dachte ich. Wann würde mir grausen in dieser ausgeräumten Landschaft? Ich dachte mit einer Vorfreude: Etwas Unendliches würde mich dahinten verschlucken!

In der ersten Zeit meiner Freiheit habe ich fast geweint vor Erleichterung, nur so vor mich hinschauen zu dürfen. Ich tat es so konzentriert, daß ich oft nicht begriff, daß ein paar Tage vergangen waren, ohne Spur, und ich fragte mich, ob es denn, da sich nichts nach außen abbildete, überhaupt wirklich sei. War denn das Denken und Hinsehen eine Handlung? Eine Leistung? Wenn ich geschlafen hatte, wollte ich noch immer länger schlafen. Das war eigentlich schon früher so, aber jetzt konnte ich dem nachgeben. Immer sollte etwas, in das ich mich vertieft hatte, nicht mehr aufhören, es sollte endgültig sein. Ja, so verhielt es sich nämlich: Wenn eine Sache gut, ein Wortwechsel gelungen war, wünschte ich, der Gesprächspartner solle sich entfernen, damit es nur keinen Abfall gäbe, nach diesem besten Augenblick. Wenn doch die Dinge erstarrt wären, die Liebe in der Umarmung, die Trauer in der Trauerhaltung, das Leben zu einem lautlosen Eintritt in den Tod! Wie mein Vetter Martin ging auch ich seit jeher gern in den Zoo, aber anders als er genoß ich hauptsächlich, daß man den Leoparden, den Bären, das Krokodil jederzeit in seiner Wildheit, eingerahmt und festgebannt, bestaunen konnte.

Mein Vater hatte Äpfel auf einem Tablett gesammelt. Es stand auf einem Tisch unter dem Glasdach der Terrasse, und auch Anfang Dezember lag morgens der Glanz um jeden einzelnen von ihnen herum. Feurig grün leuchtete eine Weile das leere Nylonnetz vom Meisenbällchen des Vorjahres. Wenn ich hinter den Jalousien aufwachte, drangen die Geräusche viel näher an das Haus heran, als wäre da ein pochender, klopfender Angriff auf die Fenster, Türen, Mauern. Ein Freund mit einer bunten Kappe holte mich häufig ab zu Gängen durch den Park. Dort schienen die wirren Eichenäste den heruntersackenden Himmel rechtzeitig aufzuhalten, und es war mir, als kämmten sie, wenn ich unter ihnen ging, mein Haar. Es war ein angenehmer, fröhlicher Mann mit einem kleinen Buchladen, in dem ich, wenn ich wollte, aushalf. Ich konnte gut mit ihm spazierengehen, ohne zu sprechen. Wir umarmten uns manchmal dabei. Nachts hielten wir Ausschau nach Eulen in den Astgabeln. Mit seinen Gummistiefeln watete er durch jeden Matsch. Er hieß Georg und fütterte gern die Tiere. Ich sah ihn mit einer Stabtaschenlampe mehrere Minuten ein Kerzenlicht anblinken. Die ersten Schneefälle beobachtete ich von der Küche aus. Ich konnte kein System in dem Wehen und Taumeln der Flocken erkennen. Aber das Umwickeltwerden gefiel mir, als wäre ich ein Verletzter, der vorsichtig in ein Mullgehäuse gepackt wurde.

Veronika meldete sich. Sie erzählte, sie kaufe jetzt ohne Skrupel, ja, mit einer wahren Begeisterung, solange das Geld für den Monat reiche, raffinierte Unterwäsche und italienische Schuhe. Es sei ganz anders als früher, jetzt habe sie einen Freund, der sich an diesen Dingen in so aufrichtiger Leidenschaft errege, daß sie wie eine Verrückte kaufe und dafür Mahlzeiten überschlage, es diene ja einer echten Flamme, es komme ihr jetzt wie eine Tugend vor, das Geld zum Fenster rauszuschmeißen. Jetzt kaufe sie, so fühle sie es tatsächlich, beinahe wie eine Heilige mitten im blinden Konsumieren der anderen, die sie verachte, die sie bemitleide. Was sei so ein Liebhaber doch für ein Geschenk!

Ein Tag begann trüb, ereignislos, stumpf. Das einzig Lebhafte kam vom Fluß herüber, das laute Tuten der Schiffe, dann knurrte die Katze leise. Später aber: anschwellender Glanz hinter dem Wall der Zweige. Sofort frischten die Farben auf. Alles, rote Wäscheleine, Wiese, Birkenstämme, Blätter auf dem umgegrabenen Acker, hielt nur mit Mühe seine Intensität als auf dem Sprung liegende Kraft zurück, und ganz simultan das Anwachsen einer Freude, einer Erwartung in mir. Dann entwickelte sich aus dem Glanz ein weißer Qualm, eine Zunahme des Nebels also, aber auch das war etwas Sensationelles. Nun standen die Apfelbäume auf einen Schlag fett, massig, schwarzer Speck, vor dem restlichen Garten, der zu einem einheitlich blassen Hintergrund verschwamm. Der wurde wieder durchsichtig, ein Hin und Her, wieder das Versprechen für fünf Minuten, das unbestimmte Versprechen durch das Licht, auf der Hälfte vertikal durchgehend an der weißen Fahnenstange. Was unterscheidet denn, fragte ich mich, diesen Tag von einem im November? Schon hatte ich das vergessen. Konnte denn ein Monat vergangen sein? War alles so wegfließend unter den Fingern, durch den Verstand hindurch? Weit unterhalb des Verstandes weggeschafft wie die kleine tägliche Arbeit von den Händen?

Bei Besuch saß ich korrekt auf dem Stuhl und schwankte doch haltsuchend an den Wänden entlang, verfolgte das mit mehr Interesse als alles andere, fragte aber nach Gesundheit, Beruf, Rezepten und versuchte, den Leuten in die Augen zu sehen beim Forschen nach einem Glimmen vielleicht, ich wußte es nicht genau. Ich fand nie etwas, verzichtete aber auch nie auf die knappe Prüfung und begab mich schnell, ohne Trost, ohne Kummer, zurück auf das Schweifen und Lungern, in das qualmartige Wogen innerhalb der natürlichen Raumbegrenzung. Ich klemmte die beiden Zeigefinger über die Daumen, die Mittelfinger über die Zeigefinger, die Ringfinger über die Mittelfinger, die kleinen über die Ringfinger. Zum Schluß packte ich mit den so verkorksten Händen meine Ohrläppchen. Dem Rauch meiner Zigarette aber sah nur einer liebevoll nach, all den Windungen bis zur Decke: die Katze mit ihrem biegsamen Hals. Ich schlug auch freundlich mit der Faust auf den Tisch, wenn ich Lust auf Bewegung hatte. Das verstand mein Vater sofort. Er hielt mir seine große, offene Hand hin, und ich konnte, so fest ich wollte, reinschlagen, er fing es federnd auf. Wenn Leute gingen, sagte er oft, noch bei der Verabschiedung, an meinem Ohr: »Komische Vögel!« Damit schmeichelte er sich bei mir ein, das war ihm bekannt. Wie sollte man es mir aber recht machen: Kamen routinierte Berichterstatter vorbei, blieb ich, überrumpelt von ihren Redewendungen, zurück mit dem Nachhall ihrer Fragen, deren Beantwortung sie nicht abwarteten. Da schossen die Flinken schon wieder davon, da stand ich an der Haustür in meinem umständlichen Ernst! War ein Gespräch angeregt verlaufen, hatten sich ja doch für mich nur zwei gleichgültige Welten mit kühler Aufmerksamkeit berührt. Andererseits störte mich das intime Betasten geschlossener Zusammenhänge in einem fremden Gehirn. Vergnügen machte es mir allerdings, durch das Verraten zweitrangiger Geheimnisse eine verschwörerische Stimmung zu erzeugen, das war schon in meiner Kindheit so. Aber aus dieser Neigung entstand meist eine Unzufriedenheit. Meine Vertrauensbeweise, meine Indiskretionen wurden in den seltensten Fällen als das gewürdigt. Entdeckte denn nie jemand unter meinen Sätzen den versteckten, den gelungenen Satz, meine Anstrengung, ihn zu formulieren, den Glücksfall unter ihnen allen? Ich konnte machen, was ich wollte, es blieben nur Verrenkungen.

Wenn ich in die Stadt, zu Georgs Buchhandlung fuhr, sah ich in der S-Bahn viele Frauen, die unterwegs waren zum Arzt, zum Frisör, zu den Verkäuferinnen, um sich hätscheln zu lassen. Es mußte etwas Verführerisches sein. Man wurde, ohne Anstoß zu erregen, verwöhnt, sofern man die Spielregeln beachtete. Um den Hals fallen durften sie dem Frisör, dem Arzt, der Verkäuferin nicht, sie mußten unbeteiligt tun, dann klappte es. Einmal, als ich versehentlich in eine besetzte Ankleidekabine trat, stand dort eine Frau und probierte gar nicht an, wie sie hier sollte, sondern weinte bloß. Georgs Laden befand sich in der Nähe der Schlachthöfe und wurde von ihm allein betrieben. Er kam so eben über die Runden, hatte einen alten Ölofen in der Ecke stehen und nackte Holzregale an den Wänden. Nicht selten, wenn ich ihn ablöste, damit er durch Taxifahrten Geld dazu verdienen konnte, saß ich dort zwei Stunden, allein mit den Büchern und Zeitschriften, und kein Mensch wollte etwas kaufen oder nur ansehen. Ich dachte an die dunkle, warme Stadtbücherei zurück, wo ich mit Tante Charlotte früher ehrfürchtig an den Buchrücken entlanggegangen war und anhörte, was sie mit der Leiterin beratschlagte. Wie sie sich ereifert hatte, wie sie das Wort »fabelhaft« sagte, als würde ein Fächer blitzschnell aufspringen! Hier konnte ich sie mir nicht vorstellen, eigentlich gar nicht mehr in einem modernen Buchgeschäft. Hier war alles zu brüchig, in den gutgehenden Innenstadtläden zu hell, zu fix. Ich glaube, für sie mußten Bücher einen festen Platz haben, einen sicheren Hafen, man holte sie ab zu einer Fahrt mit den eigenen Sinnen und brachte sie wieder heim. In dieser allgemeinen Flüchtigkeit entstanden für sie keine deutlichen Figuren. Zum Verkaufen eignete ich mich nicht von vornherein. Ich wurde wütend, wenn Leute meine Empfehlungen nicht befolgten. Dann riet ich den nächsten Käufern aus Rache überhaupt nicht mehr. Anschließend ging ich oft in ein Café. In einem konnte man um eine Glassäule, einen viereckigen Lichtschacht sitzen. Man sah den

Passanten auf den Kopf. Schnee, Regen, Hagel stürzte senkrecht an den Innenscheiben vorbei, wie mitten in den schön geheizten Raum herein. Es behagte mir, mit diesen Menschen, die einander kaum beachteten, vermischt zu sein, eingetaucht, ein Kiesel am Kieselstrand, wie in einem Thermalbad mit ihnen zusammen schwimmend, ohne unangenehme Luftzüge, diese Nähe ohne Verletzungen, diese sachten Schritte auf dem Teppichboden. War die ganze Zeit niemand im Buchladen gewesen, hatte ich Lust, die Leute genauer anzusehen. Ich setzte dann für mich die Paare an den Tischen zu neuen zusammen. Hier zeigte mir Martin früher einmal eine schöne Frau. Mit rauher Stimme wies er mich achtsam, damit ich ja nicht gleich verräterisch den Kopf nach ihr drehte, auf sie hin. Als sie stand, breithüftig, lachte er beschämt über seinen Irrtum.

Georg, mit bunter Mütze, aber ohne Schal, holte mich, da es selbst bei ihm vor Weihnachten mehr zu tun gab als sonst, nur noch einmal vor Jahresende zu einem Spaziergang ab. Die Schiffe fuhren, als würden beleuchtete Häuser vorbeigezogen oder langgestreckte Landschaften, durch Lichter markiert. Man reimte sich, von den gelben, roten, grünen Punkten schließend, die dunklen Umrisse zusammen. Wo Licht auf den Fluß fiel, schien über schwerem, flüssigem Silber lockerer Rauch zu lagern. Die dicken Stämme der Kastanien am Uferweg wuchsen schwarz und rechtwinklig aus dem weißen Boden, ohne Natürlichkeit. Beim Vorwärtsgehen bildeten sich an uns beiden Giebel und Dächer. Wir wurden selbst zu beschneiten Häusern. In einem Wirtshaus am Strand waren wir die einzigen Gäste, die nicht geduzt wurden. Hier empfanden wir unsere Gespräche wie eingerahmt, wie auf einem besonderen Untersatz, in dieser leisen Öffentlichkeit. Wir spürten, daß nur eine Haut uns beide umspannte, daher nahmen wir das Fremde um uns herum gemeinsam, als uns geltende Berührung wahr. Auf dem Rückweg sahen wir Straßen, die gerade von einem Auto in ihrer Weiße zum ersten Mal befahren wurden: vor dem Wagen, im Scheinwerferlicht, die geschlossene, zarte Fläche, dahinter die schwarzen Spuren. Am nächsten Morgen betrachtete ich von der Küche aus die zierliche Dichte und Verästelung des Gartens, ein zerbrechlicher Wall vor dem Nebelrauch, ein zärtliches Herandrängen, eine Zärtlichkeit zu einem ansteigenden Trommelwirbel, zur Hälfte immer das Schwarz der Unterseiten. Alles war aufgeteilt nach diesem Prinzip. Man sah kaum etwas vom Himmel durch die weißen Gebüsche, die an den Bäumen plötzlich bis zu den Kronen hochwucherten, aber doch, daß er, wiederum wie mit einem hörbaren Ton, zu einem tiefen Rosa und fetten Gelb anschwoll. Hier ging die Sonne schon um halb vier hinter dem spitzen Dach des Nachbarhauses unter und hinterließ einen Himmel, der kurze Zeit kindlich rosa, altfrauenhaft rosa war, rosa wie die Haut kleiner, gebadeter Kinder, rosa wie die Sommerkleider älterer Frauen. Er wechselte dann in ein kräftiges, gewölbtes, kuppelartiges Gold in weitem Umkreis. Der Schnee war nicht weggetaut, schien sich aber zusammengezogen zu haben über Tag. Die Drossel schrie lange immer fünf Töne und bewegte dazu rhythmisch den Schwanz. Nach einer Weile hörte man es nicht mehr, dann bemerkte man es wieder: die Ohren hatten sich frisch gemacht. Auch auf dem vorletzten Apfel am Baum, an dem ein Vogel pickte, lag Schnee. Ein Stück über der Stelle, wo die Sonne für den Garten unterge-gangen war – am Fluß würde sie noch, rot über dem Wasser stehend, eine breite Lichtbahn erzeugen –, zog am heiteren Himmel eine einzige, dumpf-blaue Wolke mit hellrotem Rand schnell weg nach rechts. Sie paßte auch hier nicht hin. Als ich zwei Stunden später vom Einkaufen zurückkam, glänzten alle Sohlenabdrücke in der flachen Schneeschicht gläsern, der schwarze Boden schien durch unter dem Licht der Laternen.

Mein Vater hatte Jahre allein gelebt und konnte sich gut selbst versorgen. Wenn ich durchgefroren nach dem Aushel-fen in Georgs Laden die Haustür aufschloß, setzte er Tee-wasser auf. Es war einfach. Er freute sich, dann mit mir zu sprechen. Ich mußte kein schlechtes Gewissen haben, daß ich ihn seiner Einsamkeit überließ, er kannte das in schlim-merer Form. Er war Finanzbeamter gewesen, nicht so gebil-det wie Onkel Günter und Tante Charlotte, aber ein ausge-zeichneter Schachspieler, und er hat daher noch immer viele Freunde. Erst jetzt fällt mir auf, wie wenig Gedanken ich mir über ihn und Georg machte. Schon in der S-Bahn und auf dem kalten Heimweg sehnte ich mich nach der Bade-wanne. Da lag ich am Abend in einem nachgiebigen Futteral, und die ausgestreckten Beine stiegen periodisch an die Ober-fläche. Dann tauchte auch für eine Sekunde der übrige Kör-per aus dem Wasser auf, und hier betrachtete ich ihn, wo er gleich in die Hitze zurücksinken konnte, immer mit ein bißchen Stolz. Er veränderte sich im Warmen zu seinem Vorteil, ich selbst sah es ihm an und konzentrierte mich auf die Tröstungen, die meiner Haut und allmählich meinem Gehirn zuteil wurden. Es war eine Durchflutung meines ganzen Wesens. Ich fühlte mich als glückliche, von oben bis unten gleichartige Masse. In jedem Partikelchen war ich ohne Einschränkung anwesend. Es gab keine Hierarchie mehr zwischen Fußballen und den nassen Haarspitzen und den auf dieser Strecke dämmernden Gedanken und Empfindungen. Die Katze wanderte mit großer Vorsicht auf der Badewannenkante, versuchte meine Knie, wenn sie aufstiegen, anzutippen und staunte, bewachte den rauf und runter atmenden Wasserspiegel mit solcher Inbrunst, daß auch ich, die Badende, dadurch in eine sich steigernde Verblüffung geriet. Nach einer Weile begannen sich dann leicht, und eine gewisse Distanz beachtend, als wären sie in der Lage, mir selbst gegenüber eine Art Intimsphäre zu respektieren, Erinnerungen an mir vorbeizubewegen. An diesem Nachmittag war Veronika in den Laden gekommen, um ihr Frisch-Verliebtsein zu melden. Sie benachrichtigte mich darüber in nicht ganz gleichmäßigen Intervallen, die mußte sie im Blut haben, vom Ende der alten und noch im selben Satz vom Anfang der neuen Liebe. Eine fast monotone Wellenlinie, dachte ich damals, an den als statische Punkte zurückgelassenen Männern entlang oder über ihre Köpfe hinweglaufend. Das hatte sie wieder gesagt, die vielfache, wörtliche Wiederholung: »Ich bin frisch verliebt!«, und wie jedesmal das Wunder fertiggebracht, den schematischen Verlauf, der schon in dieser Formulierung sich vorzeichnete, ganz und gar aus den Augen zu verlieren, aus dem ahnungslosen, also schmerzfreien Bewußtsein, während sie ihn tatsächlich getreu, ohne Abweichung, fortsetzte. Ich betrachtete nun das Aufundabgleiten meiner Beine als etwas Bedeutungsvolles.

Der letzte Morgen des alten Jahres begann rosig, lau. Gegen Mittag schwand der Glanz, und hinter dem hellen, hermetischen Himmel stieß die kleine Sonne vor zu beißendem Licht, wurde flach, blaß, unsichtbar und fraß sich von neuem durch. Der frühe Nachmittag aber stand plötzlich still, ein allerletztes, pathetisches Verharren, eine alte Frau im Wollmantel ging geheimnisvoll an der Hecke vorbei, ein Mann fuhr auf dem Fahrrad schnell in umgekehrter Richtung. Da war das Datum mit einem Schlag gerechtfertigt und angenommen. Als ich am nächsten Tag mit meinem Vater zum Fluß kam, leuchteten die Leute vor Neujahrsbewußtsein und schritten großartig aus. Ein dünner Schneefall setzte ein: Schon kehrten alle trübe um. Beim unentwegten Rieseln der Flocken schien das ganze neue Jahr mit allen zukünftigen Augenblicken dahinzuschneien und zu sinken. Aber etwas geschah doch noch: Wir hatten wie bisher Äpfel für die Vögel auf die Wiese gerollt, möglichst sachte, damit sie in der weichen, weißen Fläche nicht gleich verschwanden. Da hörte ich ein Geräusch, einen Schrei, der vom üblichen Rumoren der streitenden Drosseln abwich. Es war etwas an diesem Ausruf gewesen, keinesfalls aber die Lautstärke, das mich vom Stuhl hochfahren ließ vor Beunruhigung. Mein Vater schüttelte lächelnd über meinen Schrecken den Kopf, stand dann aber doch gemächlich auf. Durch die Scheibe erkannte ich einen besonders großen Vogel bei dem zuletzt geworfenen Apfel, und auch dieser Anblick wies, über den Umfang des Tieres hinausgehend, etwas Nicht-Normales auf, das aber nicht in die Augen sprang. Als ich die Tür aufriß, fuhr das Tier steil in die Höhe, ein Raubvogel also, der, vom Hunger hergetrieben, eine an diesem Platz sorglos fressende Drossel als bequeme Beute auf dem freien Feld geschlagen hatte! »Ein Falke wahrscheinlich, in unserem Garten!« wunderte sich mein Vater und schüttelte wieder den Kopf. Es mußte ihn wenigstens teilweise freuen: »Die Drossel frißt den Apfel, der Falke frißt die Drossel, die Würmer fressen uns!« fügte er hinzu und sah lange die Stelle mit dem zerstörten Apfel und dem aufgewirbelten Schnee an und hoch in die Luft, unwillkürlich Ausschau haltend nach dem Falken und seinem Fang.

Ab und zu überkam mich fast eine Freude, das kleine Haus mit seinem geflickten Dach und den roten Mauern so schützend bei aller Lichtdurchlässigkeit über mich gestülpt zu wissen. Einmal teilte die Wäscheleine den kaum sichtbaren Flockenfall nach oben in ein schläfriges Sinken, nach unten in ein dünnes, aber beharrliches Gestöber. Gegen zwölf erlosch ein rosa Licht über den Bäumen rasch im Grau, aber statt dessen, als wären die vorher erregten Erwartungen, die immer unbegründeten, ein Stück höher gesprungen, erschien darüber eine helle Ebene, ein abgeplattetes Himmelsgewölbe, das gleich aufreißen würde unter dem

Druck eines anschwellenden Lichts. Noch einmal spiegelte der Fluß jede Farbe in dunkel züngelnden Bahnen, als würden die Dinge heiser dabei. Der Himmel drückte gegen ihn, das Gefunkel der anderen Seite langsam einklemmend. Dann wurde es so kalt, daß die schräg aufs Ufer zulaufenden Wellen, wenn ein Schiff vorbeifuhr, die Eisschollen krachend gegen die Befestigungssteine schoben.

Manchmal hatte ich das Gefühl, als schnurre das Leben hinter mir zusammen. Es war gar keine Vergangenheit da. Sobald ich die Zeit, die dann hinter mir lag, verließ, ribbelte sich aller Inhalt auf. Es entstand nichts über den Augenblick hinaus, nichts Gestricktes, nichts Gehäkeltes. Es kam mir vor, als wäre ein stabiles System zerbrochen, das mich mit den Gegenständen verband. Alles zerfiel, es war unmöglich, sich länger ein Urteil über etwas zu bilden. Ich wußte nur noch die Namen der Dinge, nicht, wie sie sich zueinander verhielten, und empfand es als schlimmes Versagen. Sogar der Eremit mit der Hirschkuh und dem heiligen Paulus in der bis zum Himmel ragenden Wildnis ließ mich im Stich: nichts als Farbflächen. An einem anderen Morgen aber zwang eine anonyme Freudenbewegung die Katze, im Laufen aufzuhüpfen, und die Sängerin im Radio, gleichzeitig zu trällern. Dann mußte Georg allein auf seinen Laden achtgeben. Ich wollte sehen, wie der Rauhreif den Park mit einer in alle Winkel und Höhen reichenden Zartheit veränderte. Man wurde immer wacher im Verfolgen der Linien. Die Leute, auf diese Wandlung der Winterschroffheit in Fülle, Lieblichkeit, Beflaumung reagierend, bewegten sich anders, wie in einer Wohnstube, sorgloser, vertrauter trotz des besonderen Schauspiels um sie her. Ich wollte mein Leben mit diesem Ausschreiten in der grauen Flußlandschaft verbringen. Der Fluß ging über ins Eismeer. Der Einbruch einer Großräumigkeit hatte stattgefunden. Ein Schiff zog an der breiten Packeiszone entlang, ein Wesen für sich. Man konnte sich gar keine Besatzung darauf vorstellen. Es folgte, viele Jahre alt, für sich allein einem Signal, Ruf, Instinkt, unbeirrbar, ohne weiteren Sinn. Am Uferweg blieb eine Familie am hellen Tag vor einer großen Villa stehen, drei Kinder und die Eltern. Laut gestikulierend verteilten sie die einzelnen Zimmer, von den Fenstern schließend, unter sich, ungeniert vor dem Ungenierten.

Ich hörte meinen Vater morgens im Badezimmer heftiger

husten, so daß ich, wenn er in die Küche trat – er hatte nicht bemerkt, daß ich es nicht fertigbrachte, daraufhin zu erschrecken –, mit Angst die Ringe unter seinen Augen betrachtete. Die Farbe war noch immer schön, aber intensiver geworden, ein aus dem übrigen Gesicht herausgeschnittenes Blau. Ein paarmal schlich ich mich in den Flur hinaus, und in einem unbeherrschten Augenblick fand ich mich vor der Badezimmertür stehend wieder, mit zugehaltenen Ohren, als er sich dahinter so hilflos quälte. Sprechen durfte ich mit ihm nicht darüber, er drehte sogleich den Kopf weg und fing an zu flöten, und es mißlang ihm dann.

Im Café fiel es mir wieder auf: Manche Frauen haben im Alter eine so schöne, gebremst wilde Stimme, aber erst dann, wenn sie die Phase zurückgelegt haben, wo sich plötzlich Gesicht und Haare zu trennen scheinen, als hätten sie nie zusammengehört, jedes abgeschlossen für sich, zwei einander fremd und feindselig gesonnene Massen, obschon sie sich diesen Haß gar nicht leisten können. Wo aber war jemand, der den Raum verwandelte durch seine Anwesenheit, jemand, der vollkommen hier war und doch flüchtig, der sich nicht erschöpfte in dem, was wir erschöpft Dasitzenden von ihm sahen auf den ersten Blick, den nichts zwang, immerfort bloß aus sich herauszuschauen, sondern einer, der, auf etwas anderes gesammelt, nur einen Teil seiner Person zeigte, so daß man ahnte und hoffte, nicht alles sei bereits erkannt und ausgesprochen? Da hörte ich eine Frau, eine in bester Blüte eingetrocknete Sonnenblume, reden, immer den Berg rauf zum Gipfel und wieder runter, unten eine tiefe Stimme, dann ganz hoch steigend und so fort. Ich war von Georgs Laden gekommen. Unser Verhältnis würde immer ein freundschaftliches sein. Monate vorher hatte ich ihn in seiner Wohnung besucht. Er stieß dort versehentlich mit dem Kopf gegen die Hängelampe, und erst in dem schwankenden Licht stellte ich fest, daß seine Augen vor Müdigkeit tief eingesunken waren und die Nase spitzer als sonst vorsprang. Wenn sich diese beiden Dinge, Augen und Nase, derart voneinander entfernen, wird sein Gesicht extrem, aha! dachte ich. An diesem Abend versuchten wir ein einziges Mal miteinander zu schlafen, ich glaube, nur weil wir annahmen, wir müßten uns allmählich wegen unserer bequemen brüderlichen Beziehung ein wenig verachten. Aber als wir uns nun, wie wir es doch vorher oft getan hatten, in ernster

Absicht umarmten, wurde es kalt im Zimmer vor Künstlichkeit. Wir tranken, um nicht so rasch aufzugeben, ein bißchen, aber glücklicherweise, als auch das nichts nutzte, versuchte keiner, durch schnelles Handeln etwas vorzutäuschen. In der ersten Zeit danach begegneten wir uns etwas gereizt, wahrscheinlich, weil jeder beim anderen noch diesbezügliche Wünsche fürchtete. Als diese Sorge mit jedem Wiedersehen schwächer wurde, ging es gut zwischen uns wie eh und je.

An einem Sonntagmittag befand sich der Fluß in einer öffentlichen, mir unzugänglichen Pracht. Die Leute mußten im Gedränge alle mit etwa gleicher Geschwindigkeit marschieren auf dem Uferweg, unter dessen Schneeschicht man die hartgefrorenen Spuren aus feuchten Tagen fühlte, verdunkelt sie alle, beinahe geschwärzt. Die Bäume warfen schneidende Schatten die Hänge hinauf. Der Fluß lohnte sich für viele, sie waren extra hergefahren. Er verbarg nichts, prächtiger werden konnte er nicht. Er gab sein Äußerstes: keine undeutlichen Versprechungen also, keine Hoffnungen, keine Verheißungen. Der Hartriegel hatte seine beste, lodernd rote Zeit im Schnee. An diesem Tag war der Fluß vollkommen und allgemein. In ihrer nirgendwo vernachlässigten Schönheit breitete sich die Landschaft unter den Tritten ihrer Bewunderer aus, funkelnd und monoton. Mein Vater begeisterte sich über den Fall und Anstieg des Thermometers, Barometers. Er verkündete es jeweils wie einen Sieg. Tauwetter setzte ein. Das Wasser, wieder ganz flüssig, wurde in sich weiter spaltende Wellen zerteilt, Beweglichkeit und Blitzen, der Himmel riesenhaft, bis zum Äußersten gerenkt und gereckt. Ich stand unentschieden zwischen den Jahreszeiten. Ich sehnte mich weder vor noch zurück, ich hielt mich an dieser Stelle auf, wünschte weder ein Andauern des Winters, noch fühlte ich eine Neugier auf Anzeichen eines vorschnellen Frühlings. Sobald man die Tür zum Garten öffnete, tropfte und gluckste es überall. Die Luft war würzig, lebendig, weich. Und doch tauchte das Licht hoch. Wo die Finsternis hingesickert war, konnte man nicht sehen. Eine Aufteilung zeigte sich an den Gebüschen, auf den senkrechten Heckenflächen, alles Schwarze vertiefend, das Helle aber zum Schnee und dem sich weitenden, luftig werdenden Himmel schlagend. Der Glanz trat noch nicht als harte, geschlossene Wölbung auf, sondern zerstäubt in winzige, schwach schimmernde Teilchen, die sich nicht zu einer festen Menge niederlassen wollten. Die Äste hatten aber wohl letzten Endes ihre schwarze Dunstigkeit verloren. Man konnte sie nicht mehr als Kontrast zum weißen Himmel vereinnahmen. Ein feiner, beständiger Regen fiel mit leichtem Sausen. Da, wo er sich sammelte und abstürzte, lärmte er. In der Feuchtigkeit, Sanftheit der Luft verbarg sich etwas Waches. Die Dinge sprangen plötzlich an ihren eigentlichen Platz, sie erkannten ihre optimalen Distanzen. Es war der Garten von eben, aber nun, beim Hochsehen, hatten alle Bäume, Hecken, die Fahnenstange einen aufregenden Abstand, eine aufregende Nähe gewonnen. Dann, durch ein geringes Schwanken der Luft, der Beleuchtung vielleicht, ging es vorbei. Und wenn jetzt, fragte ich mich, nicht der letzte Januar, sondern der letzte Februar wäre, könnte ich, Rita Münster, einen Unterschied feststellen? Also beschloß ich, meinem Vater noch schnell eine bisher verschwiegene Geschichte, ehe der Monat dahin war, zu erzählen. Sie hatte sich vor einem halben Jahr ereignet. Damals lehnte ein junger Mann, versunken, versonnen am Tiergehege im Park. Er hatte sich zur besseren Beobachtung ein bißchen in die Büsche geschlagen. Da stand er, bewegte sich nicht und starrte auf zwei Damhirsche, von denen der eine, jetzt erst erkannte ich es – zunächst schienen die beiden spielerisch gegeneinander zu kämpfen –, in einem Ballen Draht sein Geweih verhakt hatte und ungeduldig versuchte, das Hindernis abzuschütteln, während der andere ihn anschaute, sich neben ihn stellte, auch vorsichtig mit dem Kopf nach dem Draht stieß, als wolle er helfen. Es sah harmlos aus, rührend, wie der zweite Hirsch nicht von der Seite des ersten wich, sich an ihn drängte, um ihn herumging. Zwei Hirschkühe käuten gleichmütig in der Nähe wieder. Allmählich verfing sich das Tier ernstlich in dem zum Netz ausgebreiteten, aber an den Geweihzacken befestigten Zaunstück. Der Zuschauer verharrte in interessierter Stellung. Der Draht bedeckte den Kopf des Tieres wie ein steifer, weitmaschiger Schleier. Manchmal hielt es still, wie endgültig entmutigt oder auf ein Wunder hoffend oder als sagte es sich, in einer Konzentration seiner Vernunft, daß Nervosität alles verschlimmern mußte. Ich erkannte in seinen Augen schon eine große Angst, und jetzt raste es aus seiner Ecke mit dem bedrohlichen Kopfschmuck in die Mitte der Wiese. Die Kühe flohen träge. Der Mann am Gebüsch schaute einmal zu mir herüber, forschend, aber vielleicht auch nur, weil das Tier inzwischen bei mir, zuckend, stand. Da beschloß ich, am Teehaus im Park Auskunft zu holen über den Wärter, der konnte doch sicher helfen. Man schickte mich dort aber zum Gärtnerhaus. Der Bursche, der Betrachter, kam mir verlegen von da entgegen. Er habe das schon vorher versucht, aber es gebe auch hier keinen Zuständigen. Im Gehege hatte sich nun das Rudel im Hintergrund bei der umgestürzten Eiche versammelt. Zwei Männer schlenderten von dort gebückt heran. Ich spürte sofort eine Erleichterung. Ein guter Ausgang! Eine Rettung! »Nein!« antworteten sie auf meine Frage. »Zu spät! Er ist ins Wasser gegangen. Zuerst hat er sich noch auf dem Rücken gewälzt. Das verschlechterte seinen Zustand. Wir konnten ihn nicht mehr vom Draht lösen. Im Wasser hat er sich verhakt und ist ertrunken.« Sie kletterten über den Zaun. Also auch nur Spaziergänger! Alles war in diesen wenigen Minuten passiert. Und ich hatte mich in einem bestimmten Moment gekrümmt und nur mit Mühe einen Hilfeschrei unterdrückt, als das Tier nämlich eine heftige Bewegung machte und genau in meine Augen sah. Alles schloß sich schon wieder so friedlich über dem Tod, dem hier ganz spurlosen. Nur ein kleiner Junge, der gerade erst sprechen konnte, rief immer wieder, wie ein Liedchen: »Wer ist tot?« und torkelte dabei über den rutschigen Boden. Ein Wiedererkennen von früheren Malen, ein Durchbruch in die Todeszone: eben noch lebendig, jetzt tot für immer. Es war also, als ich es noch für ein Spiel hielt, dem man ruhigen Herzens beiwohnen durfte, auch als sich die Reaktionen des Tieres vom sachten Schütteln in ein rasendes Schleudern steigerten, schon der beginnende Todeskampf gewesen, und nur einer schien es außer ihm geahnt zu haben, die Verzweiflung, das Grausen, die bekämpfte Panik, der das Opfer in meiner Abwesenheit vollends nachgegeben hatte: der zweite Hirsch mit dem etwas kräftigeren Geweih, trauernd, stumm. Bei ihm wirkte das Stumme, Sanfte, als sähe er das Kommende voraus, eine schmerzliche Ergebenheit, aus der er sich zu kleinen, beruhigenden Befreiungsversuchen, wie aus einer Schwermut, aufraffte. Da mied ich die Stelle tagelang, als strömte sie einen widerlichen Geruch aus, eine Klage, und sprach erst jetzt, am letzten Januar davon.

Zu Anfang des neuen Monats aber sah ich dort ein einsames Paar umständlich über die mit großen Eisplatten bedeckten Wiesen rutschen. Die ersten Tage des Februars waren ohne Leben. Alles duckte sich unter einem bösen Frost. Die Natur zeigte keine neuen Einfälle mehr, es fror etwas, es taute etwas, auf dem Fluß wurde für Momente ein wenig Sonne von vielen Wellen reflektiert, am Himmel ein totes Licht, im Wasser ein Zittern. Später hätte ich am liebsten alle Veränderungen auf den Tag zu beim Ausschlüpfen ertappt. Immer sagte einer von uns beiden: »Es schneit wie verrückt!« »Es taut wie verrückt!« »Das Thermometer steigt wie verrückt!« »Das Barometer sinkt wie verrückt!« Ich badete am hellen Nachmittag, ich saß im heißen Wasser und sah dabei in die Kälte. Mitten im Winter nahm ich Platz in solcher Wärme. Wie konnte es nur möglich sein, daß die Erde, die Umgebung, dieses vernünftige Eigentum der Leute, die Straßen, die Bürgersteige alle einfach weiß wurden und so außerirdisch leuchteten, jedem Besitz entzogen! Einmal sah ich einen kalt und heiß blinkenden Stern genau im Zwischenraum, den die beiden höchsten Pappeln bildeten. Ich hielt ihn erst für ein Flugzeug, er blieb aber an derselben Stelle, also, und ich empfand eine kleine Freude dabei, war es tatsächlich ein Stern, ein funkelnder Schuß, unaufhörlich von oben herab und auf mich gemünzt. So hatte ich als Kind auf dem Grund einer Tasse, als sie ausgetrunken war, ein goldenes Paar entdeckt, zart gemalt, und eine Augentäuscherei darin vermutet, dann aber einen persönlichen Glücksfall. In der Erwärmung liefen die Hundespuren aus und wirkten im Schnee jetzt wie die von Ungeheuern. Die Luft bot keinen Widerstand, man war ja Kälte gewohnt, nun hatte man gar nicht das Gefühl, draußen zu sein, nichts biß zu. Alles war gefleckt von matschiger Schwärze und Schneeresten, der Himmel mit Staubwolken angefüllt, der Regen eine durchgehende Nässe von oben bis unten, ohne Lücken, ohne Heftigkeit. Ich watete spät abends mit Georg durch die schlammigen Ebenen des Parks, eine wüste, fremde Landschaft mit exotisch aufragenden Bäumen an den Horizonten. Dort roch Georg einmal Vanille und ich, eine Wegbiegung weiter, im Februar, Waldmeister und Dill. Ich wäre aber gern noch im Winter verkrochen geblieben und war froh, wenn wenigstens der Nebel die Luft körperhaft machte, annähernd und berührend. Aber so locker, so hingedacht bloß, war er doch der einer anderen Jahreszeit. Es ging alles auf eine Anstrengung los, nicht auf einen winterlichen Schlaf. Mit Widerwillen spürte ich das als Aufforderung an mich selbst, wie im November die Begütigung, aber alles fehlte mir diesmal dafür: Bedürfnis, Lust, Energie.

Ich traf Petra, als ich Georg im Laden vertrat, mittlerweile hatte ich sogar ein bißchen Buchführung gelernt. Sie fragte nach einer bekannten Literaturzeitschrift, blätterte sie hastig, und wie mir schien, schrecklich verlegen durch, rot vor Aufregung, dann wich das Blut ganz aus dem Gesicht zurück, sie prüfte das Inhaltsverzeichnis, merkwürdig verstohlen, noch einmal, die Zeitschrift fiel ihr hin, sie hob sie ungeschickt auf, kaufte das Heft und verschwand. Durch die Scheiben sah ich sie draußen mit offenem Mund stehen. Ich begriff natürlich, was passiert war: Sie hatte, aufgrund einer Zusage, auf den Abdruck eines Textes gehofft. Ganz darauf eingestellt, ihren eigenen Namen auf einer der Seiten zu finden, mußte sie derart zurückprallen, wie ich vor der Küchenwand, wenn mein Vater den Spiegel, der dort hängen soll, verschleppt hat, um sich bei bestem Licht die Haare aus den Nasenlöchern zu schneiden.

Diesmal landete ich in einem Café hinter einer Bäckerei. Wie in einem privaten Wohnzimmer fühlte ich mich gleich zu Hause. Im Schaufenster lagen nur vereinzelte Backwaren, für die Ewigkeit. Ich hatte sechs Stunden bei Georg ausgehalten, dort saubergemacht und genoß es jetzt, wieder auf der Seite der Bedienten zu sein. Als erstes wurde einem gesagt, man solle alles auf dem Silbertablettchen stehen lassen, wegen der Flecken auf der Tischdecke, sonst lohne sich das Geschäft nicht mehr, es sei sowieso zuviel Aufwand. Wenn an einem der vier besetzten Tische geschwiegen wurde, spürte man das sofort an der deutlichen Abnahme der Geräusche. Als gleich zwei Paare gingen, wurde es absolut still, bis die restlichen Leute das merkten und schleunigst wieder zu reden anfingen. In diesem Raum, wo man sich die Caféatmosphäre mit Anstrengung wünschte, sah man mit Unbehagen, wenn uns jemand verließ. Eine schwer Körperbehinderte mit einer Tasche an Lederriemen über dem Bauch kam und aß geschwind Baisers mit Sahne. Ein ehemaliger Leutnant sagte zu einer alten Dame, die sich als Offizierswitwe bezeichnete: »Das Gewehr heißt im Volksmund Knarre!« Ein hochgewachsener Mann mit Spazierstock zog die Augen aller auf sich, da folgte ihm schon die Frau mit großer Nase und rückte das Blumensträußchen auf dem Tisch zurecht. Unter der Gardine am Straßenfenster sausten die Autodächer vorbei. Die Frau mit der ausgeprägten Nase redete nicht viel, aber wenn, dann waren es keine Zufallssätze, und sie wurden mit einer wiederum so schönen, tiefen Stimme gesagt. Ihr Mann hantierte auf dem Tisch, räumte ab und beiseite, um Platz für die Zeitungen zu schaffen. Sie faßte sich ans Ohrläppchen. Ein heller Raum, die Tür zum Laden stand offen, die zur Straße auch, so mild war die Luft. Ich saß in einer vertrauten, mir gehörenden oder mich selbstverständlich aufnehmenden Umgebung, niemand bestellte. Man tat das schon an der Theke. Niemand bezahlte, das machte man beim Rausgehen. Und diese fremden Leute blieben fremd, verbargen sich aber nicht, zeigten sich, ohne sich anzunähern, erzeugten flüchtig Sympathien und Abneigungen, ließen die Stimmen anschwellen und sich entfernen wie früher, wenn ich auf dem Küchensofa einschlafen durfte, bei Licht, am Tisch der Erwachsenen. Auch hier sollten die Leute weiterreden, nicht weggehen. »Heute hatte ich keine Meinung im Haus, war wetterbedingt!« sagte eine Frau, die vorher, damit sich alle wunderten, verkündet hatte, sie sei über achtzig. Solche Sachen sollten sie, im Dasitzen, zu Kopf- und Handbewegungen von sich geben und Namen von alten Geschäften erwähnen und »was das für eine Geborene ist«, und die am Fenster sollten rauchen und ab und zu etwas über die Zeitungen, in denen sie lasen, zueinander sagen. Das hätte ich oft vertragen können.

Die Zweige wehten im Licht, auf dem gefrorenen Rasen gab es Stellen, wo die Grashalme schon zitterten. Der leichte, gefärbte Dunst setzte die Dinge, die eigentlich doch nur für sich dastanden, in Beziehung, Berührung, Spannung über die Abstände hinweg. Vielleicht, dachte ich damals, ist es unvertretbar, ein Leben wie meins augenblicklich zu führen. Aber gleichzeitig konnte ich mich daran weiden, mit Rührung geradezu, daß in dieser Stadt unter den vielen anderen, vernünftigen und legitimen Schicksalen und Lebensführungen dieses eine, meins, vorhanden war. Ich schenkte Georg Zeit, wenn ich aushalf, er schenkte mir welche, wenn er mich zu Spaziergängen abholte. Dabei dachte er gern vor und zurück, in eine Steinzeit nach hinten, in eine Zukunft nach vorn, wo die Forscher auf die Gebeine, Bauwerke und Flaschenverschlüsse unserer Gegenwart stießen. Auf diese

Weise veränderte er ständig die Situation, er benötigte die stimulierenden Perspektiven, um Flußufer und Park etwas abzugewinnen. Das schaffte er im Dunkeln durch solche Vorstellungen, im Hellen drehte er den Kopf und erhielt so wechselnde Blickwinkel und Beleuchtungen. Wir hatten uns angewöhnt, daß einer von uns beiden »führte«, der andere mußte sich von der Auswahl der Wege überraschen lassen. In seinem Laden hatte er eine Unterschriftenliste gegen den Abriß renovierter und renovierungsbedürftiger Häuser ausgelegt, verbunden mit der Forderung, sie unter Denkmalschutz zu stellen.

Und dieser Cadmium- und Quecksilberfluß, sagte ich mir, diese vergiftete Flußlandschaft, die Häuser, auch hier zerschlagen und vergessen von einer Stunde zur anderen: Nachdem ich auf den Gängen darüber gejammert hatte, ganz mechanisch zum Schluß, sprach ich jetzt nicht mehr davon. Morgens sah ich einen alten Mann im Park, hineingemalt in die neblige Einsamkeit zur Vervollkommnung. Ich wußte, daß hinter dem hohen Zaun das Damwild mit feierlichen Augen wartete und atmete. Da flüsterte ich über die große Wiese etwas zu den Tieren hin.

Ende Februar erinnerte ich mich, wie auf den Tag vor einem Jahr die frühere Katze meines Vaters, den ich damals oft besuchte, auf meinem Schoß gelegen hatte, im Auto, ohne Protest, und sich mit den beiden Vorderpfoten schwach an meinen Handgelenken festhielt, so daß ich noch Stunden später den zarten Abdruck fühlte. Sie hatte in der letzten Zeit vor ihrem Tod nicht mehr geschlafen, sie verweigerte das vertraute Bild und sah nur wach vor sich hin. Es war ein demütiges, stilles Sterben gewesen. Ganz in sich selbst zurückgezogen, an sonst nie benutzten Plätzen saß die verstörte Katze mit tief gesenktem Kopf und hielt an, mitten in der Bewegung, ratlos in ein Nachdenken versunken oder, über einen Milchnapf gebeugt, getroffen von einem Vergessen ihrer Absichten. Zwei Wochen vorher hatte sie viel geschrien. Wir ahnten nicht, daß sie da schon tödlich vergiftet war. Jetzt schwieg sie, als wollte sie eine Kraft sammeln, die selbst für das Lecken mit der blassen, blättchenartigen Zunge nicht mehr reichte. In der letzten Woche schien ihre Fähigkeit, das reine Wohlbehagen zu verkörpern, die wollüstige Behaglichkeit, sie verlassen zu haben, als würde sie tiefer und tiefer in ein Unglück geraten, eingeholt von einem

Kummer, einer Schwermut. Manchmal sah sie uns an und gab einen dringlich verwunderten Ton aus der Kehle ab, wie um ein Staunen anzudeuten, eine Forderung an uns, ihr die Veränderung zu erklären. Aber sie fügte sich ihrer Trostlosigkeit ohne Widerspruch, während das Gift weiter ihr Blut zersetzte. »Ausbluten« und »Rattengift« sagte der Tierarzt, als er sie einschläferte. Sie hatte so oft mit ihrem Körper gelacht, jetzt war sie die reine, unversöhnliche Trauer, die darzustellen Frau Wagner, der Witwe, nicht gelang. Die Freude war ein Stück von ihr abgerückt, noch sichtbar in der Ferne, eine verschwommene Erinnerung, aber unerreichbar. Oft hatte ich mich gewundert, in welch hohem Maße sie im Leben meines Vaters anwesend war, und wie konnte jetzt von demselben Leib mit den zierlichen Knochen soviel Vergänglichkeit ausgedrückt werden! Dieses unaufhaltsame Mattwerden ohne Beschwerde, wie das Verlöschen einer seltenen Tugend, das Umbringen einer unersetzlichen Eigenschaft. Der Körper in seiner Hinfälligkeit überall mit großen Wundflecken bedeckt, die sie sich selbst gerissen hatte vor Qual. Zum Schluß putzte sie sich nicht mehr. Die Kraft der glücklichen Instinkte war aus ihr gewichen, ein Häufchen Asche und doch bis zuletzt auch in ihrem Dahinwelken eine kleine magische Blume, so wie Schwertlilien, Iris sich beim Verblühen diskret in sich zurückfalten. Und diese Gegend der kurzgeschnittenen Rasen und geschrubbten Gehwege erlitt an ihr den Abschied von einem sehr zerbrechlichen Prinzip, das in dieser Gestalt unwiederbringlich verloren war.

Die Füße wurden heiß in den Winterschuhen, als ich eines Märznachmittags in der Stadt in den schiefen, dunklen Gängen zwischen den Regalen eines Antiquariats stand, allein in der Stille. Nur selten mußte man sich mit aller Kraft gegen die Buchrücken pressen, um jemanden durchzulassen. Hier war ein guter Ort für die ausgedienten Bücher, hier warteten sie auf ihre wirklichen Liebhaber, die sie suchten, und fühlten sich besser aufgehoben als in den Buchhandlungen. Und doch: meine Ungeduld! Ich biß mir auf die Finger: Es mußte doch alles auf etwas anderes hinauslaufen! Draußen sah ich dann einen Mann am Boden liegen, nicht mehr jung, mit ein paar Tropfen Blut neben sich. Er sei einfach umgefallen, sagten die Leute, eine Gasse bildend, als er auf der Bahre in den Wagen der Feuerwehr getragen wurde. War er schon tot? War entschieden, daß er sterben mußte? Gerade, daß er so sorgfältig gekleidet war, ängstlich gegen alle Zwischenfälle bemuttert, machte seine plötzliche Lage auf den Steinen so ungehörig.

Ruth überredete mich, mit ihr in die Oper zu gehen. Dort sah ich eine gewaltige spanische Sängerin, die laut und leise den Raum regierte. Wie sie von Anfang an alles beherrschte, alle Leute mit Wärme und Begeisterung anfüllte, die Welt bestrich mit Flügelschlägen und über ihr kreiste! Die Zuhörer lachten am Ende vor Freude. Wenn sie zum Beifall auftrat, schoß ein warmer Sturm über die Klatschenden hinweg. Alles erlosch, wenn sie verschwand. Sie hatte kleine, weiße, üppige Finger, und ich hätte sie ihr wie einer mütterlichen Göttin küssen mögen. Zum ersten Mal in meinem Leben spürte ich eine solche Anwandlung von Verehrungslust einem leibhaftigen Menschen gegenüber. Immer wieder sollte sie auf die Bühne kommen, diese großzügige Sonne, deshalb schrien alle so. Eben war sie noch die Königin von England gewesen, die »eine Träne verlor«, ihren Geliebten in den Tod schickte und, selbst nicht mehr geliebt, untröstlich ist in ihrem Schmerz. Und sie blieb es ja, sie verschloß das nur alles hinter ihrem glatten, glänzenden Gesicht, in ihrem glatten, würdig feisten Körper. Das konnte niemand von sich abschütteln wie ein eingecremter Rücken den Wassertropfen.

Bei einer Einladung zum Essen gab es wieder das schweifende Gespräch über die Dinge weg, die Gutwilligkeit. Aber dann trennte man sich und es war vergessen. Wann würden diese Leute wieder an mich denken? Schon wenn ich zur Tür raus bin, wußte ich, ist es ja wieder vorbei, und während ich hier sitze: nichts weiter als Gutmütigkeit vor Braten und Pudding, eine Offenheit gegen jedermann, der gern ißt und keine Bösartigkeit zeigt. Ach, sich immer und immer nur das Leben behaglich zu machen! Könnte, fuhr ich damals spielerisch für mich fort, könnte ich durch meinen eigenen, plötzlich herbeigeführten Tod das einmal alles scharf abschneiden und eine Stauung bewirken? Könnte man seinen andauernden Zustand des Totseins als verdeutlichende Kante gegen dieses Nettsein halten?

Mit dem Zug fuhr ich für einen kurzen Besuch zu Tante Charlotte und Onkel Günter. Es wimmelte farblos über den Wiesen, den Äckern, als würde einem Übermüdeten ein liebliches, klares Bild vor den Augen verschwimmen. Vor meine wachen Augen wurde die Ansicht eines Erschöpften gehalten, eines beinahe Eingeschlafenen, und ich konnte es nicht ändern, ich mußte es hinnehmen. Manchmal war es mir, als würde ich hingelegt ins Bett am Abend, gegen meinen Willen und meine Munterkeit, vom Senkrechten einfach ins Waagerechte geknickt. Auch hatte ich oft das Gefühl, daß sich alles wiederholte, das heißt, etwas, das ich zum ersten Mal sah, sah ich gleichzeitig in seiner zehnfachen Wiederholung.

Dann gab es noch einen Samstagnachmittag im Zoo, wo ich die rosig zurechtgemachte Frau Jacob traf. Sie malte sich aus, wie es sein müsse, wenn man im Zoo wohnt und in der Nacht die Geräusche der eng zusammengesteckten Tiere hört aus allen Erdteilen. Die Eiderenten schrien ihre Frühlingsstimmung so unverhohlen heraus, daß alle Vorüberkommenden sofort verdutzt stehenblieben und, mit nachträglicher Verlegenheit, ihre Rufe imitierten. Es schwammen auch kleinere Enten heran mit grünen, düster schimmernden Köpfen, in denen kreisrunde, safrangelbe Augen saßen. Man konnte sich leicht vorstellen, daß ihr ganzer Körper mit dieser, nur an zwei Punkten hervorbrechenden und auch hier von einer glasigen Oberfläche verschlossenen Flüssigkeit angefüllt war. Im Elefantenhaus ruhte ich mich aus auf einer Bank vor den grauen, lebendigen Massen in der Wärme. Sie fraßen das Heu, in dem sie standen, ein leises gleichmäßiges Raspeln und Verstreichen. Über eine Stunde döste ich, im Herabregnen der eintönigen Laute zwischen meinem Vater und Frau Jacob, die vielleicht auch einnickte, wie zwischen nun wieder kompletten, einschläfernden Eltern, in unmittelbarer Nähe der freistehenden, wenn auch angeketteten Tiere.

Im Bett, das Kinn auf die angezogenen Knie gestützt, hatte ich noch lange an die ohne Unterbrechung in ihrer Umzäunung laufenden Mähnenwölfe gedacht, die ihre sehr hohen Beine vor jedem Aufsetzen in der Luft zurückzuziehen schienen und nach dieser Verzögerung, bei der Bodenberührung, ganz leicht die Festigkeit des Untergrundes prüften, bevor sie die Gelenke durchdrückten. Das dauerte nur einen Augenblick, dann lösten sie sich schon wieder. Die Löwin bei ihren schlafenden Jungen aber hatte mir ruhig gegen-

übergelegen, mit unbewegtem Blick, der mich, Rita Münster, dennoch ausschließlich, in aller Grausamkeit, ich konnte mich nicht sattsehen daran, betraf.

In der ersten Aprilhälfte gab es ein paar Tage, die mit einer beißenden Genauigkeit der Gegenstände begannen, einer Offenbarungswut. Fortschreitend wurde ein feindseliges, frostiges Glühen daraus, hart, abweisend auf den Blättern, schlimmer als an Sommermittagen durch die Kahlheit, die ganz unangemessene Nacktheit der Bäume, als wäre das Leben schon weggesengt. Ein falsches Bild entstand, der Garten lag öde und im Wachsen angehalten. Mit den ersten kühlen Windregungen bemerkte man wieder das eigene Luftholen und übertrieb es gern einige Momente lang. Im Dämmern kräftigte sich alles gottlob sehr schnell zu einer natürlichen Kälte, es war ja noch eine elastische Jahreszeit.

An einem dieser Tage fühlte ich deutlich, daß die mich umgebenden Dinge ruckhaft ausatmeten und dabei zusammensackten, als bildeten sie eine geschlossene, gemeinsame Wasseroberfläche, die sich plötzlich senkte, an mir heruntersenkte und mich, von allem Vertrauten abgetrennt, bis auf die eigene dünne Haut oberhalb und außerhalb zurückließ. Auch stellte sich ein Gefühl ein, als hätte die Umwelt einer entscheidenden Probe nicht standgehalten, wäre vielmehr geplatzt, eingefallen, eine Pelle, und hinge höchstens noch hier und da in Fetzen an mir herab. Unter den Fußsohlen spürte ich eine Strömung, ein unerhebliches Wegspülen der Unterlage, behutsam, eine scheuernde, schürfende Zärtlichkeit fast. Ich sagte einen Namen, dann gleich wieder, aber lauter und für jeden meiner Finger, so schnell ich denken konnte, eine Aufgabe aus dem kleinen Einmaleins. Ich sagte: »Es mußte so kommen! Es ist tatsächlich so gekommen!« Ich ging spätabends eine Straße auf und ab. An der Haustür wies mich ein leichter Krampf darauf hin, daß mein Gesicht ganz starr war, ein lächelndes Gesicht. Meine Hände steckten rechts und links vom Körper überraschend zu Fäusten geballt in den Taschen. In der Nacht lag ich wach und bemühte mich nicht, einzuschlafen. Ich hielt die Augen weit offen und stellte mir Rechenaufgaben. Ich bewegte nur den Mund, auch als ich, zwischen den Ergebnissen, den Namen wiederholte. Ich lag wach und dachte einen Augenblick, ich wäre nach einer großen Anstrengung jetzt erschöpft ausgebreitet auf das Bettlaken, und im anderen Augenblick schien der Körper, dem Willen meiner Muskeln folgend, wegspringen zu wollen, einmal war es, als würde ich vor Müdigkeit und Schwere durch den Fußboden schlagen müssen, dann wieder wollte die Matratze mit mir ins Senkrechte federn. Ich rührte mich nicht, ich veränderte meine Haltung nicht. Plötzlich war es, als flöge mir der Kopf herum von einer unerwarteten Ohrfeige, die Dunkelheit wurde aufgeschlitzt mit einem scharfen Messer. Ich lag bewegungslos und sagte: »Acht mal acht ist, acht mal acht ist vierundsechzig. Ich kann nicht schlafen, ich habe keinen Hunger. Neun mal neun ist einundachtzig. Ich kann nicht essen, ich kann nicht schlafen. Sechsunddreißig durch sechs ist sechs. Ich brauche weder Essen noch Schlaf!« Zwischendurch fiel mir ein, wie ich mir einmal gewünscht hatte, ungehindert, mit einem einzigen Blick, den ganzen Streifen Erde, in eine Ebene hochgebogen, um den Planeten herum zu sehen und so, von mir wegsehend, wieder bei mir anzulangen, zweitens das Bedürfnis, den Himmel mit einer riesigen Zunge abzulecken und mich mit einem weichen Riesinnenkörper an die hügelige Erde zu drücken, nachgiebig um jeden Widerstand herum, drittens das Verlangen, den Mund weit aufzusperren, so daß Schmetterlinge hereinflögen und ich, während ich die Tiere sanft mit Zunge und Gaumen zerdrückte, ihr Zucken und Stillwerden spürte. »Das alles wünsche ich mir nicht mehr, wenn ich mir gegenwärtig aber überhaupt etwas wünschte, wäre es so etwas«, sagte ich mir. Ich legte mich auf die Seite und zog die Knie an, weil der Magen zu schmerzen begann. Wieder spürte ich das stehengebliebene Lächeln in meinem Gesicht. In diesem Augenblick erkannte ich, was geschehen war: Man hatte mir mit einem Kamm und einem einzigen, schnellen, geraden Strich die Haare neu gescheitelt.

»Ja«, sagte ich am nächsten Morgen und stellte mich aufrecht neben das Bett, »ich habe mich verändert!« Ich sagte keine Zahlen mehr, sondern diesen Satz. Ich tat das Notwendige und Gewohnte mit den erlernten Handgriffen, es kam mir jedoch so vor, als würde ich den Tag über entweder stillsitzen oder rennen. Ich saß, sooft es ging, still, ich rannte die Treppen rauf und runter, ich rannte zum Einkaufen und zurück. Wohnte ich wirklich in diesem Haus? Hatte ich mich nicht vielmehr gerade hier niedergelassen, aus der Luft hier abgesetzt und schon wieder bereit, abzufliegen? Ich konnte diese Pforte nicht öfter als zwei-, dreimal benutzt haben, sonst müßte sie mir bekannter sein! Das Leben war in Wirklichkeit etwas Luftiges. Ich müßte immerzu wegfahren, mich auf Eisenbahnschienen fortbewegen, in Schlafwagen durch die Nacht gezogen werden, die Erde unter mir, als wäre sie aufgelöst in etwas Flüssiges, Fließendes. Auf einen festen Platz sollte mich ja niemand zwingen! Und hatte ich nicht einmal, an einer anderen Stelle, in einem Liegestuhl gesessen und, versunken in eine vom Boden bis zum Himmel über den Horizont weg sich ausdehnende Stille, noch eben gespürt, wie sich mir die Lippen öffneten, die Knie auseinandersanken, und das Flügelschwirren eines nicht gesehenen Vogels in der Nähe als einziges Geräusch, als die von der Stille aufgebaute, einzige Handlung empfunden, die mich traf wie eine Wollust ankündigende, schon eingetretene Berührung, ohne daß ich irgend etwas dachte? Leute sahen mir ins Gesicht, und da merkte ich, daß dort wieder das Lächeln vom Vortag war, ich versuchte es zu unterdrücken, lächelte aber weiter. Ich fühlte die unpassende Lage meiner Gesichtszüge, als eine alte Frau stolperte und stürzte. Ich sah ihr lächelnd beim Fallen zu und half ihr nicht. Ich sah lächelnd, daß geholfen wurde, daß man am Kiosk eine Zeitung kaufte, daß vom Bahnsteigbeamten das Abfahrtsignal gegeben wurde. Ein türkischer Arbeiter hielt in seinen großen Händen fast verborgen ein junges Kätzchen. Ich wollte das Kätzchen betrachten und entdeckte nach einer Weile, ohne es ändern zu können, daß ich den Mann anstarrte, seinen Kehlkopf etwa. Die S-Bahn fuhr nicht schnell genug, das empfand ich als zähes Hindernis. Ich wäre am liebsten im Gang auf und ab gelaufen, statt dessen rührte ich mich nicht. Das war die einzige andere Möglichkeit. Ich wußte genau, daß sich das Kätzchen am Inneren der groben Hände rieb. Ich hätte eigentlich mit jedem reden können, es wäre mir mit Leichtigkeit eine Anrede eingefallen. Ich saß still und stieß ihnen doch allen vor die Brust. Ich machte die Erledigungen im Sturmschritt, ich wollte in mein Zimmer zurück, ich merkte einmal, daß ich vor dem Schaufenster einer Parfümerie stand, dann vor einem Geschäft mit Jagdutensilien. Ich war dort einfach stehengeblieben und hatte eine Weile durch die Scheiben ins Innere gesehen, aus Gewohnheit hatte ich dem nicht den Rücken zugekehrt, dann ging es in großer Eile weiter. Die Leute ließen die Köpfe hängen, ich nicht.

Auf der Heimfahrt mußte ich diesmal die Gesichter genau überprüfen, jetzt drängte es sich auf. Ich war auf der Suche nach einem Verbündeten, ohne das anfangs auch nur zu ahnen. Die Insassen biederten sich außerdem an als etwas Allgemeines: Niemand lächelte, sie duckten sich in den eigenen Körper hinein und hockten da, in diesem uralten Mürrischsein. Der graue Stoff ihrer Kleidung wuchs ihnen über die Ohren. Man hätte sie rütteln sollen, an den Kragen fassen und schüttelnd zur Besinnung bringen. Sie wurden immer härter und bildeten untereinander die gleichgültigsten Zwischenräume. Arme Sünder! Arme Seelen! dachte ich wütend und hätte ihnen folgerichtig gegen die Schienbeine treten wollen. Was wäre bei denen denn zum Vorschein gekommen? War es denn schon ein für allemal aus mit denen? Auf keinen Fall durfte ich die, da ich deren Abgestorbenheit nun so klar erkannte, nah an mich heranlassen! Die ärgerte ja schon, daß es sie selbst überhaupt gab, und im bloßen Dasitzen breiteten sie sich aus, und wenn sie das Abteil verließen, drückten sich neue von ihrer Sorte herein. Keiner stach vor, keiner kriegte mit, daß es auf die äußersten Entscheidungen ankam, daß alles dann sofort in Flammen stand. Kein Leuchten drang durch die Ritzen, wenn sie sich so verdrossen auf ihren Sitzen flegelten. Dabei mußte man sich doch nur entschließen! Vielleicht war es anders, ich jedenfalls gehörte nicht zu ihnen, ich war empört, ich war die einzige, die blinkend in diesem Zugabteil saß, die alle musterte und diese Dahinschwindenden immerzu fragte: Warum lächelt ihr nicht? »Warum kauft ihr Fleisch und Pullover und atmet rund um die Uhr, wenn ihr nicht blitzen und schimmern wollt?« flüsterte ich in der Nacht, in die Kissen hinein.

»Aber jetzt bin ich wirklich erschöpft«, sagte ich einen Tag später. »Aber ich bin nicht erschöpft. Ich sehe mich an und bin ganz wach.« Ich wollte mich gründlich mit der Pflanzenwelt Europas beschäftigen, um allen Gewächsen, denen ich begegnete, den Namen auf den Kopf zu sagen zu können, auch den Schmetterlingen, allen Insekten. Ab und zu murmelte ich wieder den Namen und zum Schluß: »Vereinigung.« Ich lief die Treppe hinunter und sagte: »Vereinigung, Paarung, Vereinigung.« Ich bestrich etwas später ein Butterbrot und redete schnell dabei, lebhaft, wandte mich meinem Vater aufmerksam zu und spürte das Wort, wie es ausgesprochen werden wollte. Ich machte viele Gesten, ich übertrieb alles, das kam von allein. In Wahrheit aber war ich ja noch viel größer, als es den Anschein hatte. Ich hätte mit einem Fingerdruck den Tisch umwerfen können, ich verfügte über eine Kraft, die sich kaum beherrschen ließ. Es wäre gut gewesen, aufzuspringen und im dunklen Garten bis hinten an den Misthaufen zu gehen, um das Schwarze an sich heranzulassen. Jetzt konnte ich nämlich ohne Angst meinen Körper in die kühle Finsternis stellen, die würde sich eher an mir erwärmen, als daß ich, Rita Münster, mich erschrecken ließe. Ich war etwas sehr Festes und genau Umrissenes, nicht einzubiegen. Ich würde herumgehen in dieser Friedhofsschwärze, und die Schwärze würde sich wundern und mich und sich nicht wiedererkennen. Ich stieß das Messer senkrecht in die Butter. Ich sah mich mit großen Schritten da draußen gehen, und ob es Tag oder Nacht war, berührte mich nicht im geringsten. Ich sah mich unbeeindruckt vor einem Saal voller Menschen stehen. Etwas war mir abhanden gekommen: Ich fürchtete mich nicht mehr! Ich fing am Tisch zu singen an, das war nichts Besonderes, aber ich wußte, daß mit einer anderen Energie gesungen wurde und gesungen, um die Energie, die sich in mir regte, zur Täuschung abzuleiten. Ich hielt den Blick auf die gelbe Schrankwand gerichtet, und ein etagenweise intakter, etagenweise verwilderter Weinberg fiel mir ein, am Abend im gleichen Dunst wie am Morgen, eine Morgenstimmung am Abend vermittelnd, nie umgekehrt. Ziemlich am Gipfel stand ein einziger Busch, niedrig, aber so auffällig, weil er schräg über den ganzen Hang weg einen riesigen, stabförmigen, eigenartigen Schatten warf, das aber nur abends. Ich sah mich in der gut riechenden Landschaft sitzen, ein Duft, der mit jedem Atemzug in mich drang und jetzt mein Produkt, die Begleiterscheinung meiner Gedanken war, und ich selbst war auch der Zirkel, der große Arm, der, überdimensional und flüchtig, sich der Landschaft bemächtigte. Ich sah einen anderen, verbrannten, rosa-grauen Abhang, auf dem ein Mann in Serpentinen herunterging, und dachte: Durch diesen Menschen erhält der gleichmäßige Berg einen Mittelpunkt, ein Auge. Durch meine neue Empfindung erhält das in meiner Gegenwart versammelte Leben ebenso ein Zentrum, eine Verdichtung, ein Auge. Meine Gegenwart ist dieser Abhang, meine Empfindung ist dieser sich bewegende Mensch. Ich sprang auf und setzte mich. Ich wandte mein Interesse wieder meinem Vater zu, ich redete, was mir in den Sinn kam, ich aß, kaute, schluckte gegen einen Widerstand an. Ich lag steif im Bett mit offenen Augen. Ich brauchte gar nicht erst durch den dunklen Garten zum Misthaufen zu gehen. Es genügte so: Ich spürte, wie mein Körper angefangen hatte zu lächeln. Allmählich und feierlich ging ein Lächeln in ihm auf, ein weiches, natürliches jetzt, ein anschwellendes in den Füßen, zwischen den Beinen, in meinem Bauch, hinter meiner Stirn, jede Zelle war hell erleuchtet, und ich störte dieses Anwachsen durch keine Regung. Ich hielt es in mir und spürte es überall und warf es als Licht gegen die Schlafzimmerdecke.

Am nächsten Morgen saß ich lange über die Kaffeetasse gebeugt, die mir die rechte Hand doch beinahe an die Lippen hielt, mitten in der Bewegung hatte ich das Trinken vergessen. Da saß auch mein Vater und konnte mich nicht aufschrecken. Aus seinem Mund kamen die Redewendungen. Ich antwortete, und die Ohren versperrten sich dabei von selbst. Ich hörte angestrengt auf etwas anderes und blieb unbehelligt. Da war es leicht, an der Oberfläche derart liebenswürdig zu sein. Alles ging freundlich vonstatten. In dieser Geistesabwesenheit stand ich in Georgs Laden, nahm Telefongespräche an, verkaufte Bücher. Ich entfernte mich uneinholbar. »Uneinholbar«, ging es mir durch den Kopf, »uneinholbar«. Ich überließ mich meiner Verblüffung, die anderen immer kleiner werden zu sehen, vorübergleitend. Ich mußte mich nicht um das Glück der anderen sorgen, das war ungestört, nicht größer, nicht geringer als sonst. Mein Fehlen wurde nicht bemerkt, es fiel niemandem auf, daß alles Leben mit einem gewaltigen Rutschen zu mir herübergesackt war. Auf der anderen Seite lebte man, wer weiß durch welche Gewöhnung, weiter wie trainiert. Ich sah zu ihnen hinüber voller Zuneigung. Es war die Strömung, die ich schon kannte, der schürfende, scheuernde Sog der ersten Tage unter den Fußsohlen. Vielleicht entstand dabei ein kleiner Schmerz, ich machte mir keine Gedanken. Heute ermutigte ich die Leute nicht zu Privatgesprächen, denn ich dachte doch: Ich will nicht hören, wer gestorben ist, mich geht der Auflauf vor dem Friedhof nichts an, weniger als heute hat mich das nie gekümmert. Sie sollen es für sich behalten, das sind Nachrichten für die Lebensmittelverkäuferin und alle ihre Kunden, nicht für mich. Ich habe kein Mitleid, für alles das bin ich nicht schwach genug, und es ist ihre Sache.

Sie sollen damit nicht zu mir herüber langen wollen und mich eintrüben. Bosheit ist das nicht von mir, aber ich weiß, daß es eine Schande wäre, wenn sie mir damit auf den Leib rückten. Wie sie die Wege entlangschleichen! Ich aber gehe so kräftig, auf ebener Strecke, als würde ich eine steile Treppe hinaufsteigen, aus dem Schwung muß ich die Füße tatsächlich zur kurzen Pause des Aufsetzens zwingen. Der Austausch ihrer Gebrechen soll zwischen ihnen selbst zirkulieren! Mir fiel ein, daß es früher, eben noch, Augenblicke gegeben hatte, wo ich – vor einem ausgedörrten Hang mit waagerechten, niedrigen Steinmauern und weißen runden Felsstücken wie weidenden, zu großen Schafen darauf und einem einzigen Baum mit versetztem, scharfem Schatten, der eigene Körper verwandelt vom Schwimmen in ein kühles Brausen bis an die Grenzen der Haut, geschliffen von sommerlichen Luftzügen – gedacht hatte: Das ist das satte, wohlschmeckende Innere des Lebens, das ist das, was es hergibt, man muß sich vollsaugen damit, sich beinahe ertränken darin. Das betrachtete ich nun mit trockenem, ungerührtem Bewußtsein. Das war beiseite gelegt, zurückgeblieben hinter mir. Ich flog daran vorbei. Das blieb stehen an seinem Fleck. Ich sah abends den Sternenhimmel an, eine verrückte, harte, stechende Decke über meinem Kopf. Auch das erschütterte mich nicht, ich befand mich woanders. Ich saß dann für ein Glas Wein mit meinem Vater und Georg am Tisch, beobachtete sie voller Sympathie und ganz nach innen gekehrt und dort staunend und stumm.

Am Fluß, am nächsten Tag, lobte ich, was ich sah. Mein Vater mußte mich zu langsameren Schritten ermahnen. Ich wollte nicht, daß er stehenblieb, um sich über das von mir Erwähnte ausgiebig zu wundern. Bei einer Trauerweide sagte ich: »Wie die Zweige wehen! Die kleinen Boote dahinter scheinen mitzuwehen.« Und: »Sieh dir nur die Farbe des Wassers an!« und: »Nirgendwo auf der Welt könnte es jetzt schöner sein.« Es war ein Drang, so über die vertraute Landschaft zu sprechen in seinem Dabeisein. Ich wollte ihm unbedingt zeigen, wie gut mir das alles hier gefiel, ließ weder die Flugzeuge in der Luft noch die Schlepper und Tanker auf dem Fluß aus. Durch die Fenster eines Cafés betrachtete ich den schwankenden Frühlingstag. An den Kastanien platzten leise grollend die Blattknospen. Ich erkannte den Himmel als den zarten, hochgewölbten meiner Kindheit, an dem man alle Erwartungen entlangwandern lassen konnte, über die gesamte Rundung hinweg. Das Wasser war gestreift wie der Himmel, und gegen ihn schien die Luft von unten zu schlagen und ihn zu riffeln wie eine Meeresuferwelle. Mir entging nicht, was durch die sich abwärts bewegende Sonne geschah: Alle großen und kleinen Schiffe wurden wunderbar beleuchtet, schräg und kräftig, von ihr dadurch ausgezeichnet und kurz geliebt. Ich sah es viel genauer – und hörte nicht auf, es zu loben – als die alten und jungen Paare, die Familien, deren Gesichter alle ein wenig erfreut wirkten wegen des Wetters, aber mehr auch nicht, nicht festlich, nicht erfaßt von einer Empfindung, die der Landschaft draußen entsprochen hätte. Also wies ich meinen Vater schnell auf etwas hin: »Wie die Möwen heute so sehr hoch und so sehr tief fliegen!« Und mir selbst sagte ich gleichzeitig: Da sind die Vogelkörper, ganz in der Nähe und wegschießend, im selben Licht, milchigweiß wie die Schiffe, sie nehmen alle denkbaren Größen an, alle vorstellbaren Positionen, sie bieten mir jeden Anblick, der ihnen möglich ist, als wollten sie mich erweichen durch die Kurven und Schwünge und das lange Gleiten mit stillgehaltenen Flügeln und das regelmäßige schöne Flattern am endlosen Rumpf, am ausgesucht wirkungsvollen Hintergrund eines Schiffes entlang. Auf diese Art machen sie es nur an besonderen Frühlingstagen, alle Umstände müssen stimmen, manchmal erwischt man im April nur einen einzigen solchen Tag. Wie sehr es mich immer begeistert hat! Ich erinnere mich ja sehr gut. Es interessiert mich auch jetzt, mühelos könnte ich ein Loblied darauf singen, den ganzen Spaziergang über tue ich ja nichts anderes, auch um die eigene Verblüffung zu überspielen, natürlich: Denn etwas ist anders geworden, eine kleine Ablösung: Es läßt mich kalt! Auf dem Rückweg, dem Vater mit meinen Hinweisen keine Ruhe gönnend, obschon er angefangen hatte, bei meinen Ausbrüchen zu seufzen, hatte ich den Eindruck, nicht mehr, wie noch vor kurzem, partikelweise verteilt und eingemeindet in den Fluß, die Uferwiesen, die Wolken darüber zu sein, zersplittert in allen Spiegelungen und Windbewegungen, sondern zurückgekehrt in eine einzige Person, Rita Münster, an der eine Ansicht geschlossen vorübergezogen wurde, die sich mit einer kaum beherrschbaren Eile in entgegengesetzter Richtung daran entlangdrängte. Im Garten beugte ich mich, bevor ich durch die Küchentür ins Haus trat, der alten

Üblichkeit folgend, gutwillig über die in grellen Büscheln aufgeblühten Frühlingsblumen und zählte ihre Namen auf wie zur Anrede, die gewohnte, stumme Ansprache hielt ich diesmal nicht. Ich ließ meinem Vater, der mich vom Balkon aus beobachtete, wieder erfreute Ausrufe zukommen und hörte selbst darauf, ob sie echt klangen. Ich tat alles, was mir in diesem Zusammenhang einfiel, und glaubte schließlich, es gut gemacht zu haben. Ich sah ein bißchen später den kalten Mond im eisigen Aprilabend und den nackten und doch auf seiner niedrigsten Ebene schon so leuchtenden Garten. Ich wehrte mich nicht einmal gegen das Frösteln, ich setzte mich ihm aus für einen Augenblick wie früher oft aus Vergeßlichkeit, wenn ich die ersten Frühlingsdämmerungen genoß, nun aber mit voller Absicht: Ich hätte mich am liebsten nach allen Seiten verbeugt. Ich war keineswegs ohne Gefühle. Ich war voller Respekt, und die lärmenden Lobsprüche während des Ganges erkannte ich als aufrichtige Bemühung, der Landschaft entgegenzubringen, was sie mir neuerdings abverlangte, und nannte es, ohne eine Spur von Bedauern: »eine Art herzlicher Höflichkeit«.

Am folgenden Morgen, in der von grellen Lichtstrichen unterbrochenen Dunkelheit des Schlafzimmers, schloß ich noch einmal fest die Augen. Das war ein letzter Versuch, etwas in mir zurückzuhalten, das schon so lange als blitzschnelles Bild, als hervorschießender Gedanke sich gemeldet hatte. Jetzt brach es ein und aus, und das Äußerste, Sparsamste, das ich noch zustande bekam, war, während ich nachgab, die Formierung zu einer Reihenfolge, eine geizige Dehnung der gehüteten, vergangenen, nun in mir sich entfaltenden Augenblicke. Beim Vorbeugen und Aufstützen auf die Tischkante hatte sich ein Oberarm unter einem roten Pullover deutlich gewölbt. Der Tisch hatte frei im Raum gestanden, das Vorbeugen über Decke und Kaffeegeschirr mir gegolten, es hatten überall um den Tisch herum Leute gesessen, an deren Gesichter ich mich kaum erinnerte, es mußten drei, vier darunter gewesen sein, die ich schon länger kannte. Aber sie tauchten jetzt nicht auf, keine Köpfe, keine Hände, keine Tassen an ihren Plätzen. Es fand im Hellen statt, aber eingeschlossen von einer Dämmerung: ein Vorbeugen auf mich zu, wohl sehr langsam und nachdrücklich, als würde etwas quer über die Tischfläche weg mir zugeschoben, etwas Kompaktes, das sich nur mit Anstrengung bewegen ließ.

Dazu war ein Arm unter einem roten Pulloverärmel benutzt worden, und der Muskel zwischen Schulter und Ellenbogenbeuge war dabei angeschwollen, also konnte es gar nicht anders sein: Etwas war zu mir hingestemmt worden, es war nicht sichtbar gewesen, aber ich spürte nun erst recht den Schub und die Massigkeit. Ich sah es ja klar an der sich ausprägenden, lebendigen Rundung an dieser Stelle dieses bestimmten Oberarms. Es war aufgrund der Anspannung sicher auch ein gewaltsames Atemanhalten geschehen, sonst wäre ganz sicher, bei diesem äußerlich nicht erkennbaren Handlungsverlauf über alle Zentimeter der Tischdecke, die ein Muster, eine Farbe jedenfalls gehabt haben mußte, vielleicht sogar um eine Blumenvase herum, der Muskel nicht so plötzlich hervorgetreten und auch nicht so allmählich und niemals, niemals so nachdrücklich, und dabei schien es um ein Zurückstauen außerdem zu gehen, ja, vielleicht kam es bei diesem Vorfall und dem ihn begleitenden absoluten Schweigen – die Hellhörigkeit einer vollkommenen Stille, anders war dies alles gar nicht möglich und nicht wahrhaftig – viel eher auf die Mobilisierung aller Konzentrationskräfte an, die etwas bereits Vorhandenes noch rechtzeitig wegbiegen sollten. Die kaum wahrnehmbare Veränderung des rot überzogenen Oberarms konnte durchaus auf beides zurückzuführen sein. Es gab dann, an einem anderen Punkt, ohne daß sich etwas Sichtbares dazu eingestellt hätte, die Stimme, die sich aber über mich beugte, das war eine Gewißheit, von einem Stehenden zu mir, der Sitzenden, herunter, und zwar schräg von hinten, auch das war unumstößlich für immer: Die Stimme hatte sich überraschend genähert und plötzlich an mir heruntergesenkt und sich selbst innerhalb des Satzes auf das letzte, dann nur noch geflüsterte Wort gesenkt, und meine Haut, alle Haut meines Körpers, das begriff ich jetzt, hatte sich als Angeredete sofort erkannt, mein Bewußtsein nicht, aber meine Haut, die viel schnellere. Sie hatte dieser unerwarteten Ansprache verblüfft, daher wehrlos, ohne Einschränkung zugehört und den Satz an sich entlangstreifen gespürt und ihn angefühlt und für sich behalten und sich ihn schon die ganze Zeit unterhalb meines Kopfes wiederholt und kannte ihn schon in seiner Intimität und unbeirrbaren Vertraulichkeit. Aber ich selbst gestattete mir jetzt, ihn aufzusagen: »Mögen Sie noch etwas Kaffee?« Die Stimme hatte diesen Satz benutzt und, indem sie ihn leichthin, schmeichlerisch sagte, über dieses Benutzen gespottet. »Mögen Sie noch etwas Kaffee?« »Mögen Sie noch etwas Kaffee?« So war es richtig, ich mußte es oft sagen, das letzte »e« mußte in einem Singsang, eigentlich unzulässig auf der Stelle schaukelnd über die Lippen kommen, und meine Haut stimmte schließlich durch ein Zittern zu: »Mögen Sie noch etwas Kaffee?« Wieder gab es eine große Lücke, die ich nicht auffüllen wollte. Es waren winzige Pupillen gewesen, als sähen sie direkt aus einer Finsternis in die Sonne. So war viel Platz für die Helligkeit um sie her entstanden. Sie waren über einen kurzen Abstand hinweg auf mich gerichtet gewesen, zwei Scheinwerfer, die in einem einzigen Aufblenden den entferntesten Hintergrund meiner eigenen Augen trafen, so daß ich, während ich den Blick aushielt, diese sehr dunkle Fläche, die ich selbst war, zum ersten Mal aufstrahlen sah. Mir war gar nicht der Gedanke gekommen, mich zu schützen und auszuweichen, so sehr begriff ich, daß ich hinsehen mußte, um alles in diesen Sekunden wortlos anzuschauen, denn ich war das zum ersten Mal ganz, das alles war ich, und es ging auf Anhieb mit diesem einen Lichtauswurf an alle oberen, unteren, seitlichen Grenzen. Es flirrte und flimmerte, es klirrte, eine Zuckung und eine Lähmung, nicht das Flackern eines Einverständnisses, sondern das Aufflammen einer Erkenntnis bis in die letzten Winkel. Und auch jetzt, während ich noch im Bett lag, spürte ich diesen verletzenden Blick und stellte mich davor auf und spannte mich davor auf, um überall getroffen zu werden. Nur bei meinem Großvater hatte ich etwas Vergleichbares gesehen, aber nie mir zugewandt und nur in einem von Jähzorn geröteten Gesicht.

In dieser Nacht, die folgte, nachdem sechs Tage vergangen waren, schlief ich ohne aufzuwachen bis weit in den Morgen, so daß schließlich mein Vater, schon angezogen und rasiert, an mein Bett trat, um mich zu wecken. Ich trank zum Frühstück drei große Tassen Kaffee und aß zwei kräftige Schwarzbrotschnitten. Mein Vater betrachtete mich erfreut und sagte endlich: »Du wirst wieder!« Und ich antwortete, ohne mich zusammenreißen zu müssen, ganz leicht: »Übrigens haben wir dieses Jahr vergessen, einander in den April zu schicken!« Ich begoß wieder die Blumen und räumte weg, was seit einer Woche liegengeblieben war. Damals, in der ersten Aprilhälfte, hatte ich einen Freund von Petras Mann, Horst Fischer, kennengelernt. Er lebte mit seiner

Frau und seinem kleinen Jungen in Kanada als Dozent für deutsche Sprache und Literatur. Nur noch diesen einen Tag hielt er sich in Deutschland auf, plante aber, für etwas länger zurückzukommen. Er hoffte, sich in einiger Zeit selbständig zu machen, mit wissenschaftlichen Arbeiten, als Kritiker, Reiseschriftsteller, was sich böte, um mit seiner Familie im Westen Kanadas, an einem See, ein paar Jahre in einer bescheidenen Wildnis zu verbringen.

Ich schlug das Fremdwörterlexikon auf, las Wörter und ihre Bedeutungen, vergaß das eine beim Lesen des nächsten und sagte: »Wenn die Wörter Nerven hätten, was müßte das für ein Gefühl sein, von mir so Buchstabe um Buchstabe, ohne sich rühren zu können, unaufhaltsam gelesen zu werden!«

Alles kam jetzt darauf an, die Tage selbst in die Hand zu nehmen. Sie sollten sich in einem einzigen Punkt sammeln. Ich fürchtete eben doch das eine: Meine neue Empfindung könnte sich unbemerkt verflüchtigen. Sie mußte bewacht und gehütet werden. Wie unvermittelt ein Recken durch meinen Körper wanderte, so daß ich mich aus dem Stillsein verändern und verbiegen mußte! Es bewies mir, daß mir gelungen war, einen Satz, eine Schwingung der Stimme, den auf mich unverwandt und schlagartig gerichteten Blick herzuzwingen. Ich vermied jede Abwechslung, manchmal mußte ein Satz viele Male gesprochen und gemurmelt werden, um schließlich erfolgreich zu sein. Eine Fernsehkomödie, die ich einmal, in einem unbedachten Moment, angesehen hatte, richtete für den restlichen Abend eine Zerstörung an. Alles schön Geordnete wirbelte durcheinander, ich saß verwirrt und mürrisch da bis zum Schlafengehen. Eine Lehre, ein Fehler, den ich nicht wiederholen würde! Von da an achtete ich ängstlich darauf, mir solche Bequemlichkeiten nicht mehr zu gönnen. Das waren alles angewärmte Schüsseln, in denen man rasch zerlaufen konnte. Solche Störungen mußten erkannt und dann mit Entschlossenheit abgelehnt werden! Jede Unterhaltung war daran zu messen, ob sie ablenkte oder meine Freude stärkte. Auch mein eigenes Reden konnte ein solches Hindernis, eine solche Verschwendung, nämlich Ausschüttung sein. Wenn ich mein innerliches Schweigen bewahrte, hielt ich mühelos der Umgebung stand. Gelegentlich aber sprach ich heftig und ausführlich auf Bekannte oder Fremde im Laden ein. Das war auch eine

Versunkenheit, der ich mich heimlich hingab, das war eine Strenge, keine Ausschweifung, die meine Ordnung bedrohte: Ich ahmte ja, versteckt für mich, solange meine Begeisterung mich trug, ein Gespräch mit ihm nach, nur gelang es mir nicht, beide Rollen zu übernehmen. Deshalb fiel ich nach dem ersten Schwung zusammen und überließ die Sache ohne weitere Worte den anderen. Ich wollte mich nicht verzetteln, auch wenn ich hin und wieder einen alten Reflex, mich wenigstens mit einem Witzchen einzumischen, unterdrücken mußte. Was ich benötige, sagte ich mir, ist eine gewisse Sparsamkeit der inneren Lebenshaltung. Es ist gut, ab und zu unter Menschen zu sein, damit ich mich davon abschnellen kann in meine Stille zurück. Ich wollte mit einem Kreis um mich herum spazierengehen, und es sollte nur eindringen, was meinen Zwecken dienlich war. Kräftigte es die Vorstellung von einer speziellen Satzbetonung, in der Abruptheit und ein kaum merklicher Singsang, sozusagen unterhalb der Straße, auf der die Wörter gingen, gemischt waren, eine ganz ungewohnte Art von Spott und Annäherung in einem? Die meisten Anreden griffen mich an, lästige Geräusche, die ich abschütteln mußte, immer rechtzeitig. Ich mußte darauf achten, die Berührungen einzuschränken, ich berührte nicht mehr zufällig, ein Zustand der Abwesenheit mußte hier eingeübt werden! Eine Fastenzeit, eine freiwillige Armut! Ich war umschlossen von einer Rüstung, ich verbot mir die Blicke nach rechts und links, ich schirmte mich ab. In dieser Pressung und Einschnürung, sagte ich mir, wächst mein Glück um so besser. Ich dachte wieder das Wort »Vereinigung« und spürte dann plötzlich die Gewichtlosigkeit meines Lebens als einen Schmerz und wurde unvermittelt gepackt von dem Wunsch, das Anschauen aus der Dunkelheit mit meinen eigenen Augen aushalten zu müssen. Ich wollte diese Hervorzerrung wieder in der Wirklichkeit. Ich saß am Küchentisch, in der rechten Hand das Messer, in der linken die Kartoffel, und sah beides an, bis es auf die Tischplatte sank. Jetzt konnte ich nur noch sehr langsam weiterarbeiten, betäubt bis in die Fingerspitzen.

Manchmal war ihm jemand von weitem ähnlich. Wenn er näher kam, sah ich ihm fest und ohne Umschweife in die Augen. Dann spätestens hörte das Vergleichbare auf. Höchstens ein mattes Leuchten fand ich dort, und das verband dieses Gesicht mit allen anderen, die schlaff an mir vorübertrieben. Aus der Gemeinschaft mit diesen anderen war ich herausgerissen, forschte aber auf meinen Gängen nach einzelnen, denen ich etwas Leidenschaftliches zutraute. Daran, das gewöhnte ich mir nun an, maß ich Junge, Paare, Alte. Wie die Welt erbleichte und fahl stillstand! Vorwärtsgehend durchschritt ich ein Meer von gleichartigen Schwächen. Sie alle schmerzte ja nicht einmal der Mangel, in dem sie lebten! Sie existierten in dämmrigen Zuneigungen und fühlten sich, wenn das gut ging, pudelwohl. Durch das geöffnete Fenster sah ich einen regelrechten Hoffnungshimmel, eine glänzende Heiterkeit draußen, und hörte förmlich die Menschen in dieser Stadt aufseufzen und ein bißchen Mut fassen nach den Regentagen. Wie unabhängig ich von solchen Kinkerlitzchen war! Die Jahreszeit fing an, sich zu spreizen. Ich prüfte mich: Das Leben, die Naturbetrachtung, das sanfte Planen des Jahres, der Fluß, der große Himmel, unter dem sich die kleinen Schicksale formieren konnten: Ich liebte das alles nicht mehr so, daß ich es unbedingt für mich retten wollte. Was ich brauchte, war das Feuer, das Erhelltsein, auch wenn dafür anderes erlosch. Und das war etwas Wirkliches. Mein Herz klopfte, meine Handflächen wollten sich um etwas biegen, in meinem Schoß begann ein Zittern und Schlingern. Auf hartem Asphalt schritt ich aus in Schuhen, als träte ich mit nackten Füßen auf Moospolster. Ich hörte das Rauschen der Autos, zielbewußt, ohne Verzweiflung. Ich ging im Zimmer in Formeln und Sätzen der Liebe nach. Ich war aus der Masse der Einkaufenden, Spazierengehenden, Schreibenden, Essenden, Geldverdienenden herausgefischt und gerettet worden. Hinter der gewohnten Miene und Lebensart wollte ich mich in einigen Momenten entfernen in eine andere Gegend, aus der Regelmäßigkeit der Tagesläufe wollte ich fortreisen und hatte dann Mühe, mich nicht zu verraten, wenn ich mich bedroht fühlte durch stumme Aufrufe zur gedämpften Existenz. Aber das waren Anwandlungen für Augenblicke, eigentlich fiel mir alles sehr leicht, ich befand mich in einer unverschämten, ja, so mußte ich es selbst nennen, unzulässigen Leichtfertigkeit den Dingen des Alltags gegenüber. Es ging mir ja spielend von der Hand, das Normale, die Gesten und die Pflichten. Ich hatte einen anderen Maßstab gewonnen. Ich hätte Funken aus mir schlagen können, schleudern können! Ich habe, sagte ich mir, einen ungeheuren, einen im Grunde ungerechten Vorsprung. Ich nehme an all diesen schlichten Lebensbewegungen zwar teil, aber nur zum Schein.

Wie aber sollte ich die Pausen überstehen, wenn sich meine Empfindungen verflüchtigten? Breitete sich dann nicht sogleich eine Angst aus, eine Trauer und Mutlosigkeit, ihn ganz aus der Vorstellung zu verlieren? Auch trat schlagartig die Befürchtung auf, ich könne allein sein mit meinem Gefühl, es sei insofern eine fixe Idee. Das waren die schlimmsten Momente. Nichts nahm ich wahr als eine dumpfe Abwesenheit, ein lähmendes, glanzloses Fehlen, eine Leere an einer eben noch leuchtend besetzten Stelle, ein Magenumdrehen vor Kummer. Über mir wachte etwas, ein Vogel mit scharfen Augen, eifersüchtig über die Entwicklung, ob es Schwankungen gab, Anzeichen für Verstärkungen oder Abschwächungen. Immer hielt der Vogel die Augen offen, er war nicht meiner Vernunft unterworfen. Er stand dort unerreichbar und beobachtete die Linien des Ablaufs. Ich wollte das nicht! Die Kastanien verästelten sich und füllten den freien Raum. Ich sagte, unter den Bäumen gehend, den Namen auf, ein leiser Anruf, mit dem man jemanden wecken will. Das passierte von selbst, und ich sah ihn weit weg in einer unbeeindruckbaren Wirklichkeit. Jeder Wetterwechsel zeichnete eine neue Perspektive, jede Wolkenballung, jedes Aufleuchten eines nassen Daches vor dem dunkelgrauen Himmelhintergrund. »Bekämpfen muß ich das«, sagte ich, »trage ich nicht ein Kettenhemd? Bin ich nicht versiegelt von Kopf bis Fuß? Aber andererseits: Nur ich bin immer da. Ich kann machen, was ich will, keine Unberechenbarkeit stört mich, nichts wird reflektiert in eine unerwartete Richtung. Er mischt sich nicht ein. Befinde ich mich denn überhaupt in der Realität?« Auf keinen Fall wollte ich zurück in den ruhigen Kreislauf meines bisherigen Lebens. Lieber vom Erdboden verschwinden als in diese Beschränkung zurück! Es gibt etwas, das mir das Wichtigste ist, redete ich mir zu, lange genug habe ich das Fortexistieren mit seinen kleinen Ängsten genossen. Wie sie mich verkrümmten! Ich ließ das Rübenkraut am Morgen nicht mehr aufs Butterbrot laufen, das waren alles Aufenthalte, Ornamente, die ich jetzt haßte, wie das Getue der Familien am Fluß. Die atmeten alle so friedlich fort, als gäbe es mich, Rita Münster, nicht. Merkten die denn nicht, was für ein Störenfried ich geworden war? »Sollen sie doch ihre Gärten aufräumen und stolz durch ihre

Fensterscheiben sehen. Ich will mich verzehren und verbrennen. Den Weg nach hinten habe ich abgeschnitten!« flüsterte ich, wenn ich aus dem Buchladen kam, und knickte dabei oft mit den Fußgelenken um: »Mit einem guten Ende ist nicht zu rechnen, und doch kann ich lächeln. Was ich mir wünsche, was ich verlange, ist ein äußerstes Glück!« Hinter geschlossenen Fenstern hörte ich am ersten Mai die Vögel und beachtete sie nicht. Alle guten Hoffnungen und Vorsätze spürte ich nach langem Schlaf wieder aufwachen. Die Bäume, die Buchen im ersten Laub aber sah ich gründlich an. Wie sie immerfort zitterten, zitterten, in einem feinen Brausen, in einer scheinbar bewegungslosen Luft um sie herum. Nur sie verdeutlichten den Wind, der nicht stark genug war, um die Äste zu biegen, sondern die Blättchen flattern ließ, als würden sie von innen geschüttelt aus eigener, rastloser Inbrunst. »Ich halte meine Knochen hin«, sagte ich und knirschte vor Anstrengung mit den Zähnen und preßte die Fingernägel in die Innenflächen der Hände, »ich bette mich nicht in irgendeine sichere Zärtlichkeit.« Ich betrachtete die soliden Straßen, die schwerfälligen Familienverhältnisse. War ich nicht, als ich noch fliehen wollte, jedesmal an eine Schranke gelangt? Kein Zurückweichen hatte geholfen, alle Schlupfwinkel, wenn ich mich ihnen genähert hatte, waren aufgeflammt, und ich wurde angestrahlt, zum ersten Mal in meinem Leben, von allen vier Seiten, an einem einzigen Tag. Ich hatte Blut und Nerven gespürt, die meine eigenen waren. Ich hatte eine Verwegenheit, eine Unbekümmertheit gewonnen, und ein Riß lief durch meine ganze Person. Mit jeder verlangten Münze, sagte ich mir, will ich bezahlen. Den anderen lasse ich die Trostpreise, die Begütigungen, alles Renten für die, die ihre Leidenschaft überlebt haben!

Ich lief und ging, ich war heiter und mußte ein Lächeln unterdrücken. Die Rufe der Eichelhäher, die Verschwendungssucht der Natur, ich gestand es mir ein, steckten mich an und wendeten meine Stimmung ins Zuversichtliche. Ich freute mich über die wütenden Schreie eines Säuglings bei diesem wiegenden, sanften Wetter. Auch ich hätte so eigensinnig in die Welt reinschreien können in meinem Mut. Der Wind trug den Geruch des Flusses, er schleppte ihn durchs offene Fenster. Diesmal gehörte ich zu denen, die das Angebot des Monats annahmen. Ich selbst wurde ja darin ausgesprochen. Ich war von einem Sockel fortgerissen worden und bei mir angelangt. Jetzt konnte ich zurücksehen auf meine lange Schläfrigkeit, und unbändig aus mir heraus wollten die Energien und Kräfte. Ich wäre zersprungen, hätte ich dem nicht nachgegeben. Merkte man das alles von außen? Niemand sagte etwas, aber war mein Gehen und Laufen nicht schon ganz anders geworden? Machten Entgegenkommende nicht einen Bogen um mich herum? Sprach ich nicht alle Sätze fester aus bis zum Punkt? Beugte sich nicht die Käseverkäuferin meinem Glühen unter der Hautoberfläche ebenso wie die Unentschlossenen in Georgs Buchladen? Und während ich den Aufschnitt für die nächsten beiden Abendessen auswählte, dachte ich: Keinen Millimeter ist es an mir vorbeigegangen! Früher hatte ich manchmal einen Atlas aufgeschlagen und die fürchterliche Masse des Stillen Ozeans angesehen. Mit Vorliebe und Grausen träumte ich mich mitten in diese ununterbrochene Bläue hinein. Die ozeanischen Rücken und Schwellen, die Tiefseebecken und Tiefseegräben waren verzeichnet, aber für mich als Schwimmende unsichtbar und kein Trost. Ich warf die alte Vergangenheit ab. Jetzt besaß ich den Willen zur Vereinzelung, und meine Haut umschloß mich sicher. Blickwechsel hatte ich zum Vergnügen mit alten Frauen, Kindern, Katzen, ohne daß es mich änderte. Ich stellte eine Liste von abrupt aufgegebenen Leuten zusammen: eine Frau, bei der ich einmal gewohnt und die ich, als es auf ihren Tod zuging, nicht im Krankenhaus besucht, eine ehemalige Schulfreundin, eine Mutter von fünf Kindern, der ich plötzlich nicht mehr geschrieben, ein Freund, den ich von einem zum anderen Tag aus dem Gedächtnis gestrichen hatte. Das waren Phasen einer Abbruchstimmung gewesen. Eine ganze Stadt hatte ich verlassen und sie, einschließlich aller Bekannten, nie wieder aufgesucht. Ich konnte mühelos Erinnerungen abtöten und schämte mich in Etappen der Anhänglichkeit meiner Untreue. Ich war durch die bisherigen Etagen gefallen, war ohne mich je festzuklammern meinem eigenen Gewicht gefolgt, alle Böden hatten sich als schwächer erwiesen, aufgeprallt auf einem unzerbrechlichen Hindernis, und was ich spürte, war ich selbst. Ich stand in einem neuen Kleid auf hohen Absätzen im kalten U-Bahnschacht und berührte niemanden. Ich sah die vier schwarzen Tunnelanfänge und in kein Gesicht. Die Sonnenbrille rutschte mir, als ich mich vorbeugte, von der Nase, und ich fing sie zu meiner Überraschung auf. Ich hielt sie einfach in der Hand. Ich stand unter einer Glocke, niemand stieß daran.

Ich erhielt einen Brief aus Kanada, in dem mir Horst Fischer den genauen Termin seines Kommens mitteilte. Über eine Woche konnte er frei verfügen. Er wollte mich abholen. Ob ich noch immer einverstanden sei, die kurze Zeit mit ihm auf einer Nordseeinsel zu verbringen.

Dieser Tag, dachte ich, ist zur Hälfte um, fast hat der nächste schon angefangen. Jetzt gab es für mich einen Widerstand, den ich schmelzen, zerstückeln, zerreiben mußte. Es kam darauf an, die Stunden voranzutreiben. Die Zeit, und schnell gewann ich Routine, mußte durch Vorhaben und Ereignisse überschaubar gemacht, geteilt und gebündelt werden in ihrer trägen, sich dehnenden Masse. Von diesem Augenblick an achtete ich darauf, daß meine Uhr immer richtig ging, und begann, mit einem Kalender zu leben. Das tägliche Studieren der Wochentage und der fortlaufenden Zahlen bildete sich bald zu einem der schönsten Momente zwischen Aufstehen und Zubettgehen heraus. Ich verschob es gelegentlich, um für eine unangenehme Tätigkeit hinterher eine Belohnung zu haben. Die unwichtigsten Vorkommnisse waren mir recht, wenn man sie doch in den Kalender eintragen konnte, im voraus, als Termin, Tagewerk, die Vertretungen bei Georg, einen erwarteten Besuch für zwei Stunden. Es mußten Daten gewonnen werden, die jenen Zeitraum vorstellbar machten. Ich betrachtete den Kalender wie ein Bild. Es ergaben sich ja schon bald Beziehungen. Man konnte die Abstände nach vorn und hinten vergleichen und staunen, wie wenig eine halbe Woche war! Ich berechnete und las Geschichten aus den Zahlen und Buchstaben So, Mo, Di, Mi, Do, Fr, Sa, und ich liebte die gelben Balken zwischen den Wochen, die ich in meinem Verplanen schon überwunden hatte. Ich las die so wunderbar angeordneten Abkürzungen, die Stufen, die Trittbretter zu einem bestimmten, nur über sie zu erreichenden Datum. Die Zeit durfte nicht zur Ruhe kommen, sie durfte sich nicht selbst überlassen bleiben. Gehorchte sie mir, Rita Münster, nicht bereits? Diese Woche hatte überhaupt keine Spuren erzeugt, vorübergestreift als dünner Luftzug an meiner Haut, als Nebelzone durch meinen Kopf gewandert, schon eine ganze Woche weiter! Man brauchte sich nur zu schütteln und die Minuten stäubten nach allen Richtungen davon. Das Aufstehen am Montag machte die folgende Woche zu einer bereits angebrochenen. Ich hing nicht an diesem Monat wie sonst, mich kümmerte das geschwinde Auf- und Abblühen nicht.

Der Husten meines Vaters hatte wieder zugenommen, er klagte nun doch über Herzschmerzen und schlug sich auf die Brust wie ein Reumütiger. Georg steckte mit seinem Geschäft in größeren Schwierigkeiten als sonst und erwog, endgültig seine Unabhängigkeit aufzugeben. Ich sah seine Nasenflügel am vorderen Ansatz tief eingekerbt und stark gebläht. Der Körper schien gedunsen zu sein, auch fehlte ein Knopf an seiner Manschette. Er hatte eine Sicherheitsnadel dadurchgeschoben. Die halben Nächte verbrachte er neuerdings zusätzlich mit Taxifahrten. Ruth und Petra kamen mit ihren Kümmernissen. Nur zu, sagte ich mir aber, das Mitleid mit euch soll mich einebnen und mein ganzes Herz beanspruchen. Ich soll mich verteilen auf euch. Nur zu, ich wende mich trotzdem ab. Ich bin verhärtet und verhärte mich noch mehr. Ich sah den getupften, gepunkteten, gefleckten Garten an. Die Birkenstämme schimmerten unversehrt bleich aus dem lebendigen Grün. Der Fluß schmolz ins Unendliche. Ich saß zum ersten Mal im Badeanzug im Garten, in einer zerbrechlichen Welt saß ich, aus einem anderen Material jetzt, mit anderen Bedürfnissen und schroff. Eine riesige Person war ich in dieser zarten Umgebung, weil mein eigenes Strahlen auf mich zurückgeworfen wurde, ja, so mußte es sein, kein einziger Funke ging diesmal verloren, jeder Pfeil flog gewissenhaft in mich zurück. Die weißen, wilden Narzissen, die als letzte blühten, standen naß, ein wenig im Schatten unter einem heißen Himmel. Sie erinnerten mich an eine der vielen Spannen in meinem Leben, und das geschah mit sieben Jahren zum ersten Mal, wo ich verliebt einen Weg entlanglief oder auf einer Bank saß, mit anderen zusammen, in einer Geistesabwesenheit, in einem kleinen Rausch. Dann immer war es mir gut gegangen, dann waren die Tage geformt und geschürzt. Es kam mir nun aber vor, als wären diese Dinge, ein paar helle Blumen im Schatten, ein Duft, ein Geräusch an einem warmen Abend durch das offene Fenster, hinter dem ich unbeweglich gesessen hatte, das Wesentliche gewesen. Sie hatten, von mir in meinen Empfindungen, in meiner Trance dann immer kaum wahrgenommen, meine Liebe am Rande begleitet, damit sie sich um so deutlicher, unbemerkt, in nicht mehr auszulöschender

Färbung in mein Bewußtsein stehlen konnten. Nur diesmal war es anders. Jetzt war ich abgeriegelt, alle Energien blieben zurückgebogen in sich selbst.

Ein Mißtrauen erfaßte mich aber gegenüber der Zeit, ein Verdacht bei Telefonanrufen, eine Katastrophe würde gemeldet. In harmlosen Gesprächen, wie ich mir später jedesmal eingestehen mußte, witterte ich bereits den Versuch, das festgesetzte Datum aus dem Weg zu räumen. Ich ahnte, ich lag auf der Lauer: Man würde mich zu lähmen, betäuben, festzuhalten wissen, ein eisernes Fortschreiten würde über diesen Termin hinwegrollen, ihn aus der Abfolge der Wochen schneiden. Ich wußte nicht, wer zu fürchten war, aber ich dachte mir Bekämpfungsmittel aus. Man wollte mich berauben, ein Verwandter würde aus Bosheit sterben, ich selbst schwer erkranken. Mein Vater hustete von Tag zu Tag vorwurfsvoller, das machte ihn zum Intriganten. Diese eine Zukunft sollte mir verweigert werden! Vielleicht ging auch die Zeit selbst nicht weiter, sträubte sich, zog sich in die Länge, eine Verschwörung. Ich prüfte jede mögliche Gefahr und wendete sie so, bis sie zerkrümelt war und lächerlich. Durch meinen Vetter Martin konnte ich Georg einen größeren Auftrag vermitteln. Meinen Vater überredete ich zur pünktlicheren Einnahme seiner Medizin und zu täglichen Spaziergängen. Da merkte ich, daß niemand mir etwas anhaben konnte und daß die Stunden kräftig ausschritten. Die körperliche Vereinigung wäre nur ein Erfassen an den äußersten Fingerspitzen, aber unerläßlich, um den Eintritt in die Wirklichkeit zu erlangen. Ich riß die Tür auf und atmete ein paar Züge an der Treppe zum Garten. Ich kehrte zurück und schloß am Tisch die Augen, um einen Schwindelanfall rasch hinter mich zu bringen. Ich schlug sie auf und sah das Gesicht meines Vaters, so freundlich mir zugewandt. Und doch, sagte ich mir, verfluche ich dich, wenn sich das Eine, das sich erfüllen muß, nicht erfüllt! Es verlangt Fleisch und Blut und Knochen, vollpumpen will es sich mit Wirklichkeit, und es steht schon der Zeitpunkt dafür unumstößlich fest. Jetzt kann ich ruhig den grauen Himmel über den Werften genießen, die finstere Blutbuche und den warmen Wind, der so scharf nach Azaleen riecht. Aber ich stehe doch sachte und gleichgültig in ihm herum. Abgetrennt bin ich von dem überall zusammenhängenden Grün und versunken. Jetzt wird die Zeit herunterbrennen.

Georg ging neben mir, er hielt sich die Ohren zu und sagte: »Ich höre etwas, Glocken oder laute Pfiffe. Ich höre sie seit einer Stunde, drinnen und draußen. Ich werde vermutlich wahnsinnig!« Dabei senkte er den Kopf und lächelte überhaupt nicht. Später wanderte ich im Kreis um den Rasen herum und summte dabei. Ich ging im Uhrzeigersinn ein paar Runden und änderte, als es mir bewußt wurde, die Richtung. Das war ein merkwürdiges Gefühl, ich summte immer lauter dabei. Als ich stillstand, sagte ich: »Ich bin in die Luft geschleudert worden, über alle Umstände hinaus, über Haus, Familie, Kopfschmerzen, Friedhöfe und Jahreszeiten hinaus!« Wieder nahm ich den Weg um das Wiesenstück auf. Dabei vergrub ich die Hände tief in den Taschen und machte die Arme ganz steif. Ich sagte jetzt Wörter, die ich vor einiger Zeit gelernt hatte, weil sie mir auf Anhieb so gut gefielen: »Verdichtungskern, heller Himmelsgrund, Schwerkraftzentrum, Dunkelnebel.« Ich hielt an vor dem grünen Gartenhäuschen und sagte in das dämmrige Innere, zu den alten Kisten und den Gartengeräten, den Spaten, Harken, Latten und Spankörben: »Es gibt leuchtende Gaswolken im Weltall. Sehr heiße Sterne in ihnen regen ihre Gase zum Eigenleuchten an, im Gegensatz zu den Reflexionsnebeln, die nur das Licht benachbarter Sterne reflektieren!« Hinter der Buchsbaumhecke lauerte die Katze und sprang mich mit ausgebreiteten Vorderpfoten an: »Zentralbereich elliptischer Galaxien«, flüsterte ich in der Hocke der sogleich schnurrenden Katze zu, »massereicher kompakter Kern, Emissionsnebel!« Beim Aufrichten fühlte ich, daß ich über das ganze Gesicht strahlte und wie das nicht aufhören wollte, sondern zunahm.

Ich lag in der Dunkelheit, ich stand im Hellen, ich saß in der Küche. Jetzt hatte es angefangen, in die Realität umzuschlagen, es wurde Wahrheit und Wirklichkeit. Ich betrachtete meinen Vater über den Tisch weg, sah, wie es ihm schmeckte, hörte ihn keinmal husten, keinmal pochte er gegen seine Brust. Er fragte, eine Redewendung, nach dem Datum, und ich ging, wie um mich zu vergewissern, zum Küchenkalender und sagte: »Der zweite Juni!«, als wäre nichts, aber dann konnte ich doch nicht anders, als zärtlich zu wiederholen: »Der zweite Juni!« und noch einmal, mit noch größerer Zärtlichkeit, flüsternd, wie ungläubig: »Der zweite Juni!«, als fehle dem Satz ein »schon« oder »erst«. Da schellte es kräftig an der Tür. Alle vertrauten Empfindungen setzten aus. An ihre Stelle trat eine wütende Abwehr. Auch das hörte auf, es war zu spät, jetzt rückwärts zu gehen. Ich lief die drei letzten Schritte im Flur, damit es wenigstens ein Geräusch gäbe. Ich wußte, daß ich mich auf etwas zubewegte, ich leitete es selbst mit in die Wege. Aber während ich nach vorn sah, war es, als blickte ich schon von einem Lebensende darauf zurück, auf diesen Ort, diese Zeit in ihrer vereinigten Bedeutung, und schien doch andererseits, indem ich mich der Tür näherte, volle Entscheidungsfreiheit zu besitzen.

Vom Bett aus habe ich ihn im Zimmer auf und ab gehen sehen. Manchmal kam er, ohne mich zu berühren, um die Zigarettenasche neben mir auf dem Tischchen abzustreifen. Vielleicht, dachte ich, ist das mein ganzes Leben, zusammengedrängt, mit ihm, nur dieses Herkommen und Weggehen, und ich habe seinen Rücken und sein Gesicht und seine Seiten betrachtet.

Immer war in seinen Augen eine Zuneigung und eine Drohung, mit dem einen stieg auch das andere an, in seinen Annäherungen war immer eine Zurückweisung, in seinen Sätzen ein Angriff. Ich wußte nun, daß man, wie auf einen bestimmten Blick, auch auf eine Art der Berührung sein Leben lang warten kann, und man erkennt sie sofort. Ich sah die Ellipsen von der Höhe des Schlüsselbeins bis zum Gürtel, eine senkrechte Kette ovaler Hautausschnitte, ein stilles Glühen, das entstand, weil das Hemd etwas eng war und die Zwischenräume unter den Knöpfen auseinandergespannt wurden von seiner Brust.

Einmal drückte er beide Handflächen auf einen Cafétisch. Es ergab sich eine schnelle Annäherung unserer Köpfe, wobei er einen sehr hellen Ton ausstieß, eigentlich ein Wort, aber das hatte sich nicht durchgesetzt, viel eher ein Laut, ein knapper, abbrechender Schrei.

War es bei unseren Gesprächen nicht oft, als ginge es in ihnen, durch uns hindurch, um die ganze unerwähnte Welt? Auch wenn wir uns schweigend gegenübersaßen?

Wie der vage Wunsch nach Hingabe plötzlich lebendig wurde, viel schlimmer: Die eigene, persönliche Leidenschaft wurde verschlungen von dem Willen, sich überschwemmen zu lassen, nichts als ein die Welt verschlingendes Maul zu sein, aber auch um die Erdkugel gebogen, in sie zurück, mit ihr zusammen ein ganzer Planet.

Alle Teile der Welt fügten sich in seiner Gegenwart neu, deutlich, scharf gezeichnet. Alles war staunenswert und ohne Selbstverständlichkeit, sobald wir die Welt zwischen uns taten.

Seine Fähigkeit, liebenswürdig zu sein, aufmerksam, hingerissen und das alles nicht zu sein, beide Male ganz überzeugend.

Er war immer auf einer Höhe mit meiner Phantasie, so daß sie immer bei ihm blieb. Er holte sie sofort ein, und wenn sie sich befreite und voraus wollte, war er schon da, und ich mußte mich ausstrecken nach ihm, um gerade rechtzeitig eine Anspielung, eine Geste zu verstehen.

Nie gelang es mir, mich vor ihm zu verstellen, wie doch sonst bei allen anderen Menschen. Hier war das Gummiband straff bis zum Äußersten gespannt, keine Umwege. Sonst erwies es sich immer als zu lang, so daß ich, um ein bißchen Zug und Spannung zu spüren, alle möglichen Knoten, Verschlingungen, Drehungen machen mußte.

Es zog sich zusammen, es dehnte sich. Ich kannte bisher die Gefühle eigentlich nur ungeordnet, unbegründet, die Angst, die Ekstase. Sie nahmen von mir einfach eine Zeit Besitz. Wurden sie nicht jetzt von der Liebe, zu der sie in Wirklichkeit gehörten, in die richtige Reihenfolge gebracht?

Es gibt Dichter, die man so liebt, jeden ihrer Sätze, daß man glaubt, man hätte alles selbst geschrieben. Das ist nicht Anmaßung, sondern Vereinigung. Aus dem eigenen Herzen wird Wort um Wort ans Licht gefördert. War es nicht genauso, wenn ich ihm zuhörte, ihn ansah?

Warum mußte es mich denn so treffen, wie er seine Jacke über die Schulter warf, in der anderen Hand die große Reisetasche: eine empfindliche Festung. Warum war es so sehr ein Bild, das ausgerechnet mich verletzte mit Entzücken und Gewalt?

Er war der einzige mir nahestehende Mensch, bei dem ich zum Abschied kein Bedürfnis, noch rasch etwas Versäumtes nachzuholen, spürte. Es war ein Abriß, bis zu dessen Linie alles untadelige, vollkommene Gegenwart blieb.

Ich roch an meinen Händen und wartete auf den Durchbruch der Kälte. Ich besaß keine Überreste, kein Stückchen

Stoff, Haut oder Haar. Mein Leben war schon weitergegangen, ich brauchte gar nichts zu tun dabei. Ich suchte nach Vorwänden, mich in der Nähe meines Vaters aufzuhalten, in Kontakt mit seinem Körper. Ich zupfte an seiner Jacke, nur um ihn anzufassen. Ich fühlte ihn mit den Fingern, aber sie waren taub, ich fühlte einen Gegenstand an und es war mein Vater. Die Dinge waren geschmolzen in meiner Abwesenheit, angeschwollen und zu einem Relief aus grauem Eisen ineinandergeschmolzen. Ich schlang die Gelenke um die Stuhlbeine, so fest, als wäre es ein Zweikampf mit dem Holz. Ich ging zum Kalender, sagte: »Der zehnte Juni!«, setzte mich und wiederholte, nur für mich und mit einem leisen Keuchen: »Der zehnte Juni, jetzt.« Mein Vater nickte betont, als dächte er mit mir über die Vergänglichkeit nach. Da warf ich schnell den Kopf herum, nur um ihn nicht so allwissend und ahnungslos nicken zu sehen.

Ich lag auf der Decke unter dem Apfelbaum, von dem sich kleine Raupen an Fäden herunterhangelten und mir auf Arme und Papier prallten, mit einem Knall bei der Landung. Die Katze leckte eifrig an den Würmchen, ohne sie zu fressen. Ich schrieb auf dem Papier gerade Reihen durch die sonnigen und schattigen Zonen, aber es war immer ein geringer Widerstand zu überwinden, um in den Schatten der Blätter auf dem weißen Papier einzutreten. Von den sechszackigen Blüten dicht am Erdboden leuchteten einige Sterne kühl aus dem Dunkel. Jetzt würden wieder die bekannten Kontraste auftauchen. Es gab unzertrennlich die blauen Kornblumen neben den roten Bauernrosen, die weißen Schleifenblumen neben der blauen Akelei, die blauen Schwertlilien in wuchernd grüner Umgebung, beim grünen Gartenhäuschen den Goldregen. Bald würden die hellen Spiräen neben dem Klatschmohn blühen, alles pünktlich oder mit unwesentlicher Verzögerung, in den Hausgärten, in den Schrebergärten. Das alles nahm siegesgewiß seinen Gang wie jedes Jahr. Ich sah die Buchen an, akkurat schienen sie die Umrisse des letzten Frühsommers auszufüllen, und es kam mir vor wie eine Sache großer Disziplin, so unverändert dazustehen, zwölf Monate später, so getreulich das Alte nachahmend, und unbegreiflich und stumpfsinnig. Ich schrieb die Reihen durch die sonnigen und schattigen Bereiche des Papiers, ich wollte schneller sein als der Schmerz, ich raschelte mit meinen Notizen und fing an zu summen. Ich sprach auf die Katze ein, die einmal die Augen weit öffnete und sich nicht täuschen ließ. Der Garten schloß sich fest um mich herum. Jetzt saß ich in einer Kiste und spürte das Licht nicht mehr.

Durch die hochstehenden Uferwiesen gingen die Leute träumerisch, sie zogen weit entfernt am Horizont entlang oder ließen sich als Liebespaar ins Gras fallen. Strahlend oder diesig: Die Tage schienen hier, anders als in Georgs ganz und gar überstaubter Straße, Absonderungen des massiv grünen Gartens zu sein. Ich erinnerte mich, wie ich beim Autofahren neben Horst Fischer gesessen hatte, ganz betäubt davon, so bewegt, geschoben, sanft geschleudert und zum Stillstand gebracht zu werden von einem fremden Willen. Auf den abendlichen Gängen sah ich die Rhododendronhecken von beiden Seiten zu wüsten, violetten Brandungswellen aufgetürmt. Das Erstaunliche war die Unflätigkeit dieses ungehemmten Blühens. Wenn ich zurückschaute, meinte ich, über den Boden wäre ein heller, unnatürlicher Nebel gebreitet, und ich hätte dem Drang, dorthin zu laufen, weil sich da, wo ich eben noch gestanden hatte, etwas Unnatürliches abzuspielen schien, nachgegeben, wenn nicht der Kummer sich um mich gewickelt und geschnürt hätte.

Am nächsten Tag saß ich, früh am Abend, auf der zweiten der vier kleinen Treppen zum Garten unter einem zugezogenen Himmel, eine leichte Undurchsichtigkeit, nicht mehr. Der große Lichtflecken im Westen war die bleiche, wie zersetzte, ihres heißen Kerns beraubte Sonne. Davor bogen sich die Birkenstämme und bebten, Blättchen für Blättchen. Zwischen dem Grün ringsum entstanden in der allgemeinen Luftigkeit bläuliche Schluchten. Ich hörte ein Sirren, selbst beinahe einschlafend, aber immer neu aufzuckend in kurzen Erinnerungsbildern. Ich roch bis zu meinem Platz den gewaltigen Liebstöckelbusch und fühlte mich angelangt auf einem Plateau, einer Ebene des Glücks. »Alles wird mir hier verdeutlicht«, sagte ich, »es ist eine Übereinstimmung mit den Gräsern und der Luft in diesem Moment, und es ist schon eine Stunde so. Ich halte dies alles hochgestemmt in seiner Leichtigkeit. Ich bin es, die das alles in die Höhe trägt, in dieses Gleichgewicht.« Mein Vater lockte durch ruhiges Zureden die Katze, hinten im Garten, von einem hohen Baum, so daß sie sich schließlich ein Herz faßte und mit einem Zwischenabstoß auf halber Strecke zu Boden sprang.

Am Morgen, auf den moosigen Wegen, sah ich, auftauchend, anschwellend, die Sonnenflecken, erlöschend dann und wieder sich ausbreitend, als kämen sie aus der Tiefe nach oben, als dränge von tief unten ein altes, geheimnisvolles Licht hoch und würde, bevor es erneut absank, die Erdoberfläche durchglühen, etwas Urtümliches, Kindliches, das ich sofort erkannte und sofort vergaß, wenn es verschwand. Ich glaubte mich bis in eine Vorgeschichte hinab zu erinnern, ohne Ranken und Verstellungen. Man mußte den Zellen nur gestatten zurückzufallen, dann gingen sie unbarmherzig und die Welt entflammend mit einem um. War man erst einmal aufgewacht, spuckte der ganze Körper Feuer und Erkenntnis bei der allerleisesten, allerabsichtlichsten Berührung. Wenn ich nachts aufwachte, fiel mir oft die Stunde, nachdem er mich an der Haustür verlassen hatte, ein, die Jalousien waren nicht heruntergezogen worden, durch die Vorhänge wurde die Straßenbeleuchtung nur schwach abgewehrt. Im kühlen Bett hatte ich gelegen, der Körper spürte die Verlassenheit eher als der Kopf und begann sich zu entsetzen, ohne daß mein begriffstutziges Gehirn rechtzeitig helfen konnte durch einen Zuspruch.

Die burg- und felsenartigen Bäume im Park schienen hinter mächtigen, geschwungenen Tüchern etwas zu verbergen. Sie genügten mir so, wie sie sich zeigten, ich wollte nichts von ihnen. Ich stand aber lange unter dem Laub und sah Georg die Enten füttern und aufscheuchen. Wie konnte der Schmerz nur so viele Formen haben, so wütend und so sachte sich hinstrecken, daß ich ihn zunächst gar nicht erkannte! So zugespitzt, so überströmend, so eine Glut, unter der Haut ausbrechend, ein kalter Schock, eine mürrische Unzufriedenheit! Da glitt alles an mir vorbei, die Wasserhühner, der Weiher und vorher der Futterautomat, Georg, die Familien in ihrer Abgezähltheit. Jeder Atemzug tat weh. Bei jeder Bewegung splitterte es zwischen den Rippen. Ich zog Georg, so rasch es ging, mit mir fort, um den Kummer hinter mir zu lassen oder wenigstens sein Klirren und Kreischen zu dämpfen.

Ende Juni fuhr ich wieder aufs Land, um dort Freunde in einem echten Bauernhaus mit blauen Fensterrahmen zu besuchen. Ich saß im Zimmer meiner ersten Begegnung mit Horst Fischer unter Leuten, die sich auch damals dort aufgehalten hatten. Jetzt sah ich, daß der Raum sehr hell gestri-

chen war, mit weißen Vorhängen und gebleichten Trocken-
blumensträußen. Einer hing von der Decke herunter. Ich saß
auf einem anderen Platz. Auf dem Tisch standen Blechku-
chen aus der Dorfbäckerei und Torten, die zwei Frauen in
weiten Röcken mitgebracht hatten. Ich erkannte das Geschirr wieder. Gelegentlich rannten kleine Kinder mit Gummistiefeln in den Raum, um sich Kuchenstücke zu holen, die
ihnen draußen, wie sie sagten, jedesmal ein großer Hund
sofort wegfraß. Als alle zu einem Spaziergang über die Fel-
der und den Deich aufbrachen, blieb ich im Zimmer und
schaute ihnen durch die Fenster nach, sie entfernten sich
tapsend in Gruppen, wie Originalbauern in lehmigem
Schuhwerk. Ich setzte mich auf den damaligen Stuhl. Meine
Erinnerungen waren weder glücklich noch schmerzlich, zu
meiner Überraschung. Ich hatte ja auch nie an diesen Ort, an
diesen besonderen Raum gedacht. Ich benötigte ihn nicht, es
waren nur zufällige Mauern um uns herum aufgestellt gewesen. Diese bekannten Gesichter hier: Schatten, gleichmütige
Lebewesen, unter denen ich sprachlos blieb. Wenn sie sich
mir zuwandten: Leute an einem fernen Ufer, von dem ich
weit abgetrieben war, die mir aus hohem Gras heraus zu-
winkten, ohne daß ich ein Wort verstand zu ihren Grimassen. Ich fragte mich, mit nicht sehr großer Besorgnis, wie
lange mein Verstand wohl dieses Abdriften von meiner ständigen und vorübergehenden Umgebung ertragen würde. Ich
saß ganz gerade auf meinem Stuhl, als befände ich mich bei
einem feierlichen Essen, in dem leeren Zimmer.

Zu Hause, am Sonntagmorgen, wurde ein Grasbüschel so
durchgeblasen, daß es mit seinen einzelnen Halmen wie mit
Beinen zu rennen schien, ohne vom Fleck zu kommen. Bald
war der gesamte Garten in unaufhörlicher Bewegung, die
vergrößerten Schatten der Blätter, die auf helle Flächen fielen, auf schräge Ebenen, kleine, sonnige Spalten, ein direktes
und indirektes Leuchten und Verdunkeln, eine ständige Be-
wölkung und Auflockerung um meinen Kopf herum, rechts,
links, oben, unten, dazu das Aufbrausen der Bäume. Ich saß
auf der Bank in eine Decke gewickelt, aber wirklich war, daß
ich mich, ohne ausdrückliche Richtung, in einer klimpern-
den Materie rollte, ohne Ziel und Standpunkt. Nur die winzigen grünen Augustäpfel gaben eine ernste Datierung an.
Hatte man mich nicht zum ersten Mal mit meinem richtigen
Namen gerufen? Als mein Vater zu mir nach draußen trat,

gelang es mir nur mit großer Anstrengung, eine Gereiztheit zu unterdrücken und mit ihm wie gewohnt ein wenig zu schwätzen. Sein Lächeln ärgerte mich, es gab doch gar keinen Grund dafür. Ich hielt seine Miene für eine verschwörerische, für ein schamloses Einmischen in meine Angelegenheiten. Ich drehte den Kopf weg und riß Blätter von den Geranien. Als ich aufsprang, fragte er, ob er mich vertrieben habe, und hustete rasselnd und packte eine Stuhllehne und beugte sich in kleinen Schüben tiefer und tiefer. Ich dachte ein paarmal hintereinander: Ein Häufchen Asche! Dann kümmerte ich mich um ihn, holte seine Tropfen, goß ihm einen Tee auf und tat es beinahe mit zärtlicher Begeisterung. Er fand das wohl übertrieben und wehrte sich ein wenig spöttisch und ein wenig verletzt. Ich kannte diese Gesten an ihm, aber diesmal machte es mir nichts aus. Was hatten die alltäglichen Handreichungen mit mir zu tun! Spürte ich nicht die Kraft, dieses Existieren auf der allerhöchsten Kirchturmspitze auszuhalten? Ich konnte mich nicht länger dagegen aufbäumen, ein eisiger Stoß, ein Angstschwindel, ein Riß: Ich bat den Vater still um Entschuldigung. Ich versöhnte ihn, indem ich sein Gesicht streichelte. Er schloß die Augen und preßte es in meine Hand, wie die Katze es tat. Später stieg ich hoch zu ihm in sein Zimmer, wo auf einem Regal die Würfel, Murmeln, Autos, Fläschchen, Frühstücksbrötchen, Kegel stehen. Aus dem Fernsehapparat schien eine farbige, sonnige Gegend in den Raum. Der alte Mann hatte sich davon anstecken lassen, er lächelte in das Bild zurück. Ich machte ihn darauf aufmerksam, er gab es sofort zu, mit einem kindlichen Schieflegen des Kopfes. Es roch bei ihm nach Hustenbonbons und seiner Brustsalbe. Das verband sich eigentümlich mit der italienischen Landschaft vor uns. Er war natürlich an die Menthol- und Eukalyptusdüfte gewöhnt, ihm fiel das gar nicht mehr auf. Ich saß auf der Lehne seines Sessels und fühlte mich gewärmt vom Widerschein der heißen Plätze. Nach innen sagte ich: Nun liegt alles bei mir!

Eine große Tasse Harntee in der Hand haltend, die ich auf ein angewinkeltes Knie stützte, und einen frisch gefüllten Wärmbeutel gegen Blasenschmerzen fest zwischen meine Beine klemmend, saß ich vor dem Einschlafen aufrecht im Bett und hörte italienische Opernarien an. Jetzt konnte mich mein Vater nicht stören wie früher, als Kind, wenn ich verkrampft in einer Ecke des Sofas hockte, versunken in ›La Bohème‹. Er hatte den Kopf lächelnd gewiegt in gemächlichen Erinnerungen, gerührt über meine Hilflosigkeit und das verbissene Forschen von meinem Gesicht offen ablesend, so daß ich seinen Tod wünschte. Nicht nur als Heranwachsende, auch später, über ein Bügeleisen gebeugt, über ein Oberhemd, hatte ich beim Anhören der Arien aus dem Radio, ohne deren Inhalt zu kennen, ohne zu wissen, ob es um Liebe oder Entsetzen ging, die Konfrontation mit einer Empfindung gespürt, die mich ergriff, die mich vom Boden wegriß. In der Oper selbst fiel es mir schwer, die hinausgesungenen, modellierten Gefühle mit den kleinen Menschen auf der Bühne in Verbindung zu bringen. Das erschien mir immer als etwas Irrtümliches, vor dem ich lieber die Augen senkte. Hier werden, dachte ich als Erwachsene, die geringen Seelenregungen ernst genommen und in die Dimension ihrer größtmöglichen Energie phantasiert, eine Überhöhung wie die Portale, wie die Gewölbe der Dome. Sie sollten den bescheidenen, zaghaften Leuten in Erinnerung gebracht werden. Ohne Risiko konnten sie sich weiden, ein bißchen beschämen lassen und sehr sehnen für die drei, vier Stunden einer Aufführung. Ich hatte einmal eine zierliche alte Frau gesehen. Sie trug einen Aufhänger bei sich, den sie für ihre Abendtasche an der Balustrade befestigte, das Libretto und frisch gelegte Locken. Bald dämmerte sie ein. Der zarte Profikopf sackte nach unten, aber bei den Arien, keineswegs bei den lauten Stellen, warf sie ihn in den Nacken: eine Katze, die aus dem Schlaf heraus beim plötzlichen Vogelgezwitscher, beim Gesumm einer Fliege die Augen aufreißt! Es war gut, an einem Ort zu sein, wo sich so etwas ereignete, stundenlang mit Menschen, die ich nicht kannte, an die ich allenfalls tagsüber gedankenlos in der Stadt stieß, nach vorn zu sehen, auf dieses Schauspiel, mit ihnen verbunden zu sein in dieser Festlichkeit, in dieser Masse von einem Leben eingeschlossen, das tatsächlich stattfand, mit ihnen eine Inbrunst, eine Passion anzustaunen. Schon wenn ich zu Hause war, wenn die bei der Heimfahrt noch nachgesungenen, leichten Tonfolgen der Arien, zusätzlich vereinfacht von mir, sich aus dem Gedächtnis entfernten, spürte ich, wie das Licht von den Dingen wich. Das kannte ich zur Genüge, das Schwinden des Glanzes, der Extreme. So entließ man mich früher aus Hochämtern und aus schönen Tagen, ein Einbruch von Trauer, Schwäche, Verlassenheit. Das überkam mich bereits, wenn am Strand für Minuten Wolken die Sonne verdeckten und ich hinter geschlossenen Lidern das Ergrauen der Landschaft ahnte. Ich sah die Katze mit einer mir bisher nicht bekannten Nervosität: all diese Haltungen und Schreie und Ausbrüche und nie ein Ernstfall, alles trainiert, aber nie gefordert, aufgebäumt, aufgeschäumt zu Attrappen. Auf die Dauer war etwas Idiotisches an dem Tier. Eins blieb immer so gut wie das andere, es gab keine Hierarchie. Sie erfand regelmäßig etwas Neues zum soundsovielsten Male, es kam aber nur etwas Gespieltes dabei heraus. Durch eine mühevolle, unermüdliche Phantasieanstrengung stellte sie sich in der Ereignislosigkeit künstliche Höhepunkte her, die tatsächlich nichts galten. Natürlich aber wußte ich, Rita Münster, weshalb ich jetzt so hart über das aufgeregt nach meinen mitleidig auf und ab bewegten Zehen schlagende Wesen urteilte: Genauso, sagte ich mir, bin ich selbst und zum selben Zweck mit jeder Gefühlszuckung verfahren. Ich habe mir die Stille ein bißchen spannender gemacht. In meiner Entschlossenheit stieß ich den Wärmbeutel mit einem Fuß aus dem Bett und richtete mich wieder auf, ich achtete nicht auf die Kälte, die sich augenblicklich zwischen meinen Beinen bemerkbar machte. Ich glaubte nun begriffen zu haben, daß in der Oper, in den Arien die Gefühle durchaus nicht auf Stelzen gingen. Die Männer und Frauen schrien, man hörte die Verletzung, die sie durch die Liebe erlitten. Sie hätten eigentlich wimmern müssen, aber natürlich sangen sie, denn größer als der Schmerz war der Triumph, diese eine Wunde erhalten zu haben – ich holte den Wärmbeutel wieder ins Bett, ich ließ mich nach hinten fallen und streckte mich. Lebte ich nicht schneller? Ich versuchte, mich wieder in Einklang mit der Zeit zu bringen, aus diesem beschleunigten Leben, als wäre ich eine Springmaus oder ein Kolibri, herauszukommen. Ich probierte es mit Rauchen, es gab eine bestimmte Dauer, die eine ruhig genossene Zigarette beanspruchte, aber auch da hatte ich das Gefühl, mindestens zwei auf einmal rauchen zu müssen. Ein Essen, an dem ich gekocht hatte: Wie langsam es verging! Jetzt war ich beim Verzehren die Schnellste, früher die Langsamste. Ich lebte keinem festen Punkt, keinem Termin entgegen. Was sollte sich noch abwickeln? Es war nur diese Hast da. Wie die Leute auf Bänken und Stühlen saßen, gelassen, ganz der Gegenwart zugewandt: Ich sah diesen Unterschied an, als müßte einer von uns, die Leute oder ich, von einer anderen Welt sein. Wie konnte man in dieser von der Hautoberfläche nach innen gleichmäßig durchgewachsenen Friedlichkeit leben? So identisch mit der gerade stattfindenden Zeit? Ich horchte auf das Prasseln und Klopfen in meinem Körper. Wenn ich dann aufsprang und fortging, wollte ich mit jedem Fußaufdrücken die Zeit wegstampfen. Wie der Magen zittern konnte! »Zeit heilt alle Wunden!« Bei mir nicht, dachte ich erbost. Schlägt sie mit dieser Heilung nicht eine viel schlimmere, besonders häßliche Wunde, die von klein auf jede Freude, jeden ordentlichen Kummer vergiftet? Oft, wenn mir ein welkes Gesicht auf einem ergebenen Leib entgegenkam, dachte ich, bei aller seit jeher für Alte gespürten und gezeigten Zärtlichkeit, mit schon bösartigem Vergnügen: So alt werde ich nicht! Ich hatte keine Geduld mehr für die begütigenden Abläufe. Die notwendigen Lebensstationen aber ließen sich nicht rasch genug zurücklegen. Ich schwitzte am ganzen Körper, in den Beinen steckte eine nicht zu rechtfertigende Müdigkeit. Vielleicht war es aber auch so, daß die Umgebung schwitzte, nach Atem rang, dicht an mich gedrängt, dieses Zimmer und nicht wegzustemmen.

Mein Vater ging jetzt alle Tage in blauen Turnhosen herum. Die nackten, ausgedörrten Beine wurden nur sehr langsam zu lebendigem Fleisch. An den Füßen trug er, auch an heißen Mittagen, Socken und Sandalen, und selbst an einem so kühlen Morgen wie diesem könnte ich ihn nicht zu einer Änderung seiner Kleidung bewegen. Es war ja Sommer! Er trat von hinten an mich heran und schlug mir mit einem Brief leicht auf den Kopf. Eine Nachricht aus Kanada: Der angekündigte Plan, mit Frau und Kind in den Westen zu ziehen, eine Weile aus der Welt zu verschwinden in die Einsamkeit, sei aufgrund verschiedener günstiger Umstände beinahe von selbst Wirklichkeit geworden. Es war nur noch eine Frage von Wochen. Es stand unabänderlich fest. Ein Gewicht, das normalerweise im Kopf sitzen mußte, rollte während des Lesens aus mir heraus. Plötzlich hörte ich meinen Vater, ich hörte den Husten wild rumoren in seinem armseligen Brustkorb. Er rief mich jetzt, fast mit einem Schreien, ein solcher Hustenanfall war schon lange nicht mehr vorgekommen, ein solcher Hilferuf noch nie. Ich konnte mich nicht sofort aufraffen. Ich fand ihn auf einem Stuhl sitzend, bleich und still. Er bestritt, mich gerufen zu haben.

An diesem Tag fuhr ich nicht zu Georg. Von meinem Küchenplatz aus betrachtete ich die feinen grünen Netze über den Stachelbeersträuchern. Dort hinten im Garten waren die Nester des Frühlings gewesen, dort hatte die Farbe begonnen. Minutenweise, unvermittelt fiel das Licht auf die nach Osten, zur linken Nachbarin gerichteten Teile und auf die Wiese unter dem rötlich-braunen Dunst der blühenden Gräser. Dann flackerte die grellweiße Fahnenstange unregelmäßig und sich nach oben gerade fortsetzend hinter dem Laub der Apfelbäume. Von den Rosen über der Küchentür löste sich eine Handvoll roter Blätter. Es war still und entmutigend, ohne eine Bewegung. Die Johannisbeeren reiften mit jedem meiner Atemzüge. Ich wußte nicht, wohin mit der aufsteigenden Ängstlichkeit. Hätte ich mich jetzt gerührt zu einem Gang nur durch den Garten, wäre ich ein Tier am falschen Ort geworden, immer noch lebensfähig, nicht umzubringen, am Grund eines Teiches, unter der trägen, schleimigen Wassermasse kriechend. Dann stürzte ein Regen mit hartem Aufprall auf das Glasdach, zögerte aber zwischendurch, als käme er mitten in der Raserei zur Besinnung oder als wiche er zurück, um neue Energien für einen frischen Anlauf zu schöpfen, wie bei ihren Auftritten, Angriffen die Katze. Der Regendunst drückte am Abend von rechts und links gegen die Hecken, dann auch von hinten, verengte alles bis auf das Wiesenquadrat. Unter dem Glasdach schloß er die freie Fläche zum Garten ab, ich stand in einem durchsichtigen, duftenden Zimmer. Ein fahriges Gewitter wanderte hallend über Stunden unter dem Himmelsgewölbe, sich annähernd und entfernend, umher.

Als am nächsten Morgen die Sonne einfiel, regte sich, und ich wußte: ganz abhängig davon, eine kleine allgemeine Hoffnung. Was war das wert! Der Tag in seiner Schönheit und zu erwartenden Hitze würde wie ein Kopfverband über die Augen weg um mich herumgepreßt sein. In der S-Bahn, unterwegs zu Georgs Laden, sah ich mich als Kind an einem heißen Sommernachmittag über die staubigen Bürgersteige einer Stadt laufen, an den vielen, mir eilig entgegenkommenden Erwachsenen vorbei und dann die Stadt hinter mir lassend, immer weitergehend in eine Gegend, in der ich mich nicht mehr genau auskannte, durch Straßen mit großen, grauen Mietshäusern, und mittlerweile fühlte ich den Abstand von zu Hause so stark, daß ich mir nicht mehr vorstellen konnte, wie ich je dahin den Weg zurückfinden würde. Ich hatte aber die Adresse im Kopf von einer neuen Mitschülerin, die ich besuchen wollte. Ich fragte danach, und immer wurde ich dann von lächelnden alten Leuten in andere Richtungen geschickt. Ich sah auf das Pflaster und auf die sturen Straßenbahnrinnen und auf meine Schuhe. Ich sah überall Steine, die Fenster der Häuser waren stumpf geworden. Menschen begegneten mir nur noch selten, einmal rannte ich hinter einem her, aber im letzten Moment verschwand er in einem Eingang. Die Straße hob und senkte sich, ich wagte nicht mehr, von ihr abzubiegen, und schaute oft zurück. Die Straße stieg an bis zum Horizont. Ich wäre jetzt schon viel zu spät gekommen. Da drehte ich mich um, den Weg in die Stadt konnte mir der erste beste genau erklären. Nie wieder wollte ich das Mädchen besuchen, denn es wohnte an einem Ort, wo sich alles verwirrte. Noch lange, als ausgewachsene Frau, geriet ich in fremden Gegenden, in Krankenhäusern, Behörden beim ersten Irrgang sofort in Panik. Etwas, gegen das ich keine Chance hatte, fraß oder überwucherte mich. Ich sah mich als Kind im dunklen Zimmer liegen, ganz still eine Weile. Dann sprang ich hoch, knipste das Licht an und schlug ein Buch auf dem Nachttischchen auf. Ich hielt die Abbildung eines schreienden Negers, der viele Briefe in seiner Tasche trug, die aber rausflatterten, und der mit großen Schritten um sein Leben rannte, dicht unter die Lampe. Der schwarze Briefträger aus den deutschen Kolonien in Afrika floh vor einem Löwen, der schon furchtbar sein Maul aufsperrte. Die Pranken schossen aus dem Steppengras. Im Dunkeln hatte ich fest geglaubt, als Märtyrerin vor den Raubkatzen der römischen Arena bestehen zu können. Ich hatte es mir mit allen Einzelheiten der mir bekannten Heiligengeschichten ausgemalt zu einer äußersten Herausforderung, mit einer Zauberformel, einem frommen Lied den Schmerz zu bezwingen. Jetzt sah ich Rachen und Krallen des Löwen an, die gewaltige, qualenverursachende Tiermasse, die kein Einspruch aufhalten konnte, und nichts, nichts könnte stärker sein. Ich löschte das Licht und erzeugte mir im Finstern einen neuen Glaubensschild. Dann wieder, im Hellen, als die große Katze auf mich losfuhr, brach und sank und schmolz er dahin. Mir aber, der erwachsenen Rita Münster, fiel dazu eine sehr junge Katze ein, die ich beobachtet hatte, ein Ausbund an Willen und Eigensinn und dann so unglaublich leicht und schwach, als ich das Tierchen hochhob und hintragen konnte, wohin ich gewollt hätte. Außerdem, sagte ich mir, habe ich damals und auch noch viel später häufig mit Absicht nicht die von den anderen behauptete Wahrheit gesagt. Ich habe gelogen, weil es mir keine Ruhe ließ, daß immerzu nur das stimmen sollte, was alle sahen, was eben vor unserer Nase passiert war. Es machte mir Spaß, das Gegenteil davon leise für mich und dann laut zu sagen. Gut hat es mir getan, es fiel mir leicht, es hat mir nie ein schlechtes Gewissen bereitet. Aber es war auch immer nur für kurze Zeit ein schönes Gefühl von Mächtigkeit und Übermacht. Ich spürte ja genau, daß kein Gegendruck entstand. Die Wirklichkeit ließ sich spielend verbiegen, zum Schein, weil sie gar nicht tatsächlich von mir berührt wurde. Aber da sah ich mich noch einmal als Kind, wieder im dunklen Schlafzimmer, wieder als offensichtlich frommes Kind. Gleichzeitig handelte jedoch das, was da vorging, von ganz anderem: Ich war aus dem ersten Schlaf aufgeschreckt, weil mir im Weggleiten der Gedanken doch noch eingefallen war, daß ich bei meinem Nachtgebet den Spruch für die Erhaltung und den Schutz der gesamten Welt vergessen hatte. Trotz meiner Müdigkeit murmelte ich die vier Zeilen also vor mich hin und rollte mich in den angefangenen Traum zurück. Aber das gelang nicht mehr. Zu sehr rückte mir plötzlich ins Bewußtsein, daß die Welt ohne mein gewohntes Gebet vielleicht untergegangen wäre. Von meinem Pflichtbewußtsein vor dem Schlafengehen hing das Leben auf der Erde ab. So konnte es sein, ich wußte es in diesem Augenblick beinahe mit Sicherheit: Die ganze Welt dauerte fort allein aufgrund meiner zehn gefalteten Finger! Am nächsten Abend zögerte ich daher den Moment, wo ich doch das Gebet sprach, so lange hinaus, bis die Fäden, mit denen die Welt verankert war, kurz vor dem Zerreißen sein mußten. Ich blieb wach bis an die Grenzen meiner Möglichkeiten, bis die Furcht der Welt und die Macht meiner Hände unerträglich wurden.

Ich saß mit Georg im Restaurant eines großen Kaufhauses, im vierten Stock, wo überall von den Decken grüne Kunststoffsträucher herabhingen. Die Männer und Frauen, die bedienten, waren grün gekleidet. In der Mitte des großen Saales wuchsen grüne Blattgewächse aus dem Boden. Man hätte meinen können, es handle sich um die Gartenabteilung, wenn nicht der starke Essensgeruch gewesen wäre. Zwischen zwei Brücken sah man den Hauptbahnhof, rechts die rote Post, Hochhäuser, Kräne. Das Flache, Ebenerdige aber wirkte wie etwas, das leicht erwärmt ist und die ersten Bewegungen in einer Pfanne macht, die Autos, die hin- und herfahrenden Züge. Hier war ein trostloser Ort in gedämpftem Licht mit gut gesaugtem Teppich, mit grünen Papierdecken, mit Ausblick. Draußen die Stadt, hier die Menschen, essend fast alle, gewalttätig zusammengeordnet, vergnügt aber insgesamt, zum Wiederkommen bereit und erfreut, wie preiswert für soviel Essen und wie bequem man es ihnen machte. Nein, auch mit Georg, dem trotz seiner Sorgen unverdrossen fröhlichen, konnte ich nicht sprechen. Die Unruhe allerdings, sagte ich mir, als ich die Rolltreppen runterfuhr, ist manchmal so groß, daß ich mich an nichts zu erinnern wage. Ich möchte mich betäubt halten, ohne Erschütterungen. Fast wäre ich in Gedanken die nächste Rolltreppe wieder raufgefahren.

Die kleine Leiter warf am Morgen einen scharfen Schatten gegen das grüne Gartenhäuschen. Ich hätte Leiter und Schatten anfassen und mir die Wörter: Schatten! Gartenhäuschen! aufsagen können. Was ich sah, war ein Erinnerungsbild, das Bild einer ehemaligen tiefen Berührtheit, ein Anblick, der mich nicht erreichte, etwas Angeschautes, zu dem ich nicht nach außen durchstoßen konnte. Ich spürte die Augen meines Vaters wohlgefällig auf meinen Händen. Er sagte die verkehrten Sätze dazu, nämlich solche des Bedauerns. Ich wußte aber, daß er mich sehr gern mit Hausarbeit beschäftigt sah. Am liebsten hörte er das Klirren des Geschirrs, wenn ich den Tisch deckte. Er bot mir manchmal seine Hilfe an, war aber erleichtert, wenn ich ablehnte. Dann konnte er sich mehr dem behaglichen Gefühl des Betrachtens hingeben, solange ich dazu ein gutgelauntes Gesicht schnitt. Da saß er bei mir in der Turnhose, mit einem kurzärmligen Oberhemd, und entschloß sich nicht in seiner Anhänglichkeit, während ich die Gemüse säuberte und würfelte, in den Garten zu gehen! Als er endlich aufbrach, sagte ich hinter ihm her: »Genauso, wie ich weiterlebend in diesen Garten gehe, eine hochge-klappte Teichoberfläche, schlierig, mit schnell unsichtbaren, tieferen Schichten, dieses Dunkel unter, hinter dem Einfall des sofort ins Grüne verfärbten Lichts, ein so dichtes Wasser, so angefüllt mit Organismen, die mich schnell ersticken würden, wenn ich die Wand um neunzig Grad drehte und stürzte, genauso könnte ich in den Tod gehen, zwei nur scheinbar unterschiedliche Dinge.« Und bestand meine Ängstlichkeit vielleicht darin, die aufgerichtete Welt, die mich gegen Alltäglichkeit und Todesfurcht beschützt hatte, könne wieder zusammenbrechen? Ich roch an meiner Haut, an Schulter und Ellenbogenbeuge, und mir fiel die Stunde oder viel kürzere Zeitspanne ein, die ich nach der nächtlichen Heimkehr wieder in meinem Bett verbracht hatte. Ich lag auf dem Laken, unter dem Oberbett, und wurde aufgelöst in kleine Teile. Es war ein Durcheinanderstürzen und eine große Unklarheit, ob dieses Gewirbel überhaupt in das alte Muster würde zurücksinken können. Ich hatte mich nicht als Mensch empfunden, nur als bewegte Masse ohne Ordnung. Es war nicht mein Name, meine Individualität gewesen, die diese Ansammlung von Zellen beherrschte, und möglich war, falls ich wieder aus dem unberechenbaren Geschüttel zu mir käme, daß Stücke von mir verlorengegangen oder ausgetauscht blieben mit solchen des Zimmers, der Möbel oder den Ausdünstungen jenes fremden Bettes, in dem ich die Nächte vorher geschlafen hatte, ich also: plötzlich verwachsen nach dieser Enthäutung mit etwas anderem, das aus Stoff, Holz, Stein, Pappe sein konnte. Mein Vater kam aus der Hocke hoch und hielt sich, um sich nicht ganz aufrichten zu müssen, was ihn ziemliche Anstrengung kostete, der er sich zwar jeden Morgen bei seiner Gymnastik im Badezimmer freiwillig unterzog, dann aber den restlichen Tag über nur, wenn es unbedingt nötig war, an einem Ast fest. Um mich her sah ich die welkenden, geöffneten und noch zu Fäusten geballten Blüten: Für sie alle wurde das gleiche, fix und fertige Schicksal bereitgehalten, die Überlegenheit eines großartigen Gesetzes, da half gar nichts. Ich sprang hoch: Eine Warnung mußte ich aussprechen an diese träge, allgemeingültige, nicht zu erschütternde Realität! Der alte Mann tat, als plane er, mit beiden Armen an dem Ast einen Klimmzug zu machen. Ich erinnerte mich an eine Hand, die mich streichelte, eine insofern öffentliche Hand, als sie eben noch ein Lenkrad, ein Papier, einen Füllhalter, eine Türklinke berührt hatte. Ohne es damals aufzuzählen, hatte ich es aber im Moment der Berührung als aufregenden Widerspruch, bei dieser einen Hand, zu ihrer Intimität genossen. Im Dasitzen bemerkte ich nun, daß ich gar nicht mehr, wie ich doch annahm, jammernd nachdachte, sondern daß nur noch das Gedächtnis sich mit den Wörtern »Trauer«, »Unglück« beschäftigte. Ich rührte mich nicht, ich atmete leicht, ich entdeckte das nicht wegzukriegende Lächeln der ersten Tage auf meinem Gesicht. Was um mich her auch geschähe, ich würde mich nicht bewegen, vielmehr stillhalten und immer kräftiger und zuversichtlicher atmen. Ich fühlte noch einmal das Anschwellen, das kissenartige, eine gierige Nachgiebigkeit, ein Wachsen und müheloses Wuchern des Fleisches, ohne daß sich die Proportionen veränderten. Wieder wandelte ich mich um in die Riesin, die mit der Zungenspitze die Wolken anlecken konnte und Bodenwellen als Sandkörner unter sich begrub. Die Katze schnarchte neben mir, ein hohes, zartes Pfeifen. Mein Vater versuchte keine Klimmzüge mehr, er ging krumm zwischen den Beeten. Als ich aufstand, knickte ich lächerlich zusammen, weil der linke Fuß eingeschlafen war, und stieß mich an der Tischkante mit der Hüfte, gab aber keinen Ton von mir. Ich griff nur gedankenlos an die Stelle, überrascht dann, sie auf Anhieb getroffen zu haben.

Die von der Sonne getupften, moosigen Wege waren etwas tief Vergangenes, Gegenwärtiges. Ich suchte danach. Es gab Sekunden, da konnte dieser Anblick der schmalen, gesprenkelten Flächen, wo sich Licht und Schatten so die Waage hielten, an die Stelle der Gefühle treten oder besser: eins werden mit ihnen, die Gefühle und diese Wege mit den gelben Lichtpunkten waren ein und dasselbe. Es gab ein Kinderfoto, dort stand ich, gestrichelt, zerfallend, zerstückelt in einem Garten, der Garten und ich, ein einziges, geflecktes Fell. Beim Abendbrot, als ich schräg hinunter auf die Bastfliesen sah, spürte ich, wie sich alles umorganisierte, um dorthin zu gleiten und liegenzubleiben. Was drückte sich in der Leichtigkeit meines Körpers aus, war es noch Schmerz oder eine Klugheit, sich zu betäuben? Es dauerte auch nicht an. Schon prallte von innen eine Hitze gegen die Haut und von da zurück, immer geschwinder, ohne rauszukönnen. Dann wieder war es, als hätte man mir die Eingeweide entnommen und übrigblieb diese Hohlheit.

Ende Juli ging ich in den Zoo. Ich stand im Troparium, schimmernd schossen die prächtigen Fische mit ihren Namen: Celebes-Segelfisch, Rotfeuerfisch, Pinzettfisch, Clownfisch, von denen sie keine Ahnung hatten, aus der Dunkelheit nach vorn und wendeten an der Scheibe im letzten Moment. Manche waren ganz durchsichtig, manche uralt wie die Erdgeschichte, pockige, langsam lebende Steine, manche fächerten wehende, gestreifte Schleier auf, und ich spürte ein Zittern, eine Angst, ohne Pause fächerte und wehte es durch mich hindurch. Ich richtete die Augen auf die schönen Tiere, damit sie mir die sanfte, oberflächliche Abtötung gaben. So mußte ich nicht nach innen stürzen!

Am ersten Augustsonntag, im Freibad, mit Georg, der wieder eine Freundin hatte, mir aber auf seine alte Art die Treue hielt, sah ich verschlafen auf die Wiesen, die naß waren von einem nächtlichen Regen, als er schon ins Wasser sprang. Neben mir setzte sich ein sehr alter, sehr bleicher Mann auf die Bank. Er trug Mantel und Hut, er lächelte mir zu mit großen, matten, blauen Augen und begann sich auszuziehen. Mit vielen Unterbrechungen legte er alles ab, in die Schuhe steckte er den Schuhanzieher. Er zog eine lange Unterhose und Stützstrümpfe aus, und nach dem Oberhemd eine darunter befindliche Strickweste. Schließlich kam ein fahl-weißer Körper zum Vorschein, ein zerbrechlicher, schutzloser Körper in der kühlen Luft. Er schlang ein Badetuch wie eine Fahne – und immer noch stand ich da, obschon mir Georg aus dem Becken zuwinkte – um Schultern und Hüften und ging mit Gummischuhen durch die Duschpassage, und erst an der Treppe zum Bad warf er das Tuch ab, also ganz kurz, bevor ihn dann das Wasser wieder verbarg, und schleuderte die Sandalen flach über den Boden von sich weg. Nach den ersten Zügen fror ich nicht mehr. Ich schwamm mit großen, ruhigen, sehr genauen Bewegungen, wie ich es anders gar nicht konnte, es ging von allein. Nur wenn mir durch Entgegenkommende Wasser in den Mund gepreßt wurde, bei den kleinen, störenden Wellen, geriet ich aus dem Takt. Ohne Mühe ließ sich so beim Zurücklegen der Bahnen, und nun war Georg an meiner Seite und lachte mich an, denken: Einen Sprung zu machen, eine Drehung oder einen Fall und den anderen weiterhin mit unerschütterlicher Selbstverständlichkeit, keinen Zentimeter weggeblieben, beobachtend gegenüber zu spüren und deshalb mit keinem Gedanken unterzugehen. Das nämlich ist Liebe, das! Ich sah den blassen Mann aus dem Wasser steigen. Er wand sich sofort schamhaft das Tuch um den Körper und schritt geradewegs auf die Badeschuhe zu. Wieviel Zeit er für das Ausziehen gebraucht hatte, verglichen mit diesen drei Minuten Schwimmen! Ich stieß mich mit Georg vom Beckenrand ab, und wir beide schwammen bis zur Trennschnur beim Nichtschwimmerteil gleich schnell, nur spritzte er mehr dabei. Ich begann, im Kreis zu schwimmen, einige Runden, für mich. Wieder war es ganz leicht, dabei zu denken: Kam es mir damals nicht vor, als wären wir zwei gleichstarke Maschinen, die, wo sie sich berührten, auch wenn sie sich diese wenigen Tage ihres Lebens still gegenüberpostierten, immer zusammenpaßten, sich verklammerten und dadurch unentwegt Energie produzierten? Dann fror ich schlagartig und verließ das Becken mit weißen Fingern und zitternden Beinen. Der Mann saß auf der Bank, er zog sich gerade mit dem Schuhanzieher die Schuhe an. Dabei keuchte er vorsichtig, aber das Gesicht, als er es hob, war ohne Farbe wie vorher. Am Oberkörper trug er erst die Strickweste, er würde noch lange brauchen. Inzwischen sammelten sich auch an den anderen Bänken Leute, im Wasser wurde es voller. Mir fiel auf, daß die gesamte Zeit die Glocken über die Anlage hinweg läuteten. Ich versuchte zu raten, wer von den Anwesenden bis jetzt schon geschlafen, schon gefrühstückt, gearbeitet oder einen Kirchbesuch hinter sich hatte. Der alte Mann redete langsam, so wie er sich ankleidete, auf mich ein. Ungezwungen konnte ich ihn daher anschauen, während ich auf Georg wartete, dem ich das Handtuch entgegenhielt. Ich und der totenbleiche Mann, der jetzt die Anzugjacke zuknöpfte, sahen lächelnd Georgs nettes, nacktes Hinterteil. Der alte Mann setzte seinen Hut auf, als wir noch einmal zurückblickten. Später suchte ich nach Sätzen, die mir vielleicht bei meinem Zusammensein mit Horst Fischer entgangen waren. Ich strengte mein Gehör nachträglich an.

Oft stand ich morgens neben dem Bett in einer großen Müdigkeit, in Schwäche und Kleinmut, mir diesen weiteren Tag unterwerfen zu müssen, ihn erstehen zu lassen in der Beleuchtung, die ich ja verlangte. Ich meinte, keine Kraft zu besitzen, die es mit der Zerstreutheit aufnehmen konnte. Das Erinnerungsbild in meinem Kopf, war es überhaupt noch identisch mit dem in dieser Sekunde fort und fort Lebenden? Ich verstand jetzt, daß man früher in zu großer Trauer anfing, sein Gesicht für immer zu verhüllen. Man löschte es aus. War denn wichtig, ob die Zeit schnell oder nicht verstrich? Sie bot ja keinen Halt, kein Datum. Die Einrichtungen, Monate, Jahreszeiten, die Abläufe, die unbestechlichen, unerschütterlichen, die alles mit- und wegspülten, begann ich zu fürchten und zu hassen. All diese namentlichen Gegner, diese Fixpunkte, angelegt auf Wiederholungen, bis das Leben verging. Man konnte sich nur entziehen, indem man sich einfach von ihnen abschnitt. Es war nun so anders als früher. Ich mochte keinen Frühling, Sommer und so fort mehr ertragen, diese Stationen, diese rundumgebeteten Kreisläufe.

Eines Abends aber lag ich allein im Bett. Der Vater über mir war schon still, ich hörte ihn manchmal, wahrscheinlich im Schlaf, husten, als wäre es ein kräftiges Räuspern in einem murmelnden Gespräch. Bei mir brannte das Licht noch, ich las aber nicht mehr, sondern beobachtete, wie meine Umrisse die Bettdecke leicht ausstülpten. Ich sah es schon eine Weile an, es war etwas eingetreten, es war, als lägen die Teile meines Körpers, Arme, Beine, Rumpf, Kopf, in gar keinem Zusammenhang mit mir um mich herum wie Trümmer, die von oben in einem wüsten Durcheinander heruntergefallen waren. Ich konnte mich nicht rühren, auch wenn ich es unbedingt gewollt hätte. Es bestand ja keine Verbindung zu mir. Ich lag unter diesen fremden Bruchstücken verschüttet, nur mein Herz, nach jedem Mißgeschick als erstes frisch, pochte und schlug unsinnig drauflos.

Der große Rentierbock mit blutiggescheuertem Geweih stemmte die breiten Vorderhufe auf den Rand der Umzäunung, die Augen quollen hervor, und Georg überragend, reckte er sich nach dessen hochgehaltener Hand mit den Augustäpfeln. Als die Sonne unterging, leuchteten die Uferwiesen heftig grün. Die Schatten verzehnfachten die Büsche in der Horizontalen auf uns zu, das anstoßende Wasser war glatt blau, rauh blau, immer kalt blau und von abweisender Helligkeit. Das Baggerschiff, der Sonne direkt gegenüber, fing ihren Untergang in funkelndem Orange mit allen verfügbaren Flächen auf. Beim Rückweg, wieder durch den Park, begann es zu dämmern. Der kleine Blumengarten glühte noch, es war ein Schwelen, flach über dem Boden, von Heliotropen, Salvien, Tagetes, Agaratum, Pantoffelblumen, Fuchsien. Am Rand der Rhododendronhecken sprangen Kaninchen, anders als einmal mit Ruth, in Sicherheit. Ich mußte darauf achten, nicht auf die vielen schwarzen Schnecken zu treten. Georg fütterte die Enten mit altem Knäckebrot, und als der ganze Schwarm vollständig war, aufmerksam versammelt und erwartungsvoll, scheuchte er sie alle mit einem Handstreich fort, daß die Luft brauste. Auch bei wolkenlosem Himmel stand der Garten morgens aufgetürmt schattig, finster grün da, das Grün aus den Fugen geraten. Es war seine dunkelste Zeit, auf das freie Rasenquadrat fielen fast immer weit deckende Schatten, Phlox und Hortensie in blaustichigem Rosa, in kleinen, privaten Nebeln, in leichtem, verstohlenem Frieren, etwas Herbstliches hinter vorgehaltener Hand, das, wo es zur Berührung kam, das Licht entkräftete. Von Hortensienkopf, dick wie sonst nie durch den vielen Regen, zu Hortensienkopf spannten sich Spinnfäden. Wenn sie sich kurz im Wind hochbogen, wurden sie sichtbar. Um zu fühlen, daß Sommer war, mußte man aus dem Schatten treten. Von den Johannisbeeren hatte der Vater die Netze entfernt, um die restlichen für Tauben und Amseln freizugeben. Insekten transportierten winzige Lichtlasten durch die Luft, die eine Stille, den ganzen Tag lang, über den Garten verhängte.

Ich empfand nichts, ich schlief vor mich hin und sperrte dabei die Augen auf. An einem Abend hörte ich hinter dem Fenster unentwegt das Signalisieren der Vogelstimmen, etwas Knäuelartiges da draußen nach einem wilden Regen. Ich spürte meine Gefühle zur Seite fallen, sie knickten mir weg mit erschlafften Muskeln. Jahrelang hätte ich so in den grauen, wiedereinsetzenden Regen gaffen können, mit offenem Mund, nichts anderes. »Was ist passiert?« sagte ich. »Ich möchte mich nicht bewegen, ich kann mich nicht klar erinnern. Ich habe aufgehört, auf den Zehen zu stehen. Ich bin runtergesackt in einem Moment der Geistesabwesenheit, die Knie haben gleich mit nachgegeben, ganz ohne Getöse. Ich werde den Abendbrottisch decken. Ich sollte mich wieder nach einer geregelten Arbeit umsehen.«

Im Park, an einem Vormittag, standen die Alleebäume erstmals auf goldenem Grund zwischen schrägen Schattenschwellen. Der kleine Blumengarten in dämpfendem Qualm, alle Bänke waren besetzt. Auf der großen Wiese rückte der Dunst die Sitzenden ins Unendliche, ein gedehnter und hinfälliger Raum. Ich mußte mich vergewissern, in dieser Milde, daß ich tatsächlich atmete. Alles befand sich in einer sanften Ohnmacht, ein entspannendes Geständnis von Schwäche ringsum. Ich konnte mich nicht trennen von der Gräue, die alles, auch die hohen Laubbäume, auch mich, Rita Münster, zusammenfaßte zu etwas Gleichartigem. Ja, es war gut möglich, daß ich jetzt ein Laubbaum war, wir alle waren mit feinem Sandpapier abgeschmirgelt, und die abgefallenen Teilchen schwebten und stäubten noch um uns herum. Mit dem Wort »Schmerz« wußte ich nichts anzufangen.

An einem Abend hatte ich die schweren Nachtfalter beobachtet, wie sie gegen die Lampe platzten und nach der Landung auf dem Papier in einer langen Betäubung lagen, rührend in ihrer für borkige Rinden geplanten Tarnung und hier so ausgezeichnet sichtbar. Was ich empfand, war nichts als etwas Unauffälliges und Totales, etwas Entwaffnendes: eine Lustlosigkeit, eine Griesgrämigkeit.

Ein Tag begann mit Lichtzacken, Lichtpfützen und -fetzen, aufgehend, erlöschend, einatmend, ausatmend, lebendig, entschlafend, zu Höhepunkten getrieben, verlassen, erloschen, aufgehend. Dann folgte ein strömender Regen, brausend, aber wenn man den Kopf zum Fenster rausstreckte, hörte man ihn einzeln auf den Blättern. Für den Phlox war es das Ende. Die Katze mußte nicht vom Wetter überzeugt werden, sie wußte alles, tief im Zimmer, und hielt die Augen zu. All diese Leute im Buchladen zum Beispiel hatten durchaus ihr Gewinnendes, keine Dummköpfe. Ich bemühte mich gewissenhaft um sie. Aber wenn ich selbst dabei unentdeckt, unberührt blieb, was half es dann mir? Alles stellte sich heraus als eine Frage der Hinwendung, der unverstockten, krampflosen Bereitwilligkeit. Eine Einsicht, bei der mir, dachte ich, nun endlich hätte grausen müssen. Aber es ging nicht. Da war gar nichts.

Ein Morgen nach dem anderen, unterschiedlich und doch alle einander ähnlich: von früh an sonnig, das Licht Stück für Stück auftretend, Fuß vor Fuß, der Garten zitternd, zuckend, wehend, erschauernd unter seiner Berührung, ein bläulicher Wind, ein zartes, weiches Blau: Eine Farbe wehte durch den Garten! Ein wolkenloser Septembermorgen, aber in die Luft schien ein feines Pulver gestreut zu sein, das Licht wurde geschluckt oder eingeschläfert, das Pulver rieselte aus den Schattenzonen, verdünnte sich gegen den Lichtbereich hin und erschöpfte sich schließlich im breiten Sonneneinfall. Und nun doch die ersten gelben und braunen Blätter auf den Wegen. Auch sie schwächten das Licht, wo es auftraf, von unten. Selbst die Vogelstimmen versumpften und erstickten in der grauen Milde. Die Wäschestücke auf der Leine welkten mit. Ein Morgen, der rasch wieder den Unglauben, aus diesen erwartungslosen Gegenständen unter dem Himmel, mit ihm zusammen, könne nichts werden, besiegte: Mit jedem Blick sicherer, setzte die Durchsichtigkeit ein, die unförmige Luft wurde gegliedert von dünnen Nerven, die sich verästelten und das Licht in alle äußeren Bezirke leiteten. Die Nebel verdichteten sich von Morgen zu Morgen, die roten Äpfel aber, dumpfe Glühbirnen, standen als einzige mit der Sonne in Verbindung und wiesen immer als erste, wenn sie noch verborgen war, auf sie hin. Der Vater sagte: »Es ist absolut windstill! Kein Lüftchen, kein Hauch!« Da wußte ich wenigstens, was die Tage so morastig machte.

Einmal, als wir gemeinsam lachten, weinte ich plötzlich. Ich nahm die Schürzenzipfel hoch und bog sie nach innen, jeden für ein Auge, um die Tränen abzuwischen. Ein Zitat!

dachte ich und sah im Spiegel mein rotes, verzerrtes Gesicht an. Nur eine Haut trennte mich noch vom allgemeinen Leben. Noch eine weitere, kleine Müdigkeit, vielleicht nur eine Unaufmerksamkeit, und es überrollte mich wieder. Es war schon dabei. »Nichts ist geschehen«, sagte ich, »als daß ich ein paar Monate älter geworden bin.«

Draußen war alles zuverlässig, ein Pflichtgefühl, ein unentzündetes Licht, eine gleichgültige Ausschüttung der notwendigen Helligkeit, kein Schatten, keine Bewegung. Dann aber, von einer Minute zur anderen, die winzige Veränderung. Keine Sonne, nur eine zarte Verschiebung. Die hellen und dunklen Flächen hatten sich um einen unmerklichen Abstand voneinander entfernt, und ich wußte sofort: Also doch! Der Auftakt! Die Dinge wußten ebenfalls Bescheid. Sie konnten und mußten sich auf die eine oder die andere Seite schlagen, auch wenn das Stunden dauern sollte. Genauso jetzt die Buntfärbung: Eine neue Kräftigkeit kündigte sich wie probeweise an. Von diesen Vorgängen auf ein Extrem zu konnte ich kaum die Augen lassen. Meine Gefühle machten hier jeden Schritt mit, auch sie hatten die Parole verstanden und fügten sich. Zum ersten Mal in diesem Herbst dachte ich: Die dunkle Jahreszeit steht vor der Tür. Und, kein Wunder, am Abend empfing mich mein Vater an der Haustür damit. Einmal hatte ich auf einem Marktplatz im Süden gesessen. Halb im grellen Licht, halb im Schatten von Oleanderbäumen flatterten, schlugen, klatschten Bettlaken gegen eine Mauer. Vertrocknete Blüten rollten schürfend über meine Füße. Aus einer düsteren Fensteröffnung kam eine schwelgerisch und endlos hinsterbende Musik. Aber natürlich war das nicht die gültige Realität, die sein durfte. Die wurde dargestellt von Männern und Frauen, die Einkaufstaschen über diesen leeren, weißen Marktplatz, den altmodisch zierlichen, aus einem Supermarkt in ihre Ferienwohnungen schleppten. Auch das Geschirrgeklapper aus den Küchen gehörte dazu. Das war auf der ganzen Welt, sofort erkennbar, die Wirklichkeit, die zählte.

Manchmal trieb ein schneller, wilder Windwirbel, ein Rausch von zwei Sekunden die Blätter waagerecht durch die Luft, als würde der Garten mit allen umstehenden Bäumen vor Lust schreien. Jeder Busch, der mit seiner Verfärbung einsetzte, war etwas, das vorwärtslocken wollte in der Zeit. Am Abend ging ich mit meinem Vater und der Taschenlampe gegen die Finsternis des Parks an, beim Fluß vorbei, ins Dorf. Die Schausteller bauten ihre Karussells ab, sehr leise, um die schlafenden Anwohner nicht zu stören. In dieser Gegend hatten sie Respekt. Einige standen in Gruppen beieinander, ein Junge sprach mit einem dicken, großen Mädchen und griff nach ihrem Rock. Es bewegte sich dann immer ein bißchen träge von ihm weg. Eine alte Frau in Arbeitskleidung trug noch das weiße Spitzenhäubchen vom Fischstand auf den grauen Haaren. Frauen in Hosen mit Kitteln darüber rauchten und traten auf Papierfetzen. Ein paar Lichtschnüre brannten noch. In die Verkaufswagen, mit der Dekoration im Hintergrund, an der zweiten, geschlossenen Seitenwand, waren nun Stangen und Bretter gepackt. Wer nicht abräumte, schien den geschäftlichen Ertrag zu besprechen, und sie alle wirkten so, als wären sie froh, die Jugend dieses Viertels aus den Augen zu haben, diese ungezeichneten, nach demselben Muster gezeichneten, verwöhnten Gesichter. Der Himmel hatte, wie mittlerweile die Nächte an den Tagen, den größeren Anteil, das Übergewicht: Die Erde schrumpfte darunter, der Zusammenhang der Gegenstände. Auf dem Weg zur Post trat ich auf die ersten, halb aus der Schale geplatzten Kastanien. »Sie glotzen aus der stachligen Einfassung wie die Augen des Rentierbocks«, sagte ich, denn mein Vater hatte mich kürzlich darauf hingewiesen, daß dessen Augen, wenn er sich zum Füttern reckte, an blanke Kastanien vor dem Herausspringen erinnerten. Anfangs spürte ich jedesmal, wenn ich auf eine stieß, den Drang, mich zu bücken, um sie aufzusammeln, als läge da ein Geldstück. Ich versteifte mich überhaupt nicht. Ich ging am Fluß zurück, ohne Vorbehalte ließ ich mir das Herz weiten oder engen, es blieb dabei, ein Zickzack an der Oberfläche, es war egal. Der Fluß schien je nachdem erwärmt, geeist, verflüssigt oder erstarrt zu sein. Ich machte alles mit.

Eines Abends, als mein Vater zu einem Schachfreund unterwegs war, saß ich allein in der Küche, auch die Katze ließ sich nicht blicken. Da begann ich, und schrie sofort, zwischen den Wänden hin und her zu schwanken, von den gelben Schrankwänden gegen die Kacheln in meinem Rücken und wieder gegen den Schrank. Ich wurde herumgeworfen in einer, hoffte ich noch, grundlosen Angst, gleich könne alles zerreißen. Die mir vertrauten Dimensionen waren über ihre Haltbarkeit gespannt, und etwas meinen Verstand und Körper Überforderndes wurde sichtbar. Leise sackten die Kategorien meines Gehirns zusammen. Ich war eine hilflose Fläche in der viereckigen Küche, ich war vielleicht die viereckige Küche und nichts anderes mehr, entfernt aus mir selbst. Ich hatte drei Tassen starken Kaffee getrunken, alles machte sich in diesem vorbildlosen, neuen Alleinsein aus dem Staube. Mein Kern befand sich oben in der Zimmerekke, in den Rillen der Heizung. Wenn nur die Wände nicht nachgaben und mich wenigstens weiterhin rahmten und faßten. Ich, lange verteilt an die Innenseiten dieses Kastens, daraufgestrichen, ein Gelee, kehrte irgendwann zurück, auf den Stuhl, auf dem ich mich sitzen fühlte, an nichts aber gelehnt, ich ganz für mich.

Am Fluß wurde das Licht kälter in der sich entwickelnden Weite, weg von der sommerlichen Versunkenheit schuf sich der Wind Platz. Aus den Seitenstraßen bogen die Autos auf die zugige Chaussee und tauchten alle nacheinander einen Augenblick aus dem Schatten in der Kurve in einen heftigen Glanz. Man trat auf viele trockene Blätter wie auf Geröstetes. Wenn ich den Fuß aufsetzte, spürte ich es gleichzeitig als etwas knusprig Zerdrücktes in der Gaumenhöhle. Georg ging langsam neben mir, feierlich und gerade. Mit jedem Schritt stellte er dar, wie es ihm gefiel, und er blähte dazu die Nasenflügel als genießender Herbstspaziergänger. Erstmals hatte er seine Freundin mitgebracht. Manchmal fuhr über den schiefergrauen Himmel ein anderer, ein goldener Sturm. Er erfaßte alle Baumkronen in einem schmalen Bereich und ließ sie vor der Trübnis aufrauschen in einem gellenden, künstlichen Licht. Abgeschnitten davon blieb alles tiefer Liegende wie der restliche Tag, aber in dieser Zone raste ein leuchtendes Fieber. Ich lief nach unten, um es mitzuteilen, da stand mein Vater bereits im Garten und staunte es an. Als ich mit ihm hochstieg zum Bad, um es zur Straßenseite hin zu betrachten, verblaßten Dächer und Baumspitzen schon. Die Stimmung von eben wurde ganz unvorstellbar. Wir sahen einander verlegen an, unbegreiflich, daß wir wegen dieses Anblicks durchs Haus gerannt waren. Daher hustete ich ein bißchen und kam damit dem Vater zuvor. Was soll das auch, sagte ich mir, es gilt nicht für mich. Was habe ich damit zu tun! Beim Abendbrot besprachen wir fällige Dachreparaturen, den notwendigen Anstrich der Garagentür und die für die nächsten Wochen anliegenden Gartenarbeiten. »Die dunkle Jahreszeit steht vor der Tür.« Ja sicher, da half nichts.

Nach dem Essen betrachtete ich gelegentlich von Georg ausgeliehene Bücher. Ich sah die Details eines Gemäldes an, neun Einzelheiten in gleich großen Ausschnitten. Im mittleren Dreierstreifen beugte sich auf dem linken Bild ein Mann über einen Löwen zwischen seinen Beinen und riß ihm mit bloßen Händen weit sein Maul auf. Rechts bückte sich ein zweiter Mann über einen am Boden Liegenden, eine Hand hoch erhoben, um ihm den Kopf, den er an den Haaren packte, abzuschlagen. In der Mitte, auf dem dritten Bildchen, stand eine kleine nackte Frau und lächelte. Die beiden viel größeren, sie flankierenden Männer schienen ihre protzenden Handlungen auszuführen, konkurrierend also, um sie zu gewinnen. Ich malte mir dazu, wie als Kind beim Anschauen von Modezeitschriften, Geschichten aus. In Wirklichkeit aber, wenn ich zwei Seiten zurückblätterte und das Gesamtbild ansah, saß eine im Vergleich gewaltige Madonna, vollständig bekleidet, zwischen den beiden auf den Armlehnen ihres Throns befestigten Männerfigürchen. Selbst das Jesuskind hätte mit ihnen als Püppchen spielen können. Die verführerische Eva, gerade so groß wie die um das Ende eines Blumensträußchens sich biegende Hand der Muttergottes, lächelnd, mit freier Stirn und gewelltem Haar wie sie, konnte man frontal an der Sesselstütze, unterhalb des Löwenbändigers erkennen. Ich blätterte zwischen den beiden Geschichten vor und zurück, bis mein Vater fragte, warum ich so gut gelaunt sei. Es war mir gar nicht aufgefallen. Aber, ich klappte das Buch zu und griff mir ans Gesicht, er hatte recht!

Es gab die ersten, ganz kahlen Bäume, der Herbst roch. Es sollte noch nicht auf den Winter zugehen. Es ist noch zu früh für die vielen dunklen Nachmittage, dachte ich mit aller Kraft. Ich spürte ein Hindernis, das nur mit Anstrengung zu überwinden war: vor dem Einfädeln in die Verengung auf das Jahresende zu. Es war doch noch alles viel zu bekannt, um schon wieder willkommen zu sein. Am liebsten wäre ich auf der Stelle in eine Betäubung gefallen und dann, nach einer unbemerkten Passage, drüben in der Vorweihnachtszeit aufgewacht, schon mitten drin.

Mein Vater fing mit dem Umgraben an. Traurig ging er

aus der Küche, vergnügt kam er nach einer Stunde, noch mit dem Spaten über der Schulter, ein wenig keuchend, zurück. Ich dachte an Weiher in der Nähe. Jetzt war ihre hohe Zeit. Auf ihren staubigen Wasserspiegeln schwamm Goldenes, goldene Gründe leuchteten aus der Tiefe hoch, ein bißchen Sonne genügte dafür schon. Was aber geschah, bei einem kurzen und doch die wichtige Sekunde zu langen, in einem Erstaunen endenden Blick, mit dem ein Mann in einem Film, als er gerade die Gabel zum Mund führte, eine Frau ansah? Es gelang mir nicht, und ich gab mir auch keine große Mühe, meine Tränen zurückzuhalten. Ich fühlte ja schon wieder die schreckliche, sehnsüchtige Stille sich in mir und über mich hinaus ausbreiten. Aber schnell fragte ich mich: Bin ich hier etwa nur auf einer schönen Arienstelle ein Stück mitgeflogen? Ich sah gar nicht, während ich einfach zum Fernsehapparat starrte, ich witterte und hörte: Es war ein Schmerz, er schnitt und brannte, als hätte er sich nie verflüchtigt, bösartig, und ich lächelte und konnte es nicht lassen über das tragische Ende des Films hinaus. Ganz von selbst waren Kummer, Schmerz, Verlangen in mir ausgebrochen, ein Unwetter zwischen Zehen- und Haarspitzen. Ich hatte nichts dazu getan! Ich hatte mich nicht gesammelt, es war passiert. Es war aus eigener Kraft in mir gewachsen und jetzt mein Eigentum.

Ich las manchmal in einem Tierbuch. Nur gut, daß Georg mich nicht mehr so oft abholte! Die Beschreibung der Lebensweise, Entwicklung, des Aussehens der Säugetiere beruhigte mich wie lauter Geschichten, die Wirklichkeit schildernd und doch viel mehr noch die Zuversicht des Bauens, des Zimmerns vermittelnd. Es entstanden Häuser, in die man sich begab, in denen sich die Natur anständig benehmen mußte, Versuche, die mich bewegten wie eine große, entschlossene, einfältige, unerschütterliche Bemühung, und sie bezauberten mich im Augenblick stärker als Romane. »Rüsselbeutler, Rappenantilope, Baumstachler, Krabbenmanguste«, flüsterte ich dann, »chinesisches Wasserreh, Plumplori. Plumplori!« Zuerst hätte es auch etwas anderes sein können, was ich studierte: eine Stern-, Wetter-, Pflanzenkunde, aber dann freute ich mich plötzlich, genau zu wissen, wie Robben im Wasser schlafen. Ich fragte Georg und seine Freundin ab, sie ahnten es nicht. Ich dachte, während die beiden noch zerstreut zu raten versuchten: Es ist tatsächlich nicht der falsche Ausdruck. »Das Herz zieht sich zusammen.« Ich gehe geradeaus, ich spreche von den Flossenfüßlern, und ohne Anmeldung zieht sich das Herz zusammen, daß es mich krümmt. Ich werde ihnen verraten, wie es die Robben fertigbringen, und während ich rede, wird der Schmerz meinen Rücken verbiegen, und ich werde mich strecken und aufrichten. Ich sage: Die Robben sind warmblütige, lungenatmende Säuger, deshalb müssen sie an die Oberfläche, um Luft zu schöpfen. Im Schlaf steigen sie, ohne aufzuwachen, durch unbewußt ausgeführte Schläge mit den Flossen ab und zu automatisch hoch. Und wenn ich fertig bin, werde ich ihnen erzählen, daß sie aus Vorsicht nie lange schlafen, ich werde es lustig erzählen, damit sie wissen, warum ich mich so freue, daß sich mein Gesicht verändert.

War es damals oder jetzt, daß eine schwere Kugel in mich einsank und ich mich darüber schloß und sie in mir hielt? Die Kugel, in etwas Glühendes verwandelt, rollte zu Gehirn und Gelenken, in die Achselhöhlen, in Magen, Gedächtnis, Sprachzentrum. Ich konnte diese eine, gewisse Person jetzt so von ihrer Erscheinung ablösen, daß sie mir vorkam wie eine massive Metallplatte, auf die ich beißen konnte, so fest ich wollte, und die bestand. Bei den verschiedenen, weißwolkigen, dunkelwandigen Himmelsarten wurde jede Reise überflüssig. Jede Landschaftssorte spielte sich ja dort oben ab. Der Schmerz war ein Zusammenbruch der Welt plötzlich, aufzuckend, ein totales Erlöschen und dazwischen: die glücklichen Momente. Mehr als das kennenzulernen, beschloß ich, darf man nicht verlangen. Bei der Buche deutete es sich schon an, die kurze Spanne näherte sich, wo auch an sonnenlosen Tagen die Bäume aus eigener Helligkeit, aus ihrer Mitte heraus intensiv leuchten. Ich gab mich offen Gesprächen hin und fühlte, wie sich dann Kopf und Körper allmählich von aller Aufmerksamkeit befreiten. Es schwappte etwas in mir, meine Konzentration, weg von den anderen, hin zu einem anderen, schloß sich weit um ihn herum und verfestigte sich. Es geschah ohne Willensanstrengung, ein neues Naturgesetz. Ein bleicher Regen wehte gegen das bleiche Fenster, wie vom Glockengeläut in der Ferne herangeworfen. An den Tropfen unten, ähnlich den Monden der Fingernägel, aber umgekehrt, mit der Vertiefung nach oben, ein weißer Glanz, als wäre er, wieder etwas Umgedrehtes, das Schwere, das sie schließlich nach unten zog. Gegen die

Angst sah ich Bilder an: In den aufgeräumten, ruhigen Räumen saß die Madonna auf schlichten und prächtigen Stühlen. Einzelne Blumen, Vögel und Hündchen wuchsen, pickten, schliefen in der Nähe ihres Mantelsaums. Aber am tröstlichsten – manchmal hätte ich mir ja am liebsten den Straßenasphalt über die Ohren gezogen – waren die goldenen Kessel auf den Fensterbrettern und die Schalen mit Wasser auf einem Regal, so rund, so schimmernd poliert. Ich spürte eine Zertrümmerung, eine grausame Stille, in der sich nichts ereignete, dann, durch mich hindurchschießend, ein Glück. Mit großer Geschwindigkeit fuhr es durch alle Nervenstränge, riß mich vom Boden und war vorbei.

Ich hörte jeden Abend die Dieselmotoren der Schlepper und fast immer die kreischenden, heulenden, durch die Nacht stürmenden Rufe der Käuzchen. Auf der Straße fegten die Blätter flach hinter dem Bus her. Ich sah aus dem Badezimmerfenster in eine verrostete Welt, kam die Sonne durch, in eine golden brausende, von rußigen Säulen gestützt. In der Buche rieselte es unentwegt, obschon die Blätter an ihrer Stelle verharrten. Ich vergaß die Zeit. Dann wandte ich mich nach links zu den noch grünen Eichen, in die Normalität zurück, und das ein paarmal hin und her. »Ja«, sagte ich, »ich brenne, ich erlösche«, das eine nenne ich Glück, das andere Schmerz. Im Glück bin ich fast unabhängig von ihm, weich, getragen, plustrig, im Schmerz verlassen, mager, knochig, erbärmlich. Es ist eine Taubheit, eine Entleerung der Welt und ebenfalls Glück. Ich gehe auf im einen und im anderen, es sind scharf getrennte Schläge, auf die ich mich verlasse, als wäre ich die Lunge eines großen Lebewesens, das mich benutzt für seine heftigen Atemzüge. Ich bin ein aufmerksamer Landeplatz. Das ist endlich der Sinn!« Ich zog meine Armbanduhr auf. Immer, wenn ich nach einer Drehung absetzte, fühlte ich das lebendige Zukken, das zarte Zurück des eigensinnigen und mir ausgelieferten Rädchens an der Außenkante meines Zeigefingers. An diesem Abend bemerkte ich erstmals, daß die Blätter ja auch nachts, die ganze Nacht hindurch fielen, unbeobachtet. Der Regen hieb knallend auf sie ein, ein platzendes Geräusch wie die Reaktion jedes Blattes auf jeden Tropfen. Man konnte sich auch einbilden, daß es von den herabstürzenden, unten knatternd aufprallenden Blättern herrührte, ein Extra-Ton für jedes von ihnen. Es war eine dauernde, laut raschelnde

Geschäftigkeit, die ein Bedürfnis nach warmen Zimmern ohne Luftzug erweckte. Ich ertappte mich beim Lauern auf das Abflauen des Kummers und dann wieder, daß ich gierig darauf wartete, ob er wieder einsetzte, damit die Bewegung in Gang bliebe. Wenn ich gekrümmt im Bett lag, spürte ich oft einen Schmerz zwischen den Beinen und wußte nicht, ob er von der Blase oder einer bestimmten Sehnsucht herrührte. In der Trauer nannte ich es Blasenreizung, im Glück Begierde. Ich sträubte mich nicht, ich verfolgte mit einem Triumphgefühl die genau geformten Wellen, die in einem dennoch unkalkulierbaren Rhythmus durch mich hindurchliefen. Ohne Schatten leuchteten die Buchen aus sich selbst, unendlich sich erschließende Gebäude. Noch nach Stunden schien der Boden einfach nicht naß zu werden. Der Regen sah aus wie ein Nebel und verursachte trotzdem das trockene Knallen auf der Erde. So hätte ich einen Tag verbringen können: aus dem Fenster in den dürren, offenbar knisternden Regen schauend. Wieder hatte ich den Eindruck, auf den Kopf gestellt zu leben: das Glühen der Bäume, am Boden die vom trüben Himmel unabhängige Helligkeit. Manchmal sagte ich ruhig: »Ich sterbe!« Schnell rannte ich, vor der Dämmerung, nach draußen. Eine Stunde lang änderte sich die Diesigkeit nicht. Die Bäume brannten still im grauen Licht. Zart wirkte da der Fluß, weggedrängt von der Prächtigkeit der erhöhten Ufer, ein verspielter Regen. Die mächtigen Feuer der Laubmassen standen unangefochten darinnen. Obschon also die Blätter, erst nicht wahrnehmbar gewachsen, jetzt so sichtbar und von Minute zu Minute in ihrer Menge abnahmen, schienen die Bäume ihren Umfang verdoppelt zu haben. Es schlugen ja Flammen aus ihnen. Ich flackerte hell auf und sackte finster zusammen.

Ende Oktober lag nachmittags ein frischer, abweisender Glanz auf den Äpfeln. Der Wind fuhr in Stößen direkt aus dem gedehnten Himmel, alle Hindernisse waren beiseite geräumt. Auf den Bürgersteigen schichtete man Laubwälle auf und kehrte, an wechselnden Stellen, den ganzen Tag. Das Dorf machte sich sehr klein unter der Weite, die sich vom Fluß her ausbreitete. Die Lebensmittelhändlerin ließ die Eingangstür nicht mehr offenstehen. Der jederzeit dunkelgrüne Friedhof schob sich in den Vordergrund. Mein Vater setzte bei der Arbeit draußen einen Hut auf und trug einen Vorrat an Hustenbonbons mit sich. Er legte trotz des Windes ein Herbstfeuer an. Die große Flamme schoß in alle Richtungen, sie stand steif in der Luft, verschwand und tauchte an einem anderen Platz auf, ein fortwährendes Zerfetzen. Er schaffte die gehorteten, mittlerweile getrockneten Stauden des Sommers aus dem Gartenhäuschen. Hin und wieder stiegen nur blaue Rauchwolken auf, als wäre das Feuer erstickt. Ganz gelb hob sich der Haselnußstrauch dann vor dem Qualm ab. Schlagartig herrschte kurz darauf schon neue Klarheit und scharf konturiert, in jeder Flüchtigkeit scharf zuckend, das Feuer. Es konnte auch rosig von unten durch den Rauch scheinen und große Funken fliegen lassen wie brennende Blättchen, und der doch nahe bei der Küche stehende Apfelbaum, durch den ich die Flammen sah, brannte er nicht mit? Als das Feuer endgültig klein wurde, brach, auf dieses Zeichen hin, die Dunkelheit aus. Der Wind bewegte unvermindert alles nicht an allen Stellen Feste.

Um Allerheiligen fuhr ich mit Martin in dessen letztem Lebensjahr auf eine Nordseeinsel zu seiner Tante, die dort mit Mann und Enkelkind ein Ferienhäuschen bewohnte. Beim ersten Meerspaziergang stieg schrilles Türkis über den Dünen hoch auf zu einem Blau. Das Schrille mußte der Reflex von etwas Spektakulärem sein, das die Dünen abriegelten. Lange nachdem die Sonne hinter einem dunklen Wolkenstreifen, der sich den halben Horizont entlangzog, verschwunden war, warf sie noch ein rötliches Licht nach oben, das sich im flach überfluteten Sand spiegelte. In der Mitte des Weges mischte es sich mit dem Schein der Neonlaternen, es brannte jeweils nur die zweite, auf der teilweise überwehten Kurpromenade. Wir gingen die meiste Zeit. Es war mein Vetter Martin, der den schneidenden Himmel über dem Watt und den Äckern, mit den Wolken an den Rändern, im Gegendruck des Himmels dorthin gepreßt, bis dahin zurückgedrängt, »brutal« nannte, so nebenbei, im friedlichen Vorwärtsschreiten, und mich kurz ansah, als wären seine stets verschleierten, träumerischen Augen einen Moment erwacht. Pfützen auf den Pfaden zwischen den Wiesen gaben das Licht wieder ab, die schwarzen Erdflächen schluckten es. Immer hielt mich das kleine Mädchen an der Hand – und wenn es sich nur die Nase geputzt hatte, wurde ich sofort wieder von den sehr weichen Fingern gepackt –, das nicht wandern wollte, ohne dabei fortlaufend Geschichten zu hören. Ich kannte bei allen Märchen die Details nicht mehr, erfinden konnte ich überhaupt nicht. Im Norden der Insel sahen wir Flugzeuge beim tiefen Anflug auf ein hinter den Dünen verborgenes Ziel. Wenn sie hochschossen, steil in die Luft, begleitete sie eine Salve aus der Versenkung. Kaum wandten wir, wenn einer abdrehte, den Kopf in die andere Richtung, folgte der nächste, als wären wir es, die den Piloten das Signal erteilten. Der Himmel war von Wolken wild verwischt, die aber schienen in rasender Wut erstarrt zu sein. Aus den großen Übersichten von Meer und Watt gerieten wir manchmal in windstille, geräuschlose, menschenleere Behälter, in Mulden mit hügeligen Rändern, eine Landschaft ohne Bäume und Gebüsche, kurzfellig, mit struppiger Mähne und heller Haut. Sandaufwölbungen, natürliche und doch äußerst angestrengte Rundungen, makellos weiß, hochgespannt vor den tieferliegenden, dunklen Ebenen. Die Verteilung von Haut und Fell spielte sich mal in gleichmäßigen Flecken ab, dann plötzlich schroff, durch verschiedene Höhen gegeneinandergestellt, eine in diesem Augenblick erzeugte Mimik, um durch die übergangslose Kontrastierung eine extreme Potenz herauszustülpen. Durch Wegsturz der Zusammenhänge ein Kurzschluß der Beziehungen, ein ganzer Himmel hinter einer roten Hagebutte, eine Sandhalbkugel in die schwarze Fläche gebogen. Vor roten Ziegelhäusern sahen wir die Schatten der nackten, glänzenden Äste und überall das Laub der Heckenrosen, vor den vielen Siedlungen, Tankstellen, Supermärkten, an den Ampeln und den Parkplätzen hinter dem Meer. Dann war der Wolkenzorn verraucht, aber alles schien daraufhin in eine noch viel hellere Leidenschaft zu geraten. Ein schreiend blauer Himmel über dem schwarzen Wattenmeer. Jede Muschel lag blitzend mit einem eigenen Schatten im nassen Sand. Ich berührte mit der freien Hand in der Manteltasche auf allen Gängen einen alten Brief aus Kanada. Mir fiel nichts mehr ein, das Mädchen rüttelte ungeduldig an meinem Arm. Da sagte ich schließlich einen Text aus dem Tierbuch auf, den ich vor einiger Zeit für mich auswendig gelernt hatte. Ich sprach schnell und ein wenig leiernd, ich wußte ja, daß das Kind ihn nicht wirklich verstehen würde, aber so war ein Stück Weg, gerade als wir durch ein Silberpappelwäldchen gingen und von Dornen seitlich und hinterrücks eingefangen werden sollten, mit ausgesprochenen Worten belegt: »Das Wasser hebt und trägt, schmeichelt und wiegt, bietet wenig Widerstand, gestattet den zartesten unter seinen Geschöpfen hauchdünn und schwerelos zu sein, sich treiben zu lassen ohne Eigenbewegung und Muskeleinsatz, wirbelt ihnen die Nahrung wie im Schlaraffenland in den Mund. Leichte Knorpel und nadeldünne Knochen genügen meist, selbst umfangreiche Fleischmassen in Form zu halten. Riesige Zentnergewichte, auf dem Erdboden untragbar, schnellen spielend durch die Wogen. Reichliche Nahrung und unbegrenzten Raum bietet das Wasser ihnen allen in den Weiten der Ozeane, in deren wogendem Schoße Entfernungen keine Rolle spielen. Trotzdem wurde das gefährliche Abenteuer gewagt, solch schützendes Element zu verlassen, das sich wie ein Stoßdämpfer zwischen seine Brut und die rauhe Wirklichkeit von Sonnenhitze und Winterkälte schiebt, die Wucht zerstörender Wetter in seinen Tiefen bricht und abschwächt. Unfaßbar sind deshalb die treibende Kraft und das innere Gesetz, die trotz allem einige zwangen, diese Wohlgeborgenheit zu verlassen, um sich in Jahrmillionen mühsamsten Entwicklungsganges Erde und Luft zu erobern.« Das Mädchen hörte es gern an. Es gefiel ihm offenbar, Wörter, die es kannte, anzuhören, aber nicht ganz ihren Sinn zu begreifen. Es gab sich fürs erste mit dem Text, den es für ein Rätsel hielt, zufrieden. Hier stürzten die Maßstäbe für Großes und Kleines zusammen, immer änderten sich die Verhältnisse im Auf und Ab von Heide und Dünenmulden. Und es paßte nicht, wie man es erwartete: unter einem Hochsommerhimmel allerletzte Blätter an Bäumen, ein gelb wehender Grashorizont und eine schmerzhafte Kälte, dazu die geringe Entfernung von meiner Stadt! Alles war die Anstrengung der Landschaft, dieser platten, nackten Insel, und meine, Rita Münsters. Von einem Kliff aus sahen wir die breite Strandebene. Alle Leute gingen einzeln und leuchtend mit schwarzen Schatten, jeder Stein, Kanister, Hund war deutlich als hart gezogene Figur in der Fläche wiederholt. Mantelmöwen hockten in Reihen auf muschelbesetzten Buhnen und auf Sandbänken. Einerseits wurde alles sehr klein unter dem gewaltigen Himmel, aber es funkelte dafür als besonders schwerer Körper zurück. Am Tag der Abreise wanderten wir nach dem Frühstück los. In den Spuren der Pferdehufe stand Eis. Wir kamen an Imbißstuben, Kasernen, Campingwagen vorbei. Ein Pferd mit einer Decke auf dem Rücken wurde herumgeführt. In der Ferne strahlte weiß ein

Hochhaus vor dem grauen Himmel wie aus einer Zukunft herüber. Auf der linken Seite immer das trockene Riedgras, sirrend. Als die Sonne durchdrang, empfanden wir das als Stille, und es wirkte einschläfernd. Noch einmal mußte ich dem Mädchen an meiner Hand eine Geschichte erzählen. Da fiel mir ein, daß ich ›Die Elfen‹ von Tieck gelesen hatte. Ich sprach von der kleinen Marie, die durch ein Hündchen in den finsteren Tannengrund gelockt wird und dort entdeckt, daß es in Wahrheit das liebliche Reich der Elfen ist, bei der Heimkehr erfährt, daß viele Jahre vergangen sind, nie mehr zurück kann, heiratet, eine Tochter zur Welt bringt, die sie Elfriede nennt. Wie sie eines Tages dahinterkommt, daß diese sich heimlich wieder mit einer Elfe trifft, in einer alten Laube, es endlich verrät und alles Glück aus der Gegend weicht, wie das kleine Mädchen dahinwelkt und sie wenig später hinterher, beide für immer verloren für die Menschen, und zugrundegehen. »Der Schluß ist leider traurig«, sagte ich entschuldigend zu der Kleinen, die das nicht schlimm fand. Sie fragte aber: »Kannst du die Elfen sehen? Kann ich sie sehen?« Beide Male antwortete ich mit Ja und bemerkte dabei – ich streckte mich ein bißchen –, daß ich es nicht ohne Bosheit tat gegen die in beträchtlichem Abstand vor uns gehende restliche Familie und auch damit rechnete, daß sie sich jetzt vorwurfsvoll umdrehen würden. Ich sah das sanfte Feuer im Gesicht des Mädchens, das Straffe, plötzlich soldatenhaft Gereckte, das Glühen, auch wenn es sich nur an den Wangen verriet, die beiden schnurgeraden Zöpfe wie Lanzen, Pfeile, zwei die kleine Person spannende, stützende Stangen. Zwei wilde Schwäne flogen laut schreiend links an uns sehr nah vorbei, ein Flugzeug gleichzeitig rechts, in umgekehrter Richtung. Die Erde war in der Sonne rasch aufgeweicht, bei jedem Schritt rutschte man leicht weg. Die Masse des Riedgrases schimmerte fast rot, jede Wasserfläche darinnen blau. Wir wanderten unterhalb des Deiches, da standen die kurzen Grashalme alle einzeln und stämmig gegen den Himmel. Ich habe das Einmaleins gelernt, darüber hinaus Englisch, Biologie, Geografie, Geschichte und nun erlebt, was ich immer erleben wollte. Auf dieser Insel beginnt der Milchstraßen-, Lichtjahre-, Sternennebelabgrund über meiner Kopfhaut. Das gibt einen schönen, komischen, den richtigen Kontrast zu meinen Bewegungen, fing ich nochmal für mich an. Zum Schluß, auf einem ganz mit Wiese überwachsenen Pfad, nur kenntlich als geringe Vertiefung, wünschte ich mir, mitten im Gehen ohne Umstände aufs Gesicht zu fallen.

Teil III

Andererseits muß ich einmal über flache graue Hügel geritten sein, ich war Hügel, Pferd, Reiterin, Himmelsgewölbe und gleichzeitig nur eine einzige Figur, ein in Blei gegossener Reiter, unter einem riesigen Himmel, in einer leuchtenden Geräumigkeit. Ich ritt und sah mich dabei winzig aus der Ferne. Das war der Zustand des damaligen Lebens, ich, das Gewölbe darüber, ein andauernder Vollzug, ohne Essen, Trinken, ohne Liebe und Schlafen. Das ganze damalige Leben war nichts anderes als ein Inbegriff. Etwas Unendliches umschloß mich direkt, es herrschte überall und umfaßte ohne Zwischenraum mich, das Pferd und die leeren Hügel. Diese ununterbrochene Bewegung über die gleichartigen Erhebungen war eine vollkommene Bewegungslosigkeit. Ich stand auf diese Weise mit angehaltenem Atem still unter einer großen Wucht. Der Bewuchs der welligen Ebene war hart, struppig, aber ich sah es wie aus großer Höhe, kurzfloriger Samt. Ich habe nie hochgeschaut, es war nicht nötig, nie wieder mußte ich so Sekunde um Sekunde gegen einen unveränderlichen Widerstand ankämpfen. Er schluckte mich, um mich von der einen Position in die andere zu lassen – wir, das Pferd und ich, brauchten unseren ganzen Willen dazu –, und stemmte sich erneut gegen uns. Aber ebenso unerschöpflich war unsere jeweilige Kraft. Nie wieder habe ich das mich Umgebende so vollkommen berührt, da es derart von mir berührt werden wollte. Ich berührte mit ganzer Person das Unendliche an dieser einen, sehr kleinen Stelle, und wenn ich den Arm ausstreckte, wenn der Schwanz des Pferdes waagerecht in der Luft stand: Immer wurden wir sofort umringt von der einfachen, durchsichtigen Masse der Ewigkeit.

Und jetzt, in dieser anderen Stadt, erinnere ich mich, wie ich damals, mit vier, fünf Jahren, jeden Morgen aufwachte. Sobald ich die Augen öffnete, befand sich hoch über mir eine Decke und ein Stück von mir entfernt, noch weit hinter dem hölzernen Bettende, eine Wand. Links neben mir konnte ich mit den Handflächen und Fußsohlen gegen die Tapete stoßen und unter dem dünnen Papier die kalte Mauer fühlen.

Rechts und hinter mir war der Hauptteil des Zimmers, vor allem das Bett meiner Eltern, aber ich habe die Möbel, die Ecken und Einzelheiten des Raumes am Morgen nie beachtet. Sie gehörten nicht zu dieser frühen Stunde, die aus nichts als dem immerfort angeschauten Winkel bestand, den die hellgestrichene Decke und die beiden Wände neben und vor mir bildeten. Ein fahles, graues Licht sammelte sich darin, ein trockener Nebel wohnte darin um diese Zeit. Es war, als strömte das ganze Zimmer mit mir dorthin seiner Auflösung entgegen oder, im nächsten Augenblick, andersherum, als wehte ein feiner Staub herunter und uns, den Raum und mich, zu. An meine Eltern dachte ich nicht, ihre Füße stießen ja beinahe an das Kopfstück meines Bettes, ich hörte sie auch nie, sie waren noch vollständig weggesunken. Anwesend aber war das Gebot, mich still zu verhalten, nicht als Satz, sondern als etwas ebenfalls Graues, Fahles, eingesogen von dem Winkel dort oben. Die Wörter hatten sich längst in einen leise atmenden Schleier verwandelt, den ich ansah und der mich lautlos auf die Matratze preßte, sanft und selbstverständlich. Das Aufsteigen des Raumes, mein Emporgehobenwerden zu dem Nest, dem mein Kopf unten gegenüberlag, und das Herabsinken des leichten Ascheregens auf meinen Körper, mein Gesicht, mein Kissen war ein Hinundherwogen, ohne feste Gestalten. Mit einemmal aber stand es still. Meine Haut begann sich an der engsten Umgebung zu scheuern. Damit wurde mir das Zeichen gegeben, in die leere Luft über mir, noch immer ohne Geräusche, meine beiden Arme zu strecken, lange, steife Schlangen, die ich auf ein zweites Kommando warten ließ, gerade und glatt bis in die Fingerspitzen, durchgedrückt in den Ellenbogen. Jetzt zählte nicht mehr der Winkel, der blieb endgültig an seinen Platz zurückgestaucht. Meine Arme und Hände hatten den Raum übernommen und füllten ihn, plötzlich weich und geschmeidig geworden, so weit ich reichen konnte, aus. Über mir kreisten die Finger, dunkel, hell, langsam, beschleunigt, nikkende Köpfe, rasende Schwalben, gezackte Zungen, einander bekämpfend, zärtlich aneinander geriebene Hälse, herumgeschleuderte Wolken, niederstoßende Blitze, niederstoßende Raubvögel, aufwirbelnde Feuer, in Spiralen immer höher kreisend, zusammensackend, Springbrunnen, die in einzelnen Tropfen verzögert durch die Luft kletterten. Die Hände waren nur locker mit den Gelenken verbunden, als könnten sie schließlich mit einem Schwung noch höher geworfen werden. Von einem bestimmten Moment an wußte ich, daß meine Eltern mir zusahen. Ich hatte sie stumm geweckt, und über ihr Fußende und mein Kopfstück beobachteten sie meine hin und her sausenden Arme. Ohne auch nur den Kopf aufrichten zu müssen, spürte ich sie. Jetzt waren sie im Zimmer vorhanden, und es ging von nun an um eine Darstellung für sie, der ich mich mit solcher Inbrunst hingab, in der Gewißheit ihrer Aufmerksamkeit, daß ich mich bald darauf aus dem Bett rollen ließ und ihre beiden lächelnden Gesichter hinten auf dem Kopfkissen nah beieinander liegen sah.

Manchmal, in diesem Alter etwa, geschah etwas Seltsames. Meine Mutter stand vielleicht gerade am Herd und kochte mir einen Griesbrei, er roch schon zu mir herüber, zu der kleinen, bemalten Bank hinter dem Küchentisch. Er roch wie die Wärme und Behaglichkeit selbst, so mußte die Güte riechen, und alles gehörte zusammen, der Topf mit dem dampfenden Brei, meine Mutter, die mit dem Löffel eifrig darin rührte, das Rumoren der kochenden Masse und die Worte meiner Mutter, die mir beschrieb, wie sich die Milch in dem roten Emailletopf veränderte, verdickte, wie sie Blasen warf, wie weit es noch war, bis ich den Teller mit Brei, Kakao und Zucker vor mir haben würde. Sie schichtete mir einen Griesbreiberg auf, überstreut mit dem dunklen Kakaopulver – jetzt durfte man nicht husten –, und direkt vor meinen Augen drückte sie die Spitze zu einer Mulde ein und füllte sie mit einem Stückchen Butter. Das war das Schönste vor dem Essen. Bald liefen nämlich aus dem goldenen Teich Bäche die Hänge hinab, einige kamen bis nach unten durch, andere versickerten, nur an der fast schwarzen Färbung erkennbar als feuchte Rinnsale im Geröll. Ein köstlicher, glücklich machender Duft der mit heißer Butter verschmelzenden Schokolade stieg davon auf. Es war etwas Träges darin, eine vorweggenommene Sättigung, etwas Festes, Schweres. Meine Mutter sah mich ermunternd an, ich fühlte mich so klein hinter dem großen, dicken Brei, er war durch den Duft weiter aufgequollen, und meine Mutter nickte wieder freundlich und kaum ungeduldig, so daß ich ganz unten, wo eine schwarze Kakao-Butterträne einen Klumpen bildete, zu essen begann. Ich stach ein bißchen mit der Löffelspitze ab. Meine Lieblingsspeise teilte ich mir in Häppchen auf, damit man sah, wie oft ich davon nahm, mit dankbarem Appetit, denn in Wirklichkeit war ich sehr schwach geworden vor der runden, überwältigenden Stärke des Breis, der mir seine Kraft nicht abgab, der mich bedrängte und mich einschränkte und einklemmte zwischen Tellerrand und Wand. Meine Mutter wurde nie böse, sie wußte, daß ich die ganze Portion nie aufessen konnte. Ruhig ließ sie mich dahinter sitzen, bis ich den Löffel aus der Hand legte, sie schien zu ahnen, daß der kaum weniger gewordene Brei ein Vorwurf für mich war, und räumte ihn einfach vom Tisch. Aber das half nicht viel. Die Küche, und weiter zu denken war mir unmöglich, die Welt um mich her, wurde braun und massig, alles sackte in seinem schrecklichen Gewicht nach unten und hörte nicht auf damit. Durch das Fenster sah ich einen großen Lebensbaum, auf einem Stuhl saß meine Mutter und stopfte, als hätte sie mich vergessen. Es stieß und drückte etwas auf meine Schultern, ich konnte nichts dagegen stemmen, ich sollte nicht länger an meinem Platz bleiben, sondern in der dunkelsten Ecke der Küche sitzen, eng zusammengefaltet. Der Lebensbaum und meine Mutter, sie bemerkten nicht, daß sich doch alles verwandelt hatte. Aber was? Zu trösten war ich von niemandem. Ich rutschte schließlich von der Bank und drängte mich allein an den Vorhang, ich wickelte meinen Kopf darein und weinte in den harten Leinenstoff. Nichts war zu tun gegen das Verschwommene und Lastende, und doch fand sich etwas, das mir immer erst so spät einfiel. Ich mußte einen Satz sagen, aber dafür galt es zunächst etwas zu erkennen, und ich staunte, indem ich ihn aussprach, ich hob den Vorhang an und gab mir und der Welt ungefragt, feierlich Auskunft: »Ich bin traurig!« Meine Mutter nickte, ich glaube, niemals mitleidig, zustimmend eher, vielleicht sogar lobend, daß ich es herausgefunden hatte, und stopfte dann weiter. Sie ließ mich in meinem Frieden. Allmählich hob sich wieder alles vom Boden ab, ich blieb im Vorhangstoff verborgen, bis die Traurigkeit so leicht wurde, daß ich mich nicht mehr an sie erinnerte.

Einmal stand ich in einem Ährenfeld an einem frühen, heißen Sommernachmittag und wußte, daß man die Mohnblumen, deren Rot direkt ins Herz traf, nur am Rand abpflükken durfte. Jemand hatte verboten, tiefer in das hohe Feld einzudringen, weil man sonst dort am täglichen Brot großen Schaden anrichten würde. Die Halme reichten über meinen Kopf, es sauste leise, alles um mich her war golden und warm, ein Geruch zog mich an, ich konnte zum Himmel aufschauen und hinunter zur Erde, der grauen, krümeligen, aus der Mohn, Kornblumen und kleine, weiße Blumen wuchsen. Es war nicht einfach, sich dort aufzuhalten, weil die Luft von den Ähren weggeschnappt wurde, man mußte sehr vorsichtig atmen, um mit dem bißchen, das sie übrigließen, auszukommen, und still sein, kein Knistern, kein Wort, um in ihrem Sirren versteckt zu sein. Hatte man einmal den erlaubten Rand verlassen, wurde es bald unmöglich, ein Ende abzusehen. Die Halme verriegelten stumpf und glänzend die Sicht, sie standen dicht beieinander, es gab überall, in jeder Reihe Lücken, doch neue Halme, ein wenig versetzt nur, sperrten trotz der Durchlässigkeit den Ausblick zu. Das war eigenartig, man konnte dazwischengreifen, dazwischensehen, aber insgesamt, obschon man nirgendwo daran rührte, vereinigten sie sich zu einer scheinbar freundlichen, in Wahrheit unnachgiebigen Wand. Man konnte eine Gasse darein treten, und hinter mir bildete sich ja eine, ob ich es beabsichtigte oder nicht, aber auch die schloß sich schon bald, die Halme lehnten aneinander, verbogen sich ohne Mühe, so spielerisch, so böse, so zäh und gleichmäßig. Wohin ich den Kopf wandte, ich sah immer dasselbe, ich atmete die lähmende Süße ein, ich hörte von allen Seiten das Zischen. Ab und zu fuhren Wellen durch die Gesamtheit, kein einziger Halm wehrte sich dagegen. Sie ließen sich gern so jagen und kamen nah zusammen dabei, und es war, als würden sie unauffällig, heimlich um mich herumgreifen und mich beinahe einschnüren und dann zurückweichen, sie alle, einer wie der andere, von unten nach oben geglitten, goldene Stangen, man konnte sie ohrfeigen, aber ich traute mich nicht, es waren so viele, nicht zu unterscheiden, ohne Augen, ohne Gesicht, eine Menge, in die ich eingelassen war und die mich umfaßte. Ich hatte einen Verbündeten bei mir, meinen Vetter Martin, der reichte ein Stück über das Korn und paßte auf, ob der Bauer kam. Er wußte ja nicht, wie es bei mir unten war, in der dumpfen, starren Helligkeit, bei den vielen, auf- und zuschnappenden Gängen und Gassen, ohne Kern, ohne Mittelpunkt, unbegrenzt und zunehmend vielleicht, alles schwül überwuchernd, den Heimweg, alles. Ich ging unter, ich ertrank, ich wollte mich nur festhalten, aber ich zerrte an ihm. Er sah meine Angst und bekam wohl Lust, sie noch ein bißchen zu vergrößern. Darum erzählte er mir von der Roggenmuhme, die verborgen lauert auf die Kinder, die schlimmerweise in das reife Korn gehen. Jetzt war ich es aber, die seine Furcht spürte. Die Roggenmuhme! Ein Glück! Nicht die Ähren ohne Stirn, Nasen, Pupillen waren die Feinde, sondern eine alte, heimtückische Frau in der Tiefe der flüsternden Wärme mit einer Nase und Zähnen und runzliger Haut, etwas Leibhaftiges, das mich ansehen konnte, das man durch die schwankenden Gruppen der Halme schließlich erspähen würde zu seinem großen Entsetzen und Unheil. Das war das Innere des Ährenfeldes, etwas Lebendiges wie ich. Ich ließ mich von dem Vetter nun schnell, nachdem er es ausgesprochen hatte, fortziehen, rücksichtslos, mit lautem Knacken und drauflostrampelnd, auf den Weg und weit weg aus dem Umkreis und endlich schadenfroh aus der Ferne der machtlosen Roggenmuhme Fratzen schneidend mit einem anderen, angenehmen Grausen zurückblickend von einer Anhöhe auf das sacht bewegte Feld, das nichts als ihre Behausung war.

Es kam auch vor, daß wir in der Nähe des Hauses an einem See saßen, bei einem Bootssteg, ich, mein Vetter Martin und einige Kinder aus der Nachbarschaft. Wenn man mit den Fingern über das Holzgeländer fuhr, splitterte es leicht, und wir zogen uns gegenseitig die Spänchen aus der Haut. Wir warfen Steine ins Wasser, die größeren Jungen in flachen Bahnen, damit sie aufhüpften, ich selbst ließ sie senkrecht nach unten fallen, um das Geräusch beim Einplumpsen zu hören und um die Spritzer zu sehen, die rundum aufstiegen. Ich legte mir die Steine vorher nach ihrer Größe geordnet zurecht, damit es ein sich steigerndes Aufklatschen gab. Wir lehnten uns auch, so weit wir uns trauten, über den Wasserspiegel, mit einem Hintermann im Rücken, der, wenn es gefährlich wurde, Hemd und Kleid packte, oder wir stützten die Ellenbogen auf die Knie, alle nebeneinander, und lauerten auf die Stichlinge, die manchmal in Schwärmen über den Boden schossen. Dann zogen wir schnell die nackten Füße aus dem Wasser, damit sie uns nicht berührten. Immer schien die Sonne, wenn wir dort saßen, und wenn fremde

Kinder in einem Boot auftauchten, fingen wir an zu brüllen und zu drohen. Wer einen Stock hatte, schüttelte ihn in der Luft, und was uns nur an Beschimpfungen einfiel, schrien wir zu ihnen hinüber und achteten genau darauf, welche Beleidigungen die Jungen und Mädchen zu uns herriefen, und merkten sie uns für eine andere Gelegenheit. Wenn uns alle Ideen ausgegangen waren, ließen wir uns nach hinten fallen, auf die heißen Holzplanken, und versuchten, möglichst lange mit geschlossenen Lidern, ohne das Gesicht wegzudrehen, unter dem grellen Sonnenlicht auszuharren. In der Stille hörte ich das Wasser gegen die Stützbalken unter uns schlagen, und es war dann, als würde der Bootssteg mit uns fortschwimmen, schaukelnd mit uns schläfrigen Kindern. Die sanften Wellen mußten nun direkt unter den Brettern sein, es wiegte mich auf und ab auf den dunstigen See hinaus, und obwohl ich die Lider fest geschlossen hielt, sah ich doch auf den hellen Grund des Sees. Ich sah die schimmernden Steine und Gräser, die sich schlängelten wie in einem ganz vorsichtigen Wind. Und das Wasser selbst: so durchsichtig unter mir und so blau in der Ferne! Wir schwammen, ohne uns zu rühren, und wölbten uns zu kleinen Hügeln auf und höhlten uns zu Tälern im Licht, in der Luft, im Wasser, in der Bläue, in der Wärme, im süßen Holzgeruch. Das Schönste aber waren die Sonnenkringel, die unbeständigen und unaufhörlichen Maschen eines leuchtenden, im Wasser wehenden Sonnennetzes, schief und gerade, eng und weit, ausgewölbt und eingedellt, ein ausgebreitetes Gegenstück zur festen, harten Sonne oben, die man nicht einfach ansehen konnte. Wir lagen nebeneinander wie Holzbretter, wir waren ein langes Boot, jeder von uns eine Bootsplanke, und schwammen mühelos mit warmen Körpern durch das locker gespannte, auf und ab schwingende Sonnennetz. Einmal habe ich schließlich die Augen aufgeschlagen, von allein, sonst stieß mich immer jemand an. Zwar konnte ich nicht sofort etwas erkennen in der plötzlichen Blendung, aber ich spürte, daß ich als letzte übriggeblieben war. Alle rechts und links von mir hatten ihre Stelle verlassen, es war so kahl um mich herum auf dem langen Steg. Ohne Spuren waren sie verschwunden, weggezaubert mit einem Mal, noch eben an meiner Seite und nun verschluckt und von mir abgeschnitten, weggeschlichen oder fortgerannt. Ich hatte nichts bemerkt und lag in einer anderen Welt, ohne Übergang, riesig und leer, treulos, viel zu groß für mich der See, der Himmel. Ein so schroffer Wechsel, das also war möglich, ein Peitschenknall, ein Pfiff. Man mußte auf der Hut sein und von jetzt ab immer damit rechnen. Die Welt konnte umspringen, die Richtung wechseln wie ein Sturm, man wußte nicht wann und im Handumdrehen.

Als ich mit meiner Mutter zum ersten Mal zur Tante Charlotte fuhr, lieh mir mein Vetter Martin für die Reise ein Buch mit seiner Lieblingsgeschichte ›Genovefa‹. Er hatte mir oft davon erzählt. Ich konnte damals zwar noch nicht lesen, aber es waren schöne Abbildungen darin von der zunächst im Schloßgarten üppigen, glücklichen, dann in der Not abgemagerten und schließlich in Pracht wieder heimgeführten Gräfin. Nicht nur bei der Zugfahrt, auch während des Aufenthalts betrachtete ich immer wieder die Waldszene, und ich machte es jedesmal so, daß ich mit den Augen sehr langsam an den Rändern des Bildes herumwanderte und die Mitte mied, weil ich sie mir bis zum Schluß aufheben wollte. Ich begann in der linken unteren Ecke bei einem kleinen Pflanzenbüschel mit fünffingrigen Blättern, aus dem lange Blütendolden emporstachen, eine Eidechse reckte den Kopf, um bis zu den Spitzen zu sehen. Ich saß dann in der Küche auf einem hohen Stuhl, die beiden Frauen unterhielten sich, und ich preßte mir die Fäuste gegen die Ohren, um ungestört zu sein. Manchmal mußte ich das Buch hochheben, weil sie den Tisch abwischten und decken wollten oder gerade den Platz zum Gemüseputzen brauchten. Den nackten Fuß Genovefas, den sie weit vorstreckte, so daß er beinahe an die zutrauliche Eidechse stieß, zu überspringen, wie ich mir eigentlich immer vornahm, gelang mir nicht, aber ich sah ihn nur bis zum Fußknöchel an, bis zu ihrem Rocksaum. Ein anderes Tier berührte ihre Ferse um ein Haar mit seinen langen Ohren, das war ein Hase, auf den ein Schatten fiel, aber gleich bei ihm, im hellen Sonnenlicht, hatte sich ein zweiter männchenmachend aufgerichtet. Wenn es in der Küche vom Kochen und Braten zu heiß wurde, stießen sie die Tür zum Garten auf, und der kalte Luftzug fuhr mir ungemütlich gegen die Beine, so daß ich mich tief über das Buch duckte, um nicht herausgerissen zu werden, denn zwischen Steinen, aus einer dunklen Spalte hervor, an gebogenen Gräsern vorbei, floß ein Bach, und ganz in der rechten Ecke wanden sich dicke, knorrige, freiliegende Wurzeln aus dem

Erdreich. Sie gehörten zu einer durch den Bildrand halbierten Eiche, aus der auf dem Weg nach oben ein wildes Gezweig mit den gut erkennbaren Blättern wuchs. Daneben führte ein düsterer Pfad in das Innere des Waldes, auf dem ersten Ast aber saß ein Eichhörnchen, das eine Frucht in den Pfoten hielt. Alle Abbildungen waren schwarz-weiß, aber sobald ich sie anschaute, wurden sie farbig, und ich sah also hier das kräftige Grün und das braune Leuchten des Bodens und das Brennen des Eichhörnchenschwanzes, ich hörte und roch und begegnete auf dem verworrenen Geäst einem Vogelpaar, genau über der ausgesparten Bildmitte. Wenn ich die beiden Frauen bei ihren Beschäftigungen zu sehr behinderte, hoben sie einfach den Stuhl hoch und setzten ihn an anderer Stelle wieder hin, so daß ich das Buch in der Luft oder auf den Knien halten mußte. Sie faßten mich mit feuchten Händen an und boten mir hin und wieder aus Freundlichkeit einen Bissen an zum Probieren, den ich jedesmal standhaft ablehnte. Unter den Tannenzweigen in der linken oberen Ecke, auf denen verschiedenartige Vögelchen wippten, näherte sich behutsam, auf die Mitte, die unebene Waldlichtung zuschreitend, die Hirschkuh mit zierlichen Läufen. Ihr Hinterteil war halb verborgen hinter dem Tannenstamm, die kleinen Waldblumen wuchsen lieblich um ihre Hufe. Wenn ich dort angelangt war, konnte ich den Augen des Tieres folgen. Sie wandten sich Genovefa zu, die, mit einem Arm ihr nacktes Kind an die Brust haltend, mit dem anderen sich gegen den Abhang einer genau für sie passenden Kuhle stützend, zwischen Eiche und Tanne saß. Ihr zweiter Fuß blieb versteckt unter dem Rock, der auch eine weitgeschnittene Hose hätte sein können. Hell und schön saß sie dort mit trauerndem, nachdenklichem Gesicht, aber äußerst bequem in der Einsamkeit, bei Pflanzen und Tieren, von aller Welt verlassen. Ihre Haare reichten über den blanken Oberkörper bis zu den Knien des Säuglings. Tante Charlotte stieß mit einem Schrubber gegen meinen Stuhl. Das Buch klappte zu, ich hielt die Beine hoch, weil sie gerade dort wischen und putzen mußte. Ich setzte mich auf einen anderen Stuhl, um Genovefa nun ganz in ihrer Trauer zu betrachten und an ihr Schicksal dabei zu denken, wie es zu ihrem Unglück gekommen war und wie sie doch noch gerettet würde. Aber schon erreichte mich die Tante mit dem Waschwassergeruch und der Bürste, den Lappen, den Schürzen und Laugen. Ich sah

sie nicht an, ich starrte unverwandt in die grüne Waldein-
samkeit mit dem gefleckten Waldboden und der schönen,
bekümmerten Frau in der Mitte. Tante Charlotte aber von
der einen, meine Mutter von der anderen Seite schrubbten
und scheuerten, seufzten und rannten, alle Kacheln waren
naß, es zog zwischen den Zimmern, sie bewegten sich so
schnell, daß schon dadurch immer Wind entstand, sie trugen
Kittel. Ich aber kroch in mich zusammen, auf dem höchsten
Stuhl, und hielt mir den stillen, zwitschernden, duftenden
Wald um Genovefa vor mein Gesicht.

Es gab das Spiel ›Die Reise nach Jerusalem‹, auf Geburtsta-
gen, wenn viele Kinder beisammen waren. Jemand sang ein
Lied, und alle liefen dazu hintereinander um eine Reihe von
Stühlen, die abwechselnd mit den Sitzflächen und Lehnen zu
den beiden Seiten standen. Brach der Sänger mit seiner Melodie plötzlich ab, mußte sich jeder einen Sitzplatz verschaffen, wobei einer ausscheiden würde: Es fehlte für die Menge
der Kinder jedesmal ein Stuhl, und es war ein aufregendes
und immer neu erstaunliches Gefühl, als einzige irgendwann
vor lauter besetzten Plätzen zu stehen und diejenige zu sein.
Das wurde übertrumpft durch ein anderes Spiel, bei dem
eine Tafel Schokolade dick eingewickelt in der Mitte des
Tisches lag. Wer eine Sechs würfelte, zog sich schleunigst
Handschuhe an, stülpte sich eine Mütze auf den Kopf und
versuchte, mit Messer und Gabel die Schokolade von Schnü-
ren und Papieren zu befreien, um sich schließlich ein Stück
davon in den Mund zu stecken. Natürlich kam man im Fortgang der Enthüllung immer schneller zum Kern, aber meist
wurde, vor dem entscheidenden Zustoßen der Gabel, alles
von einem weggerissen, weil der nächste einen Treffer er-
würfelt hatte. Der lange Weg vom Aufspießen des Schokola-
denriegelchens bis zum Mund war die gefährlichste Etappe.
Wie schwierig, all diese kleinen Stationen mit der enormen
Steigung vom Tisch zu den Lippen zurückzulegen, eine vielfach geknickte Strecke, die mir aus aufeinandergestellten
Streichhölzern gebaut zu sein schien, so zerbrechlich durch
den Zuruf eines Mitspielers! Und ebenso groß wie der
Wunsch, die ausgestreckte Zunge noch eben zu erreichen
mit der Gabelspitze, war die Wirksamkeit einer Schwerkraft,
die meine Hand, so kurz vor dem Ziel, beim Hochführen,
beim ängstlichen Horchen auf Unterbrechung in der Nähe

der Tischplatte halten wollte. Das dritte Spiel war das einfachste, früheste, erregendste. Wir benötigten nichts als unsere Hände dazu. Sie lagen nackt, ausgebreitet, mit den Rücken nach oben, zu einem Kreis geordnet unter der Lampe auf dem Tisch. Ein weiterer Spieler strich mit der Innenseite seiner Hand sehr langsam oder schnell, wie er es selbst wünschte, es war nicht vorgeschrieben, er konnte mitten im Sprechen das Tempo wechseln, über sie hinweg und sagte den Vers: »Ich hab' gefischt, ich hab' gefischt, ich hab' die ganze Nacht gefischt und keinen Fisch erwischt.« Dieser Satz war viel länger noch als die Strecke, die meine Gabel hinter sich bringen mußte, und auch als jedes Lied, das bei der Reise nach Jerusalem gesungen wurde, selbst wenn einer ihn, um uns zu verblüffen, runterhaspelte, daß uns Hören und Sehen verging. Unsere Hände durften währenddessen nicht zucken, sie mußten faul, aber insgeheim schrecklich wachsam daliegen, und erst bei der letzten Silbe »– wischt«, wenn die Ausführende, der Fänger zuschlug, rissen wir sie weg, genau im richtigen Moment, so daß er nicht unsere Finger, sondern das blanke Holz traf. Das kam aber selten vor, er nämlich, der den Verlauf bestimmte, konnte gemächlich bei seinem Umherstreichen – von meinem Vetter Martin wußte ich, wie die Löwinnen in der Steppe ihre Beute umschleichen und sich in Ruhe das schwächste Tier aussuchen – wählen. Eben streichelte er noch über einen Handrücken ganz sanft und hatte schon den Entschluß gefaßt, zwei Sekunden später, genau diese zu packen. Er hat es schon geplant! Er hat es schon geplant! dachte ich immer und hörte auf zu atmen und hörte auf, die kreisende Hand über uns zu beobachten, was doch nötig war für einen rechtzeitigen Rückzug. Ich sah das Gesicht des Jägers an, ob er mich vielleicht meinte, er aber hielt Ausschau nach dem sichersten Fisch, er verriet sich nicht, er täuschte und beruhigte und erkannte dabei das Beutetier.

An dem einen, einzigen Tag, den ich im Kindergarten zubrachte, sangen wir das Lied: »Weißt du, wieviel Sternlein stehen...?« Am hellen, blauen Tageshimmel sah ich lauter kleine Sterne auftauchen, so viele, daß die Zwischenräume beinahe schwanden. Dann kam die riesige Hand Gottes. Er nahm sie alle der Reihe nach fort, um sich nicht zu verzählen, die große Zahl, ein goldener Berg aus Sternen, wuchs schließlich aufgeschichtet unter dem Himmel hoch. Die Zahl erfuhr man nicht, aber die Arbeit war getan, und die blitzenden Sternenfetzchen konnten wieder mit einem Satz an ihre Stelle im Firmament springen. Inzwischen hatten wir das Lied zu Ende gesungen, und die Kindergärtnerin trug ein Tablett mit Malzschnitten herein. Jeder durfte sich eine davon nehmen, sie waren so groß, daß unsere Finger sie kaum greifen konnten. »Wer möchte noch eine?« rief die lachende fremde Frau. Ich hatte, weil es so gut schmeckte, ausnahmsweise sehr schnell gegessen und zeigte sofort auf. Mein Finger schoß in die Höhe, ich war Sieger, Kaiser, einer der ersten, ich traute mich an eine zweite Schnitte heran. Wenn meine Mutter mich jetzt nur sehen könnte! Ich beobachtete ruhig und froh, wie die restlichen Malzbrote zu denen, die aufzeigten, hingetragen wurden. Auch als das Tablett in meine Nähe kam, zu mir, so mußte es sein!, lagen noch zwei Scheiben darauf. Aber die Frau reichte es an mir vorbei, ich hatte schon die Hand danach ausgestreckt, da schwebte es an mir vorüber, zwei Kinder packten die Brote, und weiter war nichts passiert. Die aufrecht stehende Frau, die auf uns herunterblickte, hatte meinen emporgereckten Arm nicht bemerkt und räumte, mit ihrem wahllosen Lachen für alle, im Zimmer herum. Ich folgte mit den Augen ihren Bewegungen, ich hätte am liebsten in ihren dicken Ellenbogen gebissen, ich sah sie an mit einem furchtbaren Blick, der sie zwingen mußte, ihren Fehler zu begreifen, aber sie klatschte, trommelte, stellte Stühle um, und die Kinder hatten sich Hände und Münder gewaschen. Ihr fiel nicht einmal auf, daß ich den Raum verließ und sie alle in ihrem Lärm. Ich schämte mich so sehr, daß ich erst viel später meiner Mutter von der Kränkung erzählte. Ihr genügte zu spüren, daß etwas Schlimmes geschehen war, und sie schickte mich nicht wieder dorthin zurück. Ich lief gleich in den Garten um das Haus herum und fing an, die hyazinthenähnlichen Blumen, fette, knospende Dolden, die dort in Massen im Boden steckten, aus der Wiese zu graben. Ich wußte, daß sie es nicht überleben würden, aber es mußte sein. Eine große Menge sollte zum Vorschein kommen, von meinen Fingern an die kühle Luft gewühlt. Dann hob ich alle Steine, die ich vom Fleck bringen konnte, auf oder stieß sie mit den Füßen um, weil ich das Gewimmel der Tierchen darunter ansehen wollte. Ich hatte beides schon immer gern getan, aber heute machte ich nichts lieber, nichts war notwendiger als das. Sie krabbelten schutzlos in der Helligkeit und in ihrer eigenen Häßlichkeit unter dem Himmel. Die Erde unter ihnen schien mitzuzucken vor Lebendigkeit. Als alles aufgedeckt war, versuchte ich noch, die alten Rindenstücke von den Bäumen zu reißen, aber es gab noch nichts darunter. Ich ging nicht ins Haus, ich machte mich klein neben einem Baumstumpf, so daß ich meine Knie roch, und die Kindergärtnerin mit den nicht abgezählten Malzbroten, die mich nicht kannte und nicht liebte und doch immerfort gelächelt hatte, als wäre es so, ging herum und herum.

Manchmal schenkte man mir einen Bogen aus etwas steiferem Papier, in dessen Mitte ein Mädchen gedruckt war und dazu Kleider, Hosen, Pullover und Blusen, Mützen, Taschen, Schirme. Wenn man alles ausgeschnitten hatte, besaß man eine sogenannte Anziehpuppe mit viel Garderobe. Die richtigen Puppen, davon hatte ich drei, setzte ich mir gern gegenüber in ein Kissen und sah sie lange an, aber ich spielte selten mit ihnen. Sie waren mir zu leibhaftig, um sie mit Verkleiden, Baden und Kämmen zu belästigen. Die flache Anziehpuppe aber hatte keinen Willen und keine Rechte. Ich war nicht sehr geschickt mit der Schere, lagen aber Figur und Kleider endlich vor, beschäftigte ich mich Stunden damit. Ich spielte sie förmlich zu Tode. Sie war dazu bestimmt, von den sie umgebenden Kleidungsstücken bis zu ihrem Vergang an zwei umknickbaren Stäbchen über den Schultern behängt zu werden, wobei sich der größte Reiz für mich nicht aus der verlockenden Vielfalt der Röcke, Hemden und so weiter ergab, sondern aus dem Umstand, daß der Wechsel so schnell vor sich ging, bei immerzu perfektem Ergebnis bis zur täuschend natürlich gebauschten Schleife und der in einem gedachten Wind auffliegenden Falte. Mit einem einzigen Handgriff verwandelte ich die platte Person in eine dicke kleine Braut, ich mußte nur die Schulterträger umklappen, in eine fröhliche Tennisspielerin, in ein eifriges Schulmädchen, das zu allem gleich lächelte und doch jedesmal ganz besonders passend. Kein Knopf fehlte, kein Verschluß blieb nachlässig offen, kein Kragen verrutschte. Es entstanden neue, tadellose Umhüllungen der Papierperson, die ich in die Puppenstube lehnte, an Sofa, Tisch und Wand, und alles wandelte sich mit: der Nachttopf, die rote Sitzecke, der Puppenherd. Noch lieber aber betrachtete ich die Fotografien alter Gemälde, auf denen Maria still in ordentlichen Zimmern kniete an einem Betpult oder auf einem kostbaren Stuhl saß in einem schönen Mantel mit ihrem Kind. So lieblich befand sie sich zwischen dem Mobiliar in diesen aufgeräumten, reglosen Räumen, wo alles klar an seinem Platz ruhte, als wäre ihr ganzes Leben nichts als dieses anmutige Dasitzen mit duftigem Haar und kostbaren Gewändern, freundlich wachsenden Blumen in den Töpfen, mit Lilien und Akelei in Bodenvasen, so frisch, unvergänglich, Tag um Tag, im Hintergrund die schwere, bestickte Bettdecke mit zwei golden schimmernden Kissen, darüber ein Regal mit Tellern, Büchern, Flaschen, locker gestapelt, und für die Nacht gab es eine schon benutzte Kerze in einem einfachen Halter. Gerade diese Dinge auf dem Bord sah ich genau an, weil sie so berührbar wirkten, von Maria angefaßt und dort hingestellt und wieder heruntergeholt, wenn sie sich, auf den Zehenspitzen, reckte. Natürlich würde sie nicht aufwaschen und staubwischen, aber vielleicht die Blumen gießen, ein Buch aufschlagen, einen der Metallteller ein wenig polieren, die welligen Haare bürsten. Ich stellte sie mir als heiliges Püppchen in ihrer Wohnung vor, und alle ihre Handlungen waren heilig, ob sie aus einer Tasse trank, einem Vogel Körner hinstreute, dem Kind die Brust gab, eine Seite des Gebetbuches umblätterte oder sich in das feierliche Bett legte, alles war immer schön, was sie auch tat. Ich ließ sie in den grünen Pantoffeln über den glänzenden Boden gehen, ein paar Schritte nur, und aus dem Fenster einen Blick auf die Straße werfen. Ich ließ sie eine Sanduhr mit ihren zarten Händen umdrehen. Dann sollte wieder alles erstarren, Maria auf dem Thron im heiteren Licht, die Fransen der Bettdecke, die kugelförmige Pflanze in ihrem Kübel, ein bunter Vogel an der Türschwelle, ein unendlicher, ungetrübter, durch und durch klarer Augenblick. Ein solches Leben wünschte ich mir sehr. Wie gern hätte ich, so daumen- oder handgroß, in diesem für immer makellosen, friedlichen Raum gelebt, in schöner Haltung mit langen Locken und einem Samtkleid. Ohne daß es jemand bemerkte, brachte ich halbe Tage aber auch in unserer unvollkommenen Wohnung als Maria zu, mit kleinen, gemessenen Schritten. Ich nahm eine Schale aus dem Küchenschrank und stellte sie zurück, wieder als Maria. Ich warf ein paar Salzkörner auf die Fensterbank mit einer zierlichen Bewegung, ich raffte meinen Rock und schlug ein Buch mit Eselsohren und Flecken auf, ein Kochbuch, das machte aber nichts, ich rückte es ja nur ein bißchen vor mein Gesicht, graziös und unbequem, das hielt ich gern aus, solange es nur ging. Ich trank dann aus einem Becher etwas Wasser, schlückchenweise, und legte mich am Abend steif und ohne Zufälligkeiten ins Bett, die Beine ausgestreckt bis zu den Zehen, stützte aber die rechte Hand leicht gegen mein Gesicht wie auf einem anderen Bild die schlafende heilige Ursula.

In der Schule wurde am Morgen bestimmt, daß man nach vorn sehen mußte. Die Lehrerin hatte eine Tafel mit Buchstaben in Schreibschrift aufgerollt und zeigte mit dem Stock, unregelmäßig über die Menge der Zeichen hüpfend, wie es ihr in den Sinn kam. Ihr konnte ja keiner befehlen. Wenn sie anhielt, rief sie schnell einen Namen, wer den Namen trug, mußte augenblicklich den Namen des Buchstabens zurückrufen. So ging es lange Zeit, und wie sie mit der Stockspitze hin und her und quer und senkrecht über die Tafel sprang, so sprang sie auch, unberechenbar die Kinder aufrufend, ohne sich vom Fleck zu bewegen, in ihrer Auswahl durch die Reihen der Bänke von einer Ecke des Klassenraums zur anderen. Es gab drei große Fenster, sie reichten fast bis zur Decke hoch, hinter dem mittleren entfaltete sich eine mächtige Baumkrone, deren Ausläufer sogar ein wenig in die seitlichen Fenster ragten. Die gezackten Blätter zitterten und drehten sich in einem leichten Wind an ihren Stielen und standen manchmal ganz kurz so still, daß ich es nicht für möglich gehalten hätte und schon wieder auf den Ausbruch des Zitterns gespannt war. Das Laub glühte feurig im Licht, und ein Blatt warf seinen Schatten auf das andere. Das grüne Feuer schien aus dem Baum herausflammen zu wollen. Achtung! hieß es aber, wir mußten uns längst über unsere Hefte beugen und mit einer Feder schreiben, die nicht tropfen, die sich nicht, durch zu großes Aufdrücken in der Spitze, teilen durfte. Die Bögen der Buchstaben aber sollten an die äußere oder mittlere Linie stoßen, ohne sie zu überschreiten, mustergültig gerundet, mindestens eine Reihe, fort und fort, immer ein L, groß und klein, oft eine Seite, ein L um das andere, eins wie das andere. Ich hörte aber in der langen Achterbank meine beiden Nachbarinnen atmen. Sie keuchten vor Mühe. Ich roch sie auch, die rechte roch nach Dauerlutschern, die linke nach einem alten Butterbrot in der Hitze. Ich sah die Finger der rechten, die den Halter packten, daß sich das erste Glied des Zeigefingers nach innen knickte und dort weiß verfärbte. Die linke streckte vor Anstrengung die Zungenspitze heraus. Das Mädchen vor mir trug einen gelben, sehr flauschigen Pullover mit roten Noppen darin, ich hätte so gern, auch ohne ihre Erlaubnis, daran eine Weile gezupft. Ich hätte sie ein bißchen geschoren und dann lauter gelb-rote Flusen besessen, um sie mir zu einer Fläche zu verweben. Das taten alle Kinder, und wer solche Pullover anhatte, mußte sich vor allen anderen in acht nehmen, in den Pausen nicht seinen Rücken frei zeigen oder am besten, gegen einen Tausch, das Grasen einigen erlauben. Ihre Haare fielen zwischen die Schulterblätter, ich versuchte herauszubekommen, ob sie vielleicht Läuse hätte. Es wurde aber wieder nach vorn gesehen, zur Rechenmaschine, wo eine Schülerin die farbigen Kugeln von einer Seite zur anderen schob. Manche blieben zaghaft und stumm davor stehen, andere klickten und klapperten wild, daß die Bällchen nur so sausten. Wir alle mußten die Köpfe dorthin wenden, die Zahlen wurden ausgesprochen, darauf kam es jetzt an, dazu saß man aufrecht in der Bank, die Hände lagen still auf der Tischfläche. In unserem Tierpark hatte ich am Tage vorher mit meinem Vetter Martin eine Bärendressur beobachtet. Ein großer, verzweifelter Mann wollte, daß zwei sehr kleine Bären, die uns, egal, wie sie sich benahmen, so gefielen, daß wir an diesem Tag überhaupt keine anderen Tiere ansahen, auf eine gestreifte Kiste stiegen und die Vorderpfoten hochhielten. Sie sollten es gleichzeitig machen, jeder auf einer eigenen. Einzeln klappte es noch gerade, und der Dompteur steckte ihnen ein Zuckerstück ins Maul, aber zusammen, da er sie ja nicht im selben Moment in den Augen hatte und behexen konnte, wurde nie was daraus. Er tat uns leid, er weinte nach dem vielen Probieren beinahe, er bat die pummeligen, fröhlichen Bären, und man merkte, daß er sie am liebsten etwas geschlagen hätte, aber dann machte er nur wütende Gesten für sich. Vielleicht hätte er Erfolg gehabt, wenn er mit den Augen in verschiedene Richtungen hätte kucken können, ein Auge für jeden Bären. Mein Vetter Martin und ich, wir wußten gar nicht genau, was wir uns wünschten, daß die Bären gehorchten oder nicht. Ihr Ungehorsam bereitete uns großes

Vergnügen, aber eine Überraschung wäre es schon gewesen, wenn die Nummer ein Mal, wie in einem richtigen Zirkus, gelungen wäre. An dem Baum hinter dem mittleren Fenster zitterte im stillen Laub nur ein einziges Blatt wie von Sinnen. Da saß ich im Klassenraum, die Lehrerin trieb mich rasch nach draußen, nun Pause, nun kein Stillsitzen, nun Herumtoben zehn Minuten.

Auf den Korridoren konnte man, wenn man während des Unterrichts die Klasse zum Beispiel als Botin verließ, um eine Nachricht zu überbringen oder bunte Kreide auszuleihen, die Mäntel an den Garderoben vertauschen, damit sie zu Pausenanfang an allen Flurhaken gesucht werden mußten. Die Mäntel hingen da, und man brauchte nur zuzugreifen, ohne zu wissen oder sich dafür zu interessieren, wen es gerade traf. Wenn man so allein an ihnen vorbeiging, schien das, als Vorschlag, geradezu in der Luft zu liegen. Sobald ich lesen konnte, holte ich mir regelmäßig Bücher aus der Schulbibliothek, dicke Bücher mit großen Druckbuchstaben und Tierzeichnungen darin. Man durfte sie nur eingewickelt mitnehmen und ebenso wieder abliefern, und oft fiel es mir schwer, ein liebgewonnenes Buch mit Eichhörnchen, Riesen, Burgfräulein abzugeben, als wäre es niemals meins gewesen. Wir hatten auch in einer Stunde geübt, wie man Bücher aufschlägt, umblättert, Lesezeichen einlegt, und was alles nicht geschehen darf, trugen wir zu einer Liste auf der Tafel zusammen und schrieben es ab und suchten zu Hause noch fünf neue Straftaten für den nächsten Tag hinzu. Und doch, wenn das Buch nachmittags vor mir lag, auf dem sauberen Küchentisch, zwischen meinen aufgestützten Ellenbogen, wurde mir so deutlich, daß ich nun mit ihm machen konnte, was ich wollte, sofern keine allzu sichtbaren Spuren zurückblieben. Ich ging, auch weil mich meine Eltern dazu anhielten, immer sehr gut mit Büchern um, aber dann plötzlich gab ich ihm wie zufällig, nachdem ich mir die Seite gemerkt hatte, einen Stoß, daß es zu Boden krachte, das mußte es schon mit sich geschehen lassen, hob es auf und blätterte, wie gelernt und geprobt, behutsam um. Manchmal kamen wir bei unseren Spielen in der Abenddämmerung an niedrigen, offenstehenden Fenstern vorbei. Dahinter befanden sich die dunklen Zimmerhöhlen, diesmal nicht durch eine Wand, durch eine Scheibe oder Gardine versperrt, sondern zugänglich, wehrlos vor den Blicken und eine Verlockung, sich heranzuschleichen und einen kleinen Stein, einen Fetzen Papier in die ungeschützte Finsternis des Raums zu werfen und um die nächste Ecke verschwunden zu sein. Die größte Herausforderung aber waren die Türklingeln, wenn wir in kleinen Trupps von der Schule kamen. Da ragten die Knöpfchen schnurgerade untereinander ein Stück aus der Wand! Wie sollte man der Lust, sie mit der flachen Hand alle gleichzeitig einzudrücken, widerstehen! Selbst wenn sich weiter nichts getan hätte, reizte mich das genug. Aber es war ja so, daß man, ohne daß irgendeiner der Hausbewohner die Chance hatte, so schnell wie wir zu sein und auch nur einen Mantelzipfel von uns zu entdecken, ungestraft mit so einer einzigen Bewegung das gesamte Haus in Unruhe versetzen konnte, ein Haus voller Erwachsener, die durch die schwarzen Knöpfchen, die zu berühren jedem frei stand, in Hand- oder Augenhöhe, in ihren Stockwerken lebendig wurden. Niemand sah es, es war verboten, aber keiner erwischte mich, uns dabei, darum mußte es geschehen. Die gute Gelegenheit verlangte das. Gott sah es, Gott sah immer alles. Trotzdem mußte es sein. Gerade wenn es niemand sah, sah er besonders gut, als wäre dann die Sicht für ihn ganz frei auf unsere Taten. Ich spürte, wie er alles sah, ich wußte es. Es gab auch einen Briefkasten an einer Stelle mit schlechter Einsicht. Da hing er mit seinen beiden Schlitzen, in die man nichts als Briefe stecken sollte, und nichts als Briefe und Postkarten steckten die Leute hinein. Aber ein einziges Mal mußte ich ausführen, was ich schon oft gedacht hatte bei diesen beiden Spalten, die doch jeder auf- und zuklappen konnte, unter dem Himmel, zu dem ich kurz vorher hochsah: Ich preßte etwas Matsch da durch, ich wollte ja keinem schaden, nur: Es war doch auch möglich, einmal diesen Dreck durch die Schlitze, die sich nicht sträubten, zu werfen. Wieder hatte Gott freie Sicht, aber das hinderte mich nicht. Ich dachte sogar in diesem Augenblick an seinen strengen Blick, aber ich sah nicht zurück. Er war ja unsichtbar, und das hielt ich in solchen Momenten für eine Schwäche. Wenn er aber wegsah, fühlte ich das sofort, die Mäntel, Bücher, Klingelknöpfe, Briefkästen und ich hingen und standen verlassen da, ohne Verlangen, Verbote, Verführung, es gab nichts Spannendes zwischen den Dingen und mir. Gott machte die Augen zu, und wir wurden davon steif.

Einmal war ein Mittag sehr stumm. Ich saß in der Küche, die Jahreszeit spielte keine Rolle, ich konnte von meinem Platz aus in den Garten sehen, aber drinnen wie draußen herrschte nur die Stummheit, das Stillstehende, alles für sich, nicht schwer, nicht leicht, erloschen aller Glanz, abgeschabt alles Flirren von den Möbeln, von den Bäumen, von den Kacheln, von den Büschen. Es roch nach Weißkohl und Kümmel, den wir eben gegessen hatten. Meine Mutter schlief nebenan, schon deshalb konnte ich nicht mit Geräuschen gegen die Stummheit angehen. Ich mußte sitzen, den schwarzen Spülstein ansehen, den Vorhang, in den ich mich früher manchmal eingewickelt hatte. Jetzt war ich noch immer klein, dafür aber zu groß, auch nicht traurig, aber fröhlich noch weniger, und roch die langsam verwehenden Weißkohlschwaden in der dumpfen, schweigenden Küche, dumpf und schweigend wie der Garten hinter den Scheiben und die Welt um mich, um die Küche, das Haus und die Stadt herum. Deshalb hatte es keinen Sinn aufzustehen, man mußte es aushalten. Ich holte aber eine kleine Blechdose aus der Tischschublade und zählte die Pfennige darin. Eine Weile malte ich mir aus, wie ich, nach der Mittagstunde, davon 100 Gramm Cremehütchen kaufen könnte, wenn ich Glück hatte, wären viele mit gelber Aprikosenfüllung, wenige mit der weißen Pfefferminzpaste dabei. Das würde jedoch erst viel später sein, es nutzte mir jetzt nichts. Ich schob das Geld wieder zurück und sah trübsinnig in der Küche umher. Ich hörte den Wecker ticken, erst in zwanzig Minuten durfte ich meine Mutter anrufen. Mir fiel ein Buch ein, das in meiner Schultasche steckte. Ich schlug es auf, vielmehr ließ ich es von allein aufspringen an einer Stelle, wo eine Eule abgebildet war. Ich las: »Lange spitze Flügel deuten immer auf Hochgeschwindigkeitsflieger hin, abzulesen bei den Schwalben oder Seglern und deren Jägern, den Falken.« Was änderte sich in diesem Augenblick? Ich las den Satz, den ich nicht sogleich verstand, noch einmal. »Hochgeschwindigkeitsflieger«, dachte ich, »Schwalbe«, die sah ich oben in der Luft plötzlich, wie an den Sommerabenden, »Jäger«, »Falke«. Das Wort »Falke« leuchtete aus dem Buch, es strahlte direkt auf mich zu mit einem scharfen, grausamen Glanz, so hell, so schneidend. Einen Falken hatte ich noch nie gesehen, aber nun fuhr er jagend über den Himmel, rasend auf die Schwalben zu, die fliehend auf- und abstiegen, vorwärtsschossen und wendeten, immer begleitet vom Falken, dem Jäger, der zu ihnen gehörte, für sie bestimmt, sie für ihn, ihr Eigentum und die Schwalben das Eigentum des Falken. Ich dachte auch die Wörter: »Tapferkeit«, »Verwegenheit«, »pfeilschnell«. Ich sagte sie laut in die schwerfällige Weißkohlküche, in den tauben Tag hinter den Fensterscheiben. Es war wie ein Klirren und Schneiden in der Luft, eine Kräftigung. Ich saß ja jetzt ganz gerade am Tisch. Der mürrische Herd, die Vorhänge, der sture Fußboden mit dem rissigen Balatum, unter dem sich die Bretter wölbten, wachten auf. Die Wörter, die Vögel, die Hochgeschwindigkeitsflieger glitten und stürzten durch den Raum und mühelos durch das Glas nach draußen und von dort in einer Schleife zurück, lange dünne Feuerzungen, fuhren davon und berührten uns, den Stuhl, das Sofa, den schwarzen Spülstein, die Büsche und mich.

Ich weinte viel als Kind. Jederzeit konnten die Tränen sich so zu Wolken ansammeln und ballen, daß es platzte und riß in mir und eine Weile unaufhaltsam aus den Augen strömte und eine Wohltat war, bei einem geringfügigen Anlaß, zu einem kleinen, bitteren Kummer. Einmal, nach einem schlechtgeratenen Diktat, zum Schulschluß, war die Tränenflut noch nicht beendet, als ich den Klassenraum verlassen mußte. Das Weinen brauchte seine Zeit, jetzt aber befand ich mich dabei schon auf dem Heimweg, auf der Straße, im grellen Licht, und sah dabei nichts als die Steine vor meinen Füßen. Dann hörte ich einige Mädchen, Mitschülerinnen, die ich sonst gar nicht beachtete, hinter mir kichern. Sie benutzten üblicherweise diesen Weg nicht, daher begriff ich schnell, daß sie mich verfolgten, um mich zu verspotten. Ich hielt an, vergrub mein Gesicht in einem Taschentuch, um sie vorüberzulassen und mich dann in Ruhe meiner Beschäftigung hinzugeben. Sie warteten aber, der Abstand zu ihnen verkürzte sich nur ein wenig. Ich bog zum Schein an der nächsten Kreuzung ab, sie waren dadurch nicht abzuschütteln. Ich kannte aber einen stillen, dämmrigen Ort in der Nähe, der würde sie sicher abschrecken, die große Pfarrkirche nämlich, mit ihrem guten, kühlen Geruch. Ich zwängte mich zwischen den schweren Türflügeln hindurch und blieb beim Weihwasserbecken stehen. Schon begann das gewaltige Gewölbe mich zu beruhigen. Vorn, in der Ferne, leuchtete vom Altar her das goldene, heilige Schränkchen, und ich richtete meine Augen darauf, wie auf eine Sonne, die nicht schmerzte. Die Friedlichkeit dauerte nicht lange. Auch hier folgten mir die Mädchen nach, sie lärmten und tuschelten respektlos und standen in meinem Rücken. Ich drehte mich nicht um, weil sie mein verweintes Gesicht nicht sehen sollten. Ich spürte sie als Druck, der mich vorwärts stieß, weiter in den leeren Raum mit dem blinkenden Tabernakel am äußersten Ende. Ich ging zögernd über die kalten, etwas unebenen Fliesen an den Bankreihen vorbei, wo ich oft gesessen hatte, immer nur auf der Frauenseite. Ich mußte einen Widerstand überwinden, es war so einsam vorne, und es wurde immer heiliger. Aber sie drängten mich ja. Sie hatten es leicht, ich mußte die erste sein, an der Spitze, ich fühlte die ganze Ausdehnung mir gegenüber. In der Höhe der Kanzel machte ich halt, ich hoffte, sie würden sich nicht weiter trauen, sie zogen sich aber durchaus nicht zurück, sondern lachten und rappelten mit den Schulranzen, als hüpften sie bei einem Steinchenspiel auf den Bürgersteigen. Ich hätte sie nicht hierher locken dürfen. An den Türen des Tabernakels konnte ich inzwischen goldene Figuren erkennen und davor, auf der Barriere, die den Altarbezirk abriegelte, der Kommunionbank, die Spitzen des weißen Tuches. Ich stand still, ich rührte mich nicht mehr von der Stelle, ich dachte, mir müsse doch nun geholfen werden, ich setzte mich in die vorderste Bank und stützte mein Gesicht in die Hände, denn sie beugten sich vor, um mich zu betrachten. Ich tat, als wäre ich in ein Gebet versunken, das glaubten sie mir sicher nicht, aber ich selbst versuchte es zu glauben. Sie wagten nicht, mich anzufassen. Sie warteten. Ich wartete länger, und so kehrten sie schließlich, wieder hörte ich das Gepolter der Ranzen, zum Ausgang zurück. Ich zählte noch bis zwanzig, ehe ich mich umwandte. Die Kirche war leer. Zum ersten Mal saß ich allein in dem riesigen Haus mit den finsteren Beichtstühlen an den Seiten. Ich preßte meinen Rücken gegen die Banklehne, um ein Gefühl abzuwehren, und sah den Schrein, dem ich mich so genähert hatte, an. Ich wußte ja, daß darin Gott wohnte, in winziger Gestalt. Wenn sich die Pforten öffneten, konnte er vielleicht aufwallen und das ganze Gewölbe füllen, er konnte sie sicher, wenn er wollte, von innen aufspringen lassen. Es knisterte ja leise, er raschelte ja schon, er war gefangen in diesem prächtigen Schränkchen, so schnell wie möglich trat ich die Flucht an, der gute Gott.

Gleich würde er brüllen wie ein Tier, aus der Enge heraus, böse und mächtig, daß die Kirche zittern mußte davon, aber ich war gerettet, draußen auf dem Vorplatz, in Sicherheit, bei den fremden Leuten, die hin und her gingen.

Es gab eine schöne Art, krank zu sein, an Alltagen. Ich lag oder saß im Bett, hatte es so kühl oder warm, wie ich wollte, sah mir ein Buch meines Großvaters mit vielen Bildern an, extra reserviert für diese Gelegenheit. Ab und zu brachte meine Mutter ein Glas Saft, einen Apfel, ich träumte mir Geschichten zusammen, und wenn ich die Augen aufschlug, war es hell. Ich fühlte mich gesund, nur etwas schwach, weil man behauptete, ich sei ein wenig krank. Ich hob einen Arm und richtig, schlapp fiel er herab. Es war eine angenehme Mattigkeit, die sich auf das Zimmer erstreckte, auch der blaue Schrank verlor die Kräftigkeit seines Anstrichs und stand in einem leichten, schläfrigen Dunst. In der Schule saßen sie in ihren Reihen und schwitzten wieder, ich lebte bequem für mich, ungestört, niemand rief mich auf, niemand ertappte mich bei einer Abwesenheit. Ich reckte mich, gut aufgehoben an einem vertrauten, freundlichen Platz, nichts fehlte mir. Mitunter erschienen Sonnenflecken an den Wänden. Sie standen ruhig da, sie zitterten, sie erweiterten sich auf polierten Flächen zu einem allgemeinen Glanz. Wenn meine Mutter den blauen Schrank öffnete, tauchten sie sogar darinnen, in den Fächern auf, springende Punkte. Ich lag noch immer, wie vorher, in meinem Bett, aber das Zimmer begann Luft zu holen und besann sich auf etwas anderes als mein kleines Unwohlsein, auf etwas Heiteres, das draußen war und das nun über Boden und Decke glitt und die Wände auseinanderrückte, daß sie beinahe durchsichtig wurden, lebendiger als eben noch und nicht mehr etwas vor allem um mich schützend Herumgestelltes, sondern etwas, das ganz auf die Welt draußen gesammelt war und sie flackernd spiegelte. Dann fing mein Herz an zu pochen wie beim Laufen, beim Verstecken, wenn die Sonnenflecken, verheißungsvolle Mitteilungen der schönen Nachmittage im Freien, durch den Raum fuhren oder still und immer heftiger an einer Stelle glühten, dann versäumte ich plötzlich das Allerwichtigste so sehr, daß ein Schmerz daraus wurde. Kaum erloschen sie aber, kehrte wieder das Wohlbehagen ein, und ich hätte mit niemandem tauschen mögen in meiner spielerischen Krankheit, in meinem wohligen Bett. Einmal, bei Einbruch der Dunkelheit, hörte ich eine schnell näherkommende Unfallsirene, so schrill, als wollte der Polizei- oder Notarztwagen, ich wußte ja nichts, mitten in unser Haus reinstürzen. Ich sah auch die Reflexe des Blaulichts, das Auto hielt tatsächlich bei uns, das Licht zuckte über die dunklen Zimmerwände, hastig, mechanisch, maschinenartig und kalt, eine Sensation, eine Katastrophe, ein todernster Fall! Ohne nachzudenken, stand ich kerzengerade in meinem Bett, in den regelmäßigen, höllisch eiligen Blitzen. Bevor ich ans Fenster gelangte, war meine Mutter da. Man hatte einen Schwerverletzten vor dem Haus gefunden. In der folgenden Nacht stieg mein Fieber deutlich an, und doch waren diese begeisternden Lichtstöße, einbrechend in den dämmrigen, nichtsahnenden Raum, etwas viel Schwächeres gewesen als die sanften, lautlosen, an- und abschwellenden Sonnenflecken der Nachmittage, die betörenden Boten.

Ich hatte viele Onkel. Wenn ich sie sah, trugen sie Anzüge, das war es, was ich von ihnen wahrnahm, wenn sie eintrafen, meist zu Familienfesten: ihre Gesichter, ihre Hände, ihre Hosen und Jacken. Sie hielten, an der Türschwelle stehend, eine Flasche Asbach, immer Asbach, oder Wein oder einen Blumenstrauß in der Hand, die großen, grau gekleideten Gestalten. Man konnte meinen, sie erinnerten sich im ersten Augenblick gar nicht so recht, wer ihnen da geöffnet hatte, oder als wären sie wer weiß wie überrascht. Wenn ich ihnen auf Festen in den Wohnungen der anderen Familien begegnete, wurde es noch auffälliger. Sie beachteten uns Kinder kaum, jedenfalls höchstens insgesamt als lärmenden Haufen. Was sie wollten? Zusammensitzen und dröhnend lachen. Erst redeten sie mit blassen, allmählich röter werdenden Köpfen, unverständlich, bald hüllte sie dicker Qualm ein. Man konnte nicht entscheiden, ob sie vielleicht stritten, einige polterten bei den Unterhaltungen, in ihrer Nähe brannten die Augen vom Rauch. Sie empfanden ihr Dasitzen über Stunden aber wohl nicht als langweilig, gegen Abend hörte man sie nur noch lachen, sie brüllten richtig, daß man zusammenschrak. Dann wurde es einen Moment still, und schon ging es wieder los. Sie erzählten sich Witze, kam eine Tante vorbei, taten sie, als sollte sie davon nichts merken, und faßten sie am Arm und an der Hüfte, aber sie machten es so übertrieben, daß die Tante alles mitkriegte und ihnen drohte. Dann schienen sie besonders zufrieden zu sein. Später aßen sie alle Kartoffelsalat, tranken Bier und begannen zu singen. Sie hakten sich unter und sangen oft fünfmal hintereinander dasselbe Lied, bei dem sie ein Wort ausließen. Diese Pause mußte wichtig sein, eine Pause für ein schlimmes Wort, sie schnitten solche Gesichter dazu, als würden sie es sich nur mit Mühe verbeißen, aber um jeden Preis. Natürlich konnten sie nicht ahnen, während sie schließlich ausgelassen um den großen Wohnzimmertisch marschierten, daß ich sie zum Beispiel, wenn ihnen die Lachtränen über die etwas angeschwollenen Backen liefen, mit dem Erzengel Michael verglich oder mit dem heiligen Georg. Ich hatte von beiden zwei schöne Abbildungen vor Augen, der eine, wie ein Feuerstrahl den Himmel zerteilend, mit auflodernden Flügeln in seinem Zorn, der andere in einer Rüstung, die sich makellos, ohne die geringste Schramme mit einem jeweiligen Aufschimmern um die einzelnen Gliedmaßen wölbte. Hoch schwang er sein Schwert über die Locken empor, sein leuchtendes Gesicht ohne Furcht dem fauchenden Drachen zugewandt, über ihnen, am hellen Himmel, kämpften zwei Vögel, als überschlügen sie sich in der Luft, ineinander verbogen. Ich dachte auch an die Bischöfe, deren Namen ich nicht wußte, die aber aufrecht in langen Gewändern dastanden und ihr ernstes, abgeschlagenes Haupt mit der Mitra darauf unter dem Arm trugen oder, noch von Kopf bis Fuß aus einem Stück, vor einem Richtblock knieten ohne Zeichen der Angst, betend und ihre Angehörigen tröstend. Am besten gefiel mir aber der heilige Sebastian. Er war fast nackt, er trug nur einen kleinen Lappen umgeknotet. Alles an ihm war schön, seine Beine und Füße, seine Brust, seine nach hinten gefesselten Arme. Man konnte ihn ganz ansehen und feststellen, wie sein Körper zu seiner Heiligkeit paßte. Er stand so locker an eine Säule gelehnt, so lieblich-spöttisch schaute er mich an. Dabei war er gespickt mit Pfeilen, und schmale Blutbäche liefen über die weiße Haut. Er lächelte über die Schmerzen, die er nicht mehr spürte, aber einmal gespürt hatte. Ich sah auf die weiße Tischdecke, auf der inzwischen Asche lag, graue Räupchen, ich sah den heiligen Sebastian vor mir, ich sah die Onkel mir gegenüber, neben mir, von denen einer meine Schulter gutmütig drückte, aber viel zu fest. Ihre Gesichter waren schrundige, stoppelige, warzige, wulstige Landschaften, die ich ohne Freundlichkeit studierte, aber sie wußten es nicht.

Als wir in eine andere Stadt zogen, mein Vater, meine Mutter und ich, in das Haus, in dem meine Mutter wenige Jahre später starb, wo mein Vater noch heute lebt und auch ich seit einiger Zeit wieder wohne, zog ich mit ihnen in die Fremde. Die Umgebung, alles, was anfing, wo Haus und Garten endeten, blieb lange etwas Verschwommenes. Schon immer liebte ich die Feiertage, Ostern, Pfingsten, Weihnachten, Silvester und die Geburtstage, nun aber besonders. Sie galten ja auch an diesem neuen Ort als etwas Beständiges und Vertrautes. Aber ich ahnte bald, daß sie einem nicht in den Schoß fielen, denn einmal hatte ich Pfingsten bei Verwandten verbracht. Nichts war geschehen an diesem Tag, sie schienen auch nichts zu vermissen, es gab Torte, weiter passierte nichts, ein Spaziergang wurde mit vollem Magen gemacht, man sagte am Morgen: »Frohe Pfingsten!« Seitdem wollte ich sie nie mehr besuchen, wenn ich an sie dachte, fielen mir die trüben Stunden dieses Tages ein, und die Familie vermischte sich damit. Ein Fest mußte in erster Linie erwartet werden. Man mußte Wochen vorher schon davon sprechen und daraufhinplanen. Es gab die Advents- und die Fastenzeit, wichtige Schranken vor den prunkvollen Ereignissen, man brachte kleine, schmerzliche Opfer, lehnte Süßigkeiten öffentlich und heimlich ab, weil sonst Ostern und Weihnachten ihr Strahlen, das man sich auf diese Weise verdiente, verloren hätten. Es war ein anstrengendes Herstellen, ein tapferes Mitwirken an den Festen im voraus, sie wuchsen mit jedem Tag aus dem Ablauf des Jahres heraus. Mit jedem freiwilligen Entzug wurde man gezwungen, an sie zu denken, die Ziele heftig herbeizusehnen, die feierlichen Messen bei verschwenderisch geschwenktem Weihrauch, mit Priestern in rosa und goldenen Brokatgewändern, wo sämtliche Kerzen der Kirche brannten und Blumenwellen gestaffelt zum Altar aufstiegen, wie man es sonst nirgendwo sah, und anschließend die Üppigkeit einer als ungeteilten Besitz überreichten Pralinenschachtel, eines in Metallpapierrüschen gekleideten Schokoladeneis, und es war eine Verpflichtung, ein geweihter Brauch, sich darüberherzumachen im Sinne eines so heiligen Anlasses, alles ohne Geiz und Zurückhaltung, wie die vergeudeten Weihrauchdüfte, aufzuessen, an sich

selbst zu verschleudern an einem einzigen Tag. Ein Sog entstand in der Zeit davor, der bewirkte, daß man kräftiger und
leichter darauf zustrebte. Schwierig war es mit den Geburts-
tagen, da mußte man sich ohne äußere Hilfen, bei diesen
daher auch zweitrangigen Feiertagen, eine ähnliche Aufgip-
felung ausdenken. Mein Vater half, indem er etwas deutlich
vor mir im Schrank versteckte, als Anspielung mit den Papieren raschelte, sich um ein Haar verplapperte. Ich selbst
entwickelte mich zu einem strengen Zeremonienmeister.
Am liebsten hätte ich diese herausragenden Tage von morgens bis abends in ihrem Ablauf genau festgelegt. Meine
Eltern fügten sich den Anweisungen verblüfft, aber geduldig. Begriffen sie jedoch, daß man im Grunde keine falschen
Gesten machen durfte, ohne den Glanz der Feierlichkeit zu
zerstören? Durfte man denn nach dem Geburtstagskaffee-
trinken die Zeitung lesen oder Nachrichten hören? Mußte
man nicht überhaupt, wie man in der Kirche andächtig zu
sein hatte, immerfort lächelnd um die gedeckten Tische sitzen, auf denen kleine Figuren und Sträuße standen, Schorn-
steinfeger, Glücksschweinchen aus Filz, hölzerne Musikan-
ten, ausgeschnittene Papiermaikäfer? War es nicht schlimm
genug, daß der Kuchen, der von einem Bund Narzissen so
schön beschattet wurde, angeschnitten werden mußte, so
daß er nicht mehr rund prangte, daß die Teller, die blank vor
uns schimmerten mit einer Serviette darauf, wenig später
voller Krümel waren und auf der unverletzlich scheinenden
Tischdecke die ersten Kaffeeflecken störten? Hätte doch diese eine Bewegung, das Anstechen des Gebäcks und Hochheben auf der Gabel zum Mund, viel länger gedauert und das
anfängliche Umrühren mit den Löffelchen so süß klirrend in
der Tasse! Hätten wir doch so beieinandersitzend und geschmückt zu einem schönen Bild erstarren dürfen oder
nichts weiter getan, als von einer festlichen Pose in die andere zu gleiten! Warum mußte man sich am Kopf kratzen
plötzlich, warum mußte man aufs Klo, warum wurde so
schnell das Geschirr abgeräumt und alles wieder so zufällig
und geschah nicht in den ruckhaften, klaren Schritten wie in
der Kirche bei der Messe, wo der Priester sich nur vorgeschrieben bewegte, wie bei den fliegenden Menschen in glit-
zernden Kostümen und den geschmeidigen Dompteuren
zwischen ihren Löwen in ihrer Lebensgefahr!

Wenn meine Mutter mit mir in die Stadt fuhr, stellte sie mir
jedesmal etwas in Aussicht, an das ich denken konnte, wenn
sie Leute traf und ein Stück über meinem Kopf mit ihnen
redete oder vor Schaufenstern, vor allem solchen mit Hüten,
stehenblieb. Vom Verlassen des Hauses an freute ich mich
auf das versprochene Eis, das wir erst zwei Stunden später
essen würden – ich setzte mir die möglichen drei Sorten
immer anders zusammen –, auch auf eine Spielzeugschau im
zweiten Stock des größten Warenhauses. Auf einer Bühne,
in automatischen, sich wiederholenden Tätigkeiten, wurden
Märchenszenen von Pappmachéfiguren vorgeführt, und die
Wege und Umwege an der Seite meiner Mutter waren nichts
als eine Annäherung an dieses Schauspiel, das ich mir im
wüstesten Gedränge seelenruhig ausmalte. Ich dachte mir:
Diesmal wird es »Schneewittchen« sein, und schritt im Geiste bereits die einzelnen Stationen der Geschichte ab, während ich doch in Wirklichkeit an einem Papierkorb oder
einem Schuhgeschäft vorbeikam. Einmal kaufte mir meine
Mutter ohne Ankündigung ein gelbes Kleid. Es glänzte, als
hätte man es überlackiert, und ein Stück über dem Saum
waren apfelgroße Kirschen aufgenäht, die Verkäuferin nannte es »Applikation.« Ich trug das leichte Kleid auf dem
Rückweg in einer großen Tüte, sagte immer wieder das Wort
»Applikation« und sah vor mir nichts als mich selbst bei der
Anprobe in dem menschengroßen Garderobenspiegel, wie
ich dort stand in all dem triumphalen Gelb und vor Glück
lachte. Onkel Günter besuchte uns mit seinem Motorrad in
dem neu erworbenen Haus. Er traf in lauter Ledersachen,
mit einer besonderen Brille, kaum zum Wiedererkennen,
wild und gewaltig bei uns ein. Ich hatte gerade Schulferien,
und es wurde beschlossen, daß ich für eine Woche mit ihm
zurück zu Tante Charlotte fahren sollte. Es ergab sich, daß
ich vorn, zwischen seinen Armen saß, mit dem Gesicht in
Fahrtrichtung, aber gut vermummt, auch sollte die Reise ja
kurz sein. Wir winkten noch, dann brauste Onkel Günter
los, und im selben Moment hatte ich das Gefühl, die Welt
würde nie wieder stillstehen und sich zu ruhigen Gegenständen ordnen können. Alles stürzte ineinander und mir entgegen, heulend, kreischend in der Vermischung. Ich glaubte
nicht, daß unser Motorrad den Lärm erzeugte, sondern daß
die in einem Wirbel auf mich zufallenden Teile, Bäume, Autos, Kreuzungen zu brüllen begannen, wir fuhren aufsplit-

ternd unaufhörlich mitten hinein, die Straße unter uns bäumte sich hoch und sackte ein. Ich war stumm und ich schrie, aber niemand merkte es, ich schloß die Augen, um nicht ganz verloren zu sein und mich zusammenzuhalten, und riß sie auf, um mich an die sichtbare Welt zu klammern. Dann sagte ich das Vaterunser auf, so schnell ich konnte, und bis zum Ende der Fahrt von nun an ohne Pause, eins hinter dem anderen, als wäre die Reise damit zu beschleunigen, aber vor allem, um keine Lücke entstehen zu lassen. Es war ein Verschließen und Abkapseln, ich öffnete die Augen nicht mehr, ich betete um die Wette mit dem, was außen passierte, ich stemmte mich, ich blähte mich auf zu einem Gegendruck, ich mußte mich versiegeln und unzerstörbar werden, ich mußte nicht mehr schreien, ich mußte nicht laut sprechen, daß mir der Wind in den Mund schoß. Ich mußte nur ohne Abriß nach innen das Vaterunser sagen wie einen Schnellsprechvers, alle Andacht bestand in meiner Geschwindigkeit. Das war mein Panzer, der mich hinderte, an etwas anderes zu denken als an dieses vorwärtsstürmende, sausende Beten. Ich knirschte mit den Zähnen vor verzweifelter Frömmigkeit, und Onkel Günter, den ich mit gerettet hatte, hob mich lachend vom Motorrad. Tante Charlotte stand in der Tür, streckte die Arme aus neben einem dicken, blühenden, viele Jahre alten Hortensienbusch und rief: »Günter! Rita!«

Ich besaß jetzt ein Zimmer für mich allein, in dem ein hoher, schmaler Spiegel über der Wäschekommode hing. Ich konnte, wenn ich mich davor aufstellte, mein Gesicht und meine Schultern sehen. Für einen Gesamtanblick mußte ich den Schlafzimmerschrank meiner Eltern öffnen. Dort gab es einen großen Spiegel an der Innenseite der Tür. Einmal hatte ich aber in einer Modezeitschrift meiner Mutter eine Frau in einem Bikini entdeckt. Ich fand es aufregend und erwachsen und äußerst wünschenswert, so etwas zu tragen. Natürlich spürte ich sehr stark, daß es mir noch nicht zustand, aber auf diese Art, das begriff ich sogleich, würde man eine wirkliche Frau, egal wie mager man noch aussah. Ich suchte mir aus der Verkleidungstruhe zwei Tücher, band mir eines um den Strickschlüpfer, den ich wegen des kühlen Frühjahrswetters anziehen mußte, und das andere unter den Achselhöhlen her. Wenn diese Stelle des sonst nackten Oberkörpers bedeckt wurde, bildete sich notwendigerweise ein Busen darunter. Da mein Kostüm geheim sein sollte, blieb mir nichts übrig, als auf die Fensterbank zu klettern und, mit dem rechten Bein auf das Brett gestützt, mit dem linken in der Luft rudernd, mich für zwei Sekunden im Spiegel zu bestaunen, bis ich das Gleichgewicht verlor und mich, dem frei schwebenden Bein folgend, in hohem Bogen ins Bett fallen ließ. Danach knüpfte ich die Tücher neu und nahm unverzüglich die wacklige Position für den kurzen Augenblick ein bis zum Absturz. Ich empfand es als etwas derart Verführerisches, daß es mit Sicherheit verboten sein mußte. Warum hätte sonst auch mein Herz so dabei geklopft und das Gesicht so geglüht, obwohl ich ein bißchen fror. Mit zunehmender Geschicklichkeit beim Balancieren versuchte ich nun, im Moment des Spiegelns, ein wenig die Hüften zu schwenken, das schaffte ich aber jeweils nur einmal, dann ging es über in das peinliche Zappeln vor der Landung auf der Matratze. Neben dem Spiegel, auf der Kommode, lehnte eine Kunstpostkarte. Das Bild hieß »Die Versuchung des heiligen Antonius«. Der Heilige mit dem weißen Bart lag auf dem Boden, ein Teufel riß an seinen Haaren. Er hatte sie zu einem Zopf gebündelt, so daß der Alte, dessen Augen ohnehin leicht schräg standen, vielleicht wegen der Zerrung nach hinten, chinesisch wirkte. Hauptsächlich rotbraune Ungeheuer umringten ihn, aussätzig, gehörnt, drachen- und vogelähnlich. In dem wüsten Getümmel schien man seine Hütte, rot ragten die Balken gegen den Himmel, niedergebrannt zu haben. Bis in die Luft setzte sich das Wüten fort, aber in der Ferne, entrückt und doch unmittelbar an das düster glühende Rasen des Vordergrunds anschließend, erhoben sich in vollkommener Ruhe im Licht aufstrahlende Berge, und in einer Sonne oder vielmehr goldenen Öffnung erschien Gott selbst, alt wie der heilige Antonius und mit einem ebensolchen Bart, aber als wäre er nur aus Licht. Vor dem Einschlafen drehte ich die Postkarte immer zur Wand wegen der tobenden Teufel, morgens aber besiegte die obere Bildhälfte mühelos die untere. Darauf fiel jetzt mein Blick. Gott sah den Leiden des Heiligen zu und wachte über ihn, aber sah er nicht auch mich mit meinen beiden Tüchern, wie ich so unersättlich auf die Fensterbank stieg, um mich für einen Atemzug in meinem provisorischen Bikini zu betrachten? Ich machte weiter damit, ohne jedoch zu wissen, ob ich das nun unangenehm oder erstrebenswert finden sollte. Ich nahm nicht an, daß er, falls er hinsah, meinen Aufzug billigen würde, aber gleichzeitig gefiel mir die Vorstellung, daß er zuschaute von der kleinen Postkarte, daß ihm keine Bewegung entging, nicht mein Hüftewackeln und nicht mein Schwanken vor dem Fallen und nicht, wie ich hier eine richtige Frau spielte. Ich selbst mußte ja auch zu ihm hinsehen, wie er sich aus der Tiefe des Himmelsgoldes zu einer Gestalt formte. Ich beachtete gar nicht mehr mein Spiegelbild, weil die Zeit nicht reichte, wenn ich sicher aufgerichtet stand, für das Forschen, ob er herüberblickte, und für mich.

Ich weiß nicht, ich wußte auch damals nicht, wer auf die Idee kam, ein gemeinsamer Einfall, ein wortloses Einverständnis? Auf einem Klassenausflug hatte sich eine Gruppe, zu der ich gehörte, gegen strenges Verbot selbständig gemacht. Nachdem wir in der ersten Stunde an der Spitze einer lockeren Formation auf einer Landstraße marschiert waren, hielten wir, beim Eintritt in ein Waldgebiet, das regelmäßige, angeordnete Warten auf den behäbig nachfolgenden größeren Teil der Klasse nicht länger aus. Ohne zurückzudenken, stürmten wir los, an einem Bach entlang, einen mit braunem Laub bedeckten Abhang hoch, über Baumwurzeln, an einem verlassenen Schießstand vorbei, auf eine Burgruine zu, die in der Ferne bereits auftauchte, hoch und fern, und die das Ziel des Wandertages sein sollte. Wir sangen unbesorgt, und einige warfen Blätter in die Luft und auf die eigenen Köpfe. Der Wald wirkte leer, man konnte weit in ihn hinein, fast durch ihn hindurch sehen. Einmal regnete es ein bißchen. Wir fanden genau zur rechten Zeit Unterschlupf bei großen Betonbrocken mit rostigen Eisenstangen darin, ein verfallener Bunker vermutlich. Auch als wir über die Richtung, in der die Ruine ungefähr liegen mußte – sehen konnte man sie nicht mehr –, uneins waren, bekümmerte uns das wenig. Letztlich kam man immer an der gewünschten Stelle raus und, bei unserer Schnelligkeit, auch wenn wir uns ein bißchen verirrten, bestimmt vor den anderen. Als wir bei der Burg anlangten, ließ sich auch niemand sonst dort blicken. Wir besichtigten im voraus die enttäuschenden Reste des Bauwerks, die nicht ausreichten für das Ausmalen eines ritterlichen Lebens vor Jahrhunderten. Es roch nach Haufen im Inneren, man mußte aufpassen, wohin man trat. Wir stellten uns vor, daß wenigstens Eulen oder Fledermäuse oben im Turm hausten, und wunderten uns allmählich über unseren Vorsprung vor dem Rest der Klasse, vielleicht nicht mehr ohne Unbefangenheit jetzt. Unsere Abwesenheit mußte inzwischen deutlich bemerkbar sein. Als sie erschienen, einzeln aus dem Wald auf der Lichtung, fiel uns gleich, darüber brauchten wir uns nicht zu verständigen, ihre affige Anordnung auf. Es fehlte nur noch, daß sie sich vor betonter Bravheit an den Händen faßten. Sie würdigten uns keines Blickes, jedenfalls nicht direkt. Sie machten halt, anstatt sich mit uns zu vermischen, was wir insgeheim gehofft hatten. Als wären sie an die Grenze zur Gesetzesüberschreitung gelangt, wichen sie plötzlich zurück und standen stumm da. Wir interessierten sie nicht, sie wandten sich um, weil dort Mater Renata, die Nonne, die unsere Klasse leitete, als letzte, ungemindert durch ihre kurze, runde Figur, gewaltig aus dem Dickicht fuhr, die schwarzen, weiten Ärmel unter der Brust ineinandergesteckt, ruhig und fest von den Füßen bis zu den Flügeln ihrer weißen, gestärkten Haube. Die allerdings schleuderte sie wild. Die Spitzen schossen starr um ihre Schultern, dazu mußte sie den Kopf mit Aufbau hin und her werfen. In all dem Weißen steckte rot und eingezwängt ihr Kopf. Auch sie sprach kein Wort, schien aber uns, die Übeltäter, die plötzlich das Bewußtsein ihrer Schuld ergriff, alle auf einmal ins Auge fassen zu wollen. Ein solch starkes, strafendes Blitzen ging von ihr aus, daß wir unwillkürlich eine Gasse bildeten, als sie auf uns losschritt. Selbst als sie stand, blieben wir ein unbewegtes Spalier, wie um sie höflich durchzulassen auf die Sehenswürdigkeit, die Burgruine zu. Sie sollte ungehindert zwischen unserer Doppelreihe hindurchfegen mit wallendem Rock, aber sie tat es nicht. Sie funkelte uns nur, einen nach dem anderen, an. Wir alle blinzelten, wir wagten nicht, sie anzuschauen. Ich erkannte aber aus den Augenwinkeln, daß sie nun, von meinem Platz aus, genau einen unnatürlich geraden Waldweg hinter sich hatte, von rötlichen, kahlen Bäumen gesäumt. Es war nicht auszumachen, wo er endete. Er verlor sich irgendwann im Dunst der Zweige. Sie stand mit dem Rücken dazu, sie sah ihn nicht, sie sah vor sich unsere Gasse, wie ich, an ihr vorbei, den langen leeren Waldweg sah, der auf nichts hinführte, der sich als Aufspaltung verlief. Es war ein Schub, gar kein Entschluß, eine Notwendigkeit jedoch, die mich zwang, in den

Zwischenraum zu treten, ihr gegenüber, und ihrem Blick zu antworten, was einem Bekenntnis der Anführerschaft gleichkam. Jetzt füllte sie den Weg hinter sich für mich ganz aus, ich nahm nur noch sie wahr und auch, nur ich allein, daß sie, während die Seitenansichten unserer Köpfe sicherlich bitter ernst blieben, unmittelbar von vorn, ganz leise lächelte.

Einmal wöchentlich mußten wir zur Schulmesse. Ich hatte bald mit zwei Freundinnen herausgefunden, daß man sich nur vorher und nachher sehen lassen mußte, wenn sich alle vor der Kirche versammelten, von den Lehrern, besonders vom Kaplan. Beim Eintritt in den Kirchenraum hielten wir uns sorgsam im Dunkeln nahe der Eingangstür, um in einem günstigen Augenblick eine schmale seitliche Treppe hoch zu entwischen. Sie führte zu einer Empore, wo auch die Orgel stand, um die wir natürlich einen Bogen schlugen, weil der Organist, wenn er nicht gerade spielte, wachsame Ohren hatte. Waren wir erstmal in unsere Ecke gelangt, fühlten wir uns aber sicher. Man konnte bequem über die Brüstung bis zum Altar sehen oder, wenn man sich ein bißchen duckte, ganz dahinter verschwinden. Wir sahen auf die Köpfe der Mitschülerinnen, wie sie gleichmäßig im vorgeschriebenen Rhythmus sich vorbeugten zum Knien, zurücksanken beim Sitzen, sich aufrichteten beim Stehen. Lief eine kleine Unruhe durch die Reihen, bemerkten wir das als erste und konnten zählen, wie lange es dauerte, bis eine Nonne in den Mittelgang trat für eine Zurechtweisung. Weit entrückt bewegte sich der Priester. Wie fromm wir den Verlauf der Messe verfolgten, hing davon ab, wieviel Hausaufgaben wir noch bis zum Unterrichtsbeginn zu erledigen hatten. Aus diesem Grund waren wir auf der Tribüne. Wenn die Orgel brausend loslegte, packten wir die Schultaschen aus, tauschten Hefte zum Abschreiben, lasen einen Geschichtstext durch, lernten Lateinvokabeln. Wir waren gut aufeinander eingespielt und schafften unser Pensum immer. Anfangs hatten wir, ohne es voreinander einzugestehen, alle drei ein schlechtes Gewissen, und einer von uns mußte an der Brüstung Wache halten, ob sich was Wichtiges am Altar ereignete, damit wir rechtzeitig niederknieten, am Gottesdienst regelrecht teilnahmen und nur Stellen, die wir unten ohnehin verträumt hätten, besser nutzten. Mit der Zeit glaubten wir, ohne Beobachtungsposten auszukommen. Wir vertrauten unserem Gefühl und warfen ab und zu einen Blick nach unten zur Sicherheit. Wir wurden auch großzügiger in der Beurteilung der unwesentlichen Phasen und jener, an deren Bedeutung nicht zu rütteln war. Daraufhin vergrößerte sich der Umfang der aufgeschobenen Arbeiten in der Vorplanung, so daß immer weniger Zeit für die Andacht blieb. Auch gestatteten wir uns hier und da ein Witzchen. Die Wandlung aber, wenn der Priester Hostie und Wein emporhob und die Gläubigen sich an die Brust klopften, blieb für uns eine heilige, unantastbare Minute, der festgelegte Höhepunkt, wo die Seele aufsteigen mußte. Wenn sie uns im Eifer überraschte, drehten wir nicht einmal die Füllhalter zu, knieten sofort nieder und senkten die Köpfe. Dann reichte die Messe bis zu uns hinauf. Etwas anderes wäre selbst in übermütigen Stunden dort oben undenkbar gewesen. Und doch habe ich einmal ausprobiert, als die beiden vornübergebeugt auf ihre gefalteten Hände sahen, einen Text über die deutsche Nordseeküste aus dem Erdkundebuch weiterzulesen. Ich wollte mich nicht rühren lassen. Ich stellte mich hart, denn machte nicht Gott sonst auch, was er wollte? Bevor die Nacht begann, war er da, wenn man aber aufwachte, herrschte die Dunkelheit uneingeschränkt und erdrückend. Betrat man ein fremdes Gebäude, war er bei einem, aber mittendrin regierten die Stockwerke und Flure und nichts als das, und man wurde überfallen vom Leeren und Steinernen. Ich las »Springflut« und »Sturmflut« und hörte die Wandlungsworte und störte mich nicht daran. Sollte, ach sollte doch ein Blitz zu mir als Zeichen herauf oder auf mich niederfahren! Ich war allein in meiner Widersetzlichkeit, es tat weh, aber diesmal mußte ich es sein, die einfach wegsah und im Stich ließ und lernte, wie die Friesen ihre Küsten schützen.

Bei Omnibusfahrten mit der Klasse saß ich nach Möglichkeit auf der letzten, durchgehenden Bank, wo die Rückenfläche von der Lehne an aus Fenstern bestand. Man konnte so schön von dort beobachten, wie wir ständig etwas hinter uns ließen, die Straße, die Ortschaften, wie dicht bei uns, direkt hinter dem Bus alles in Bewegung war und weiter entfernt sich wieder verfestigte, das, was wir durch den Mittelgang hindurch eben noch in seiner Vorderansicht erlebt hatten, nicht zum Wiedererkennen. Hauptsächlich bevorzugten wir diesen Platz aber, um Jungen am Straßenrand, die mindestens so alt waren wie wir, und Männern in Fahrzeugen, je nach Laune, die Zunge rauszustrecken oder Kußhände zuzuwerfen. Wir fühlten uns sicher, es hatte ja keine Folgen, wir fuhren ihnen ja davon, es handelte sich um eine ungestrafte Sekunde, genau nach unserem Geschmack, wir wagten Frechheiten ohne Risiko. Als ich nach dem Tod meiner Mutter häufig mit dem Zug zu Tante Charlotte und Onkel Günter fuhr, machte ich es auch, wenn sich sonst niemand im Abteil aufhielt und der Zug aus kleineren Bahnhöfen rollte. Tante Charlotte ging ebenso gern durch die Stadt und an den Schaufenstern entlang wie meine Mutter. Darum dachte ich gerade bei dieser Gelegenheit oft an sie: Die Männer drehten sich nach ihr um oder sahen ihr schon beim Entgegenkommen in die Augen, auf mich achteten sie nicht. Trafen wir einen Bekannten, mußte ich hinterher berichten, ob sie schön gewirkt hatte. Ich machte es zu einer Sache meiner eigenen Ehre, ob viele Blicke sie streiften. Es stärkte auch mein Selbstbewußtsein, wenn sie bewundert wurde, und meine Leistung dabei war, eine kleine Tochter zu sein. Daher zählte ich die kurzen Zuwendungen der Männer, die abschätzenden Musterungen durch Frauen, es schmeichelte mir, es verletzte mich nur wenig, so zu verschwinden neben ihr. Nun aber, an der Seite von Tante Charlotte, kam der Moment, wo die ersten Blicke mir galten, es fing an und nahm zu, mit jedem Ferientag. Auf einmal war ich ganz auf mich geworfen. Ich hatte zu gut gelernt, sie alle zu bemerken, ich wurde unbescheiden. Sah nicht gleich jeder her, begann ich zu leiden, wer nicht hersah, kränkte mich. Viel schlimmer aber war, daß mich die Blicke so verlegen machten. Ich hatte nicht geübt, meine Person nach vorn zu schicken und Aufmerksamkeit zu ertragen oder abzuschmettern. Auf Tante Charlotte ließ sie sich nicht überleiten, die stand mir nicht bei, die setzte mich, in wohlwollender Schadenfreude, dem Abenteuer aus. Ich besaß nicht die Kraft zur Erwiderung, ich verlor jedes Duell, sie aber lächelte dazu und ahnte wohl nicht, wie es mich quälte, mich gar nicht mehr verschließen zu können und, sobald ich hochschaute, nicht Stirn, nicht Kinn oder Nase, sondern immer nur die Augen zu sehen. Und doch erzeugte ich mir diese dramatische Stimmung zur gleichen Zeit absichtlich. Stets ging ich durch eine spannende, niemals gleichgültige Welt, die ich auf mich ziehen und abwehren wollte. Die Stadt stemmte sich mir mit Gewalt, die mich ganz und gar in Frage stellte, die mich verzärtelte und gefährdete, entgegen. Die Schulwege allerdings wurden eine Weile eindeutig zur Pein. Als wäre ich signalrot angestrichen, als führen unentwegt kleine Flammen oder Federn aus mir, so war ich von den Mädchen aus anderen, teilweise auch der eigenen Klasse abgetrennt. Sie beobachteten mich offen oder heimlich, undenkbar, daß ich ihnen nicht auffiel. Schon wenn ich mich näherte, wenn sie in einem Trupp an einer Ampel warteten, mußten sie über Meter weg meine Aufregung wittern und daß ich angstvoll und unersättlich ihr Interesse einsaugte und dabei selbst unter einen Bann geriet, der jede Natürlichkeit meiner Bewegungen unterbrach, ich konnte nicht flüchten, ich mußte umweglos auf sie zugehen, so ungeschützt durchlässig, so eingeschlossen in mich selbst.

Einmal nahm mich mein Vater mit zum ›Faust‹ in ein Zimmertheater. Er war so gespannt, wie es mir gefallen würde. Ich dachte schon Tage vorher über das Wort »Zimmertheater« nach und fragte ihn über die tatsächliche Größe des Theaterraumes aus. Sollte ich ihn mir wie unser Wohnzimmer vorstellen, doppelt so groß? Dreifach? Wie dicht saßen die Leute an der Bühne, oder traten die Schauspieler zwischen ihnen auf? Wenn es »Zimmer« hieß, mußten dort eigentlich auch Schränke, Regale stehen, jedenfalls ergänzte ich es mir in meiner Phantasie gegen besseres Wissen so, und die Zuschauer würden vertraut, bekannt miteinander sein. Natürlich befand sich die Bühne ein Stück höher als die Sitze, die auf drei schmalen Ebenen treppenartig gestaffelt waren. Ich kannte von einigen Aufführungen das Stadttheater, dies hier empfand ich wirklich als sehr klein, so daß auch das Publikum viel enger als sonst aneinandergerückt zu sein schien. Vor Beginn, wenn jemand zwischen Bühnenabsatz und erster Stuhlreihe ging, kam es mir vor, als würden wir anderen auf unseren Plätzen – welches Glück für mich, daß mein Vater wie immer auf absoluter Pünktlichkeit bestanden hatte! – ihn nicht nur in jeder Einzelheit wahrnehmen, sondern uns auch geschlossen eine Meinung über ihn bilden, und man sah genau, daß er deshalb ein bescheidenes oder trotziges, aber nie ein tagtägliches Gesicht zog. Die Schauspieler hinterließen bei mir bis zu einem bestimmten Punkt einen unerwarteten Eindruck: arme, eigentlich bemitleidenswerte Leute. Sie mußten, so unmittelbar vor uns bequem Sitzenden, ihre Bewegungen machen und einen Text sagen. Sie gingen in besonderen Posen mit dick geschminkter Haut an verschiedene Stellen und strengten sich an, so daß ich mir schon zu Anfang vornahm, wild zu klatschen, um sie zu belohnen für ihre gewaltige Mühe. Es fiel ihnen ja auch nicht leicht, ihre vorgeschriebenen Handlungen und auswendig gelernten Worte von sich zu geben, ich hatte in diesem Zimmer Sorge, sie würden ihre Sätze vergessen und plötzlich stumm, verlegen dastehen und wir müßten es mit ansehen, ohne helfen zu können. Dann trat der junge Faust auf die Bühne. Ich weiß nicht, ob er ausgetauscht wurde oder nur in veränderter Gestalt erschien. Sicher ist, daß er alles verwandelte. Etwas strahlte aus seinen Augen heraus, das alle Beklommenheit in mir auslöschte. Jetzt schaute man nur noch ihn an, und was er tat und sagte, konnte nicht anders sein, es wuchs aus ihm selbst heraus so spielerisch, daß ich meinte, er würde in Wahrheit, egal was geschah, immerfort lächeln, man hatte nicht die geringste Angst um ihn, es war ja alles sein eigener Wille und Entschluß, wie die Ereignisse sich formten. Ich fühlte, wie er sich mir unentwegt gegenüber befand, auf der kleinen Bühne, wo ich ihn überall hin mit den Augen verfolgen konnte. Mehr und mehr begann er mir zu gehören, vor allen anderen mir. Dann passierte, was ich mir so sehr wünschte: Er sah direkt zu mir her, mich, über die kurze Entfernung hinweg, an. Ein schrecklicher Augenblick, alles war verraten, mir schoß das Blut so heftig ins Gesicht, daß ich glaubte, sogar die vor und hinter mir Sitzenden müßten die Hitzewelle spüren und als Widerschein die Röte meiner Haut. Von da an betrachtete ich ihn mit äußerster Vorsicht, nur noch unter wachsam gesenkten Wimpern hervor, und wenn sein Blick nur in die Nähe meines Platzes wanderte, sah ich von vornherein auf meine Knie. Daher wußte ich nicht, ob er überhaupt noch einmal so genau in meine Richtung schaute, und fürchtete bis zum Schluß, er könnte es, ohne Anzeichen, überraschend, so in aller Öffentlichkeit wiederholen. Wäre es dazu gekommen, hätte es gewiß den Leuten die Köpfe herumgerissen. Auf dem Nachhauseweg freute sich mein Vater über meine Ergriffenheit. Er verstehe mich gut, sagte er, auch ihn habe der

Faust beim ersten Mal derart gepackt. In den nächsten Tagen fand ich immer einen Grund, durch die Stadt zu laufen. Ich pirschte mich in Spiralen an das Theater heran, ich hoffte so glühend, ihn wiederzusehen, ich musterte alle Leute, niemanden ließ ich aus, ich konnte mir nicht vorstellen, daß ich ihm nicht mit einem Schlag gegenüberstehen würde, er mußte doch zu irgendeiner Stunde unterwegs sein und mich erkennen. In Gedanken hatte ich bereits mein Bündel geschnürt, um mit ihm zu gehen. Ich war ganz sicher, ich hatte ihn ja einige Male fast schon gefunden, eine leere Stelle in der Stadt mußte sich im richtigen Moment zusammenballen zu seiner Gestalt. Abends saß ich, erschöpft vom Umherstreichen im Gedränge, in meinem Bett und las den ›Faust‹. Dazu aß ich jeweils einen der schönen Boskops, auf die mein Vater so stolz war. Sie gediehen prächtig in unserem Garten und erinnerten ihn an seine eigene Kindheit. Danach konnte ich einschlafen, aber am folgenden Tag machte ich mich wieder auf die Suche. Meine Hoffnung nahm ein wenig ab. Ich las abends zu rot- und gelbbackigen Äpfeln Gedichte von Goethe, ich lief seltener durch die Straßen um das Zimmertheater. Auf den Gedanken, meinen Vater um einen zweiten Besuch der Aufführung zu bitten, kam ich gar nicht. Ich begann schließlich, ›Wilhelm Meisters Lehr- und Wanderjahre‹ zu lesen.

Bei Tante Charlotte fuhr man mit dem Bus in die Stadt. In den Ferien tat ich das häufig, mit ihr und ohne sie. Einmal wartete ich allein an der Haltestelle, betrachtete die wenigen Leute, die von einem Bein aufs andere traten oder schon ihre Geldbörse in der Hand schüttelten, als wäre der Bus damit herbeizuzaubern, und hatte selbst Zeit. Mich drängte nichts. Ich kannte niemanden, mir waren alle gleich wichtig oder unwichtig, aber dann fiel mir doch, als er den Kopf drehte, ein etwas älterer Junge auf, mit einem Profil, wie ich dachte, daß Jungen es haben müßten, so mutig. Hinten im Bus erkannte ich nur seine hellen Haare, er zeigte sich nicht von der Seite, aber mir genügte das für eine angenehme Fahrt, bei der ich mir nun etwas vorzustellen hatte und obendrein wußte, daß es das wirklich, ganz in meiner Nähe, gab. Am nächsten Tag, wieder um zehn nach zehn, bemerkte ich ihn sofort. Ich überprüfte sein Gesicht, jetzt begeisterte es mich. Beim Einsteigen streiften sich unsere Blicke kurz. Und genauso, sagte ich mir fröhlich, beschwingt, ist es richtig! Hätte er länger hergesehen, wäre es nicht so verdächtig gewesen. Am folgenden Morgen stellte ich mich wieder für Erledigungen bereitwillig zur Verfügung. Meine Tante allerdings, mit feiner Witterung, schien den Zeitpunkt diesmal hinausschieben zu wollen. Erst als sie sicher war, daß ich darauf beharrte, gab sie sich geschlagen. Der Bus aber, als ich um die Ecke zur Haltestelle bog, stand schon abfahrtbereit. Ich begann zu laufen und sah dabei, daß eine männliche Person aus der entgegengesetzten Richtung ebenfalls zu rennen anfing. Ach, sagte ich mir, als ich den Bus noch eben erreichte und, da mein Weg kürzer war, vor ihm, und, da ich den Fahrer zum Warten veranlassen wollte, umständlich bezahlend, eigentlich ist das schon eine Spur zu deutlich jetzt! Ich setzte mich auf die einzig freie Bank ans Fenster und beobachtete ihn aus dem sicheren Hinterhalt. Er hielt nur eine Dauerkarte hin und kam den Gang entlang. Ich wurde unsicher, was ich nun erhoffen sollte. Wenn er sich nicht neben mich, auf den letzten unbenutzten Platz setzt, dachte ich, ist es ja geradezu kreischend auffällig. Damit wäre natürlich alles bewiesen. Wenn er es aber tut – obschon es mir besser gefiele, weil es schön wäre und weil es eine gewisse Klugheit und Kaltblütigkeit anzeigt –, ist es genauso: Er will sich keine Befangenheit zuschulden kommen lassen! Das hatte ich mir eben zurechtgelegt, als er sich zu mir setzte. Aha! Unsere Arme berührten sich nicht, aber es war neu, neben ihm zu sein, auch wenn ich ihn nun nicht ansehen konnte. Das Normale, überlegte ich weiter, wäre jetzt, ein paar Worte mit mir zu wechseln, das Übliche in dieser Situation und das Unverbindliche. Daß er es nicht macht, ist selbstverständlich ein unverkennbares Zeichen, und daher genoß ich die Stille zwischen uns. Bei der nächsten Station sagte er aber doch etwas, er atmete noch heftig vom Laufen und knöpfte sich seinen Mantel auf, das brauchte seine Zeit, etwas Beiläufiges, ungefähr: »Das haben wir ja noch geschafft!« Ich antwortete, keine Spur anders, gebrauchte aber nicht so viele Wörter. Gut, dachte ich, er spricht, aber so übertrieben nebensächlich, daß es überhaupt kein bißchen das Natürlichste von der Welt ist, sondern, auch wenn er die Form wahrt, etwas höchst Angespanntes. Besser könnte es gar nicht für heute ausgehen. Am folgenden Tag achtete ich genau auf die Uhr. Tante Charlotte hatte mich begleiten wollen, ich schüttelte sie mit Mühe ab, sie lächelte hinter mir her, ich lächelte wütend zurück, denn sie stellte mich nur auf die Probe, sie wäre auch bei meinem Einverständnis wahrscheinlich nicht mitgekommen. Um sieben Minuten nach zehn traf ich bei der Haltestelle ein. Dort stand niemand, niemand näherte sich vom Ende der Straße her. Ich hielt unentwegt Ausschau, die leere Allee hinunter. Eine Frau, in der Ferne, ging über die Fahrbahn. Der Bus kam, ich zögerte einzusteigen. Ich ertappte mich, daß ich ihn zum Warten zwingen wollte, mit einem Fuß auf dem Bürgersteig und einem auf der Treppe. Ich fragte den Fahrer nach der Uhrzeit. Nein, ein Irrtum war ausgeschlossen. Diesmal blieben mehrere Plätze frei. Ich sah aus dem Fenster, ob er vielleicht während unserer Fahrt aus einer der kleinen Seitenstraßen auftauchen würde. Alles blieb ruhig, zu meinem Schrecken. Aber nein, es handelte sich ja nur um eine kurze Enttäuschung. Mußte ich nicht vergnügt sein? Es passierte eben das, und ich war prompt darauf hereingefallen, was er beabsichtigte: Ich vermißte ihn mit einem ersten Schmerz. Ich strengte mich, einen Tag später, gegenüber Tante Charlotte nicht mehr an, sollte sie vermuten, was sie wollte, richtete es aber so ein, daß ich erst im allerletzten Moment an der Haltestelle erschien. Er sah mich kommen, er machte einen fast zufälligen Schritt auf mich zu und begann gleich zu sprechen. Dazu, sagte ich mir, benötigte er also die lange Bedenkzeit! Wieder saßen wir nebeneinander. Er würde, wo der vor uns liegende Weg in die Stadt mit jeder Station schrumpfte, irgendwie auf eine Verabredung zusteuern, zumindest auf eine persönliche Frage. Nein, er redete nur dies und das, wieder nur, und sah sogar aus dem Fenster nach einem Plakat. Sein Profil war wirklich ungewöhnlich, etwas bei einem Jungen so Wünschenswertes drückte sich darin aus. Sicher, sicher, sagte ich mir, als ich allein und ungefragt auf der Straße stand, zwischen den ungeduldigen Einkäufern mit ihren Taschen, auch das ist etwas Typisches und Berechnetes von ihm, er tut nicht das Automatische, nicht das Fällige. Er weiß nur noch nicht, was er zu leiden hat: In zwei Tagen fahre ich nach Hause, und bis dahin, das ist hiermit beschlossen, nicht mehr in die Stadt!

Viel später spielte ich einmal, ich war mir dessen gar nicht bewußt, mit meinen Fingern, aber der Mann, der mir gegenüber saß, auf dessen Stimme ich achtete wie auf nichts anderes, sagte es mir schließlich, jedoch mit einem verblüffenden Gesichtsausdruck. Eine erbitterte Schwäche vielleicht, etwas beinahe Verärgertes und trotzdem und gerade deshalb unbedingt Einverstandenes wider Willen erkannte ich darin. Mein Verflechten und Einklemmen der Finger wurde als Aufreizung begriffen! Vor Überraschung verteidigte ich mich nicht. Eine Veränderung trat ein: Wenn sich nun meine Hand dem Zuckerfäßchen langsam näherte, würde es eine Bedeutung haben! Die Augen dieses Mannes waren so genau auf mich gerichtet, daß es mir, selbst wenn ich es gewollt hätte, und ich wollte es ja nicht, ich wollte ja plötzlich um jeden Preis, daß es immer so bliebe, nicht gelingen würde, mich zufällig zu bewegen. Wie ich mich auch an diesem Tisch reckte oder duckte, den Mund verzog, die Lider hob oder senkte, alles, spürte ich jetzt, bezog sich auf etwas. Vor Freude, und weil nun alles wie im Märchen war, hätte ich am liebsten jeden Satz dreimal gesagt, jede Handlung dreimal getan. Ich saß still vor Glück in einer Umhüllung, ausgeschnitten, eine ausgeschnittene Person in diesem Raum mit einem schneidenden Umriß. Ich mußte aufspringen vor Glück. Ich mußte es sofort mit dem ganzen Körper ausprobieren. Ich stand aufgerichtet, ich stützte mich leicht auf die Sessellehne, ich setzte Fuß vor Fuß. Meine Kniekehlen, meine Hüften, ein Schritt nach dem anderen, meine Schultern, mein straffer Hals und mein Kinn hoch in der Luft im Gegendruck des gesamten Cafés! Ich legte eine Strecke zurück bis zum Buffet. Ich wählte ein Stück Kuchen aus, ich sprach dabei, Wort um Wort, ich zeigte mit den Händen durch die schräge Glasscheibe, ich ließ sie wieder sinken, ich kehrte um, ich sah seinen Hinterkopf und daß er meine Annäherung Ruck um Ruck fühlte. Ich strich über meine Haare, als ich mich setzte, ich legte eine Hand auf die andere und saß wieder ganz still. Ich sah ihn als ausgeschnittene Person in diesem Raum, seinen schneidenden Umriß, seine Hände neben der Kaffeetasse, ich sah jeden einzelnen Atemzug, den er tat, und wie er nach der Streichholzschachtel griff, sie hochhob und am höchsten Punkt losließ. Es war das Antworten einer Geste auf die andere, eines Gedankens auf den anderen, das Einwirken eines Blicks auf eine Geste, das Reimen einer Geste auf einen Gedanken, eines Gedankens auf einen Blick. Selbst wenn ich allein gewesen wäre, mußte es so bleiben. Wenn ich nur an ihn dachte dabei, konnte es nichts mehr geben, das nicht in einem Zusammenhang stand. Ich konnte die Arme für mich in die Luft werfen, drehen und wenden, und es wäre, durch sein Verständnis aus der Ferne, durch seine ferne unerschütterliche Betrachtung, eine Figur, eine Anspielung, eine Geschichte geworden. So war ich in seine Macht geraten und er in meine. Noch ein- oder zweimal ist es mir so ergangen, früher, dann unterlief etwas Zerstreutes, und der erste Zufall ergab sich sogleich.

Immer noch habe ich den Wunsch, daß sich mein ganzes Leben und das der Welt auf einem Spiegelboden ereignen sollte, blitzblank, man kann ausrutschen, auch das würde noch gespiegelt, oder auf einer nicht zu dicken, ein wenig trügerischen Eisfläche oder in einem Raum mit dicht aufeinanderfolgenden Papierwänden, so daß man mit jeder Handlung eine von ihnen durchstoßen muß: Schon wäre das Leben, wie es sein sollte, bewußt durch eine Lebensgefahr. Als Hintergrund würde sich der Fluß der Tage von mir abheben, um der Festigkeit, der Festlichkeit willen. Mitten im Sommer habe ich mir einmal aus allem eine Schneelandschaft gemacht, in Gedanken, Zeile für Zeile, Stück für Stück. Im Winter aber stand eines Nachmittags der ganze Garten im Rauhreif unter dem mächtigen, goldenen Widerhall des Sonnenuntergangs. Dazu nun ein dort ungewohnter Maschinenlärm, dröhnend, stampfend, aber jetzt gehörte er dazu. Plötzlich wußte ich: So, als würde diese zerbrechliche Pracht von einem darunter gebauten Motor in Gang gehalten, dieses Schauspiel in seiner Künstlichkeit, auch die Rauchfahnen, die Atemfähnchen. Es war nämlich wegzudenken und daher wiederum im Ansehen so wunderbar vorhanden. Noch immer gibt es die Katze, vermutlich auf dem Heizungsbrett liegend und dabei fallend. Sie fällt mit Kopf, Körper, Schwanz, willenlos hinsackend, sie wird ja aufgehalten. Und dieses Behagen genießt sie jeden Augenblick, zu fallen und dabei nicht weiterzukommen. Über Stunden hinweg gewöhnt sie sich nicht an das Angenehme. Schon früher habe ich sie »Schwarze Köchin« genannt. Erst jetzt weiß ich, weshalb: Sie schmeckt ihre Stimmungen so fein ab, ein bißchen Kälte, ein wenig Bewegung, ein kleiner Schreck, ein zärtliches Vorbeistreichen. Sie bringt ihre Tage damit zu, aus Kleinigkeiten und einigen Extremen immer neu eine Balance höchster Zufriedenheit herzustellen, und ist klug genug, diese Dinge nicht unwillkürlich geschehen zu lassen.

Ich habe Ruth wiedergesehen, hier, in dieser ganz anderen Stadt, wo man nicht sehr überrascht ist, jemanden aus der Vergangenheit zu treffen. Ich hatte geradewegs hochgeschaut zur ehemals mit Dachziegeln aus Goldbronze verkleideten Kuppel des Pantheons, zur Öffnung in der Mitte des Gewölbes, zur im Zenit festgehaltenen Sonne. Wie ich mich früher oft lange Zeit in ein bestimmtes Datum, zum Beispiel Frühlingsanfang, Sommersonnenwende, versenken konnte, vertiefte ich mich nun in die Vorstellung, auf dem die Erde berührenden Grund einer Kugel zu stehen. Als ich etwas zurücktrat, entdeckte ich sie von der Seite her. Ruth, Ruth Wagner, wie eh und je! Sie trug ein teures leichtes Reisekostüm und gehörte offenbar zu einer Gruppe von Leuten, die man über die Sehenswürdigkeiten belehrte, in denen sie sich befanden. Nur im ersten Augenblick wollte ich Ruth begrüßen. Der zweite, dann wirksame Impuls war der, mich vorsichtig zu entfernen. Sie würde sich schon in den ersten Sätzen von dem Häufchen der Mitreisenden distanzieren, und ich hätte ihr erklärt, daß ich mir diesen kurzen Romaufenthalt gönnte, um anschließend ernsthaft den bescheidenen Buchladen Georgs zu übernehmen mit der finanziellen Absicherung durch meinen Vater und das Haus. Jetzt aber, auf dem wackligen Bett meines Pensionszimmers liegend, mit dem Blick auf eine Efeuwand im Schatten und eine fleckige, rot-gelbe Hauswand, deren oberes Drittel aufleuchtet im Licht der westlichen Sonne, sehe ich Ruths magere Beine über den Marmorplatten des Fußbodens, noch einmal im Pantheon, noch einmal, ruhig und für sich allein zwischen den Touristen, Ruth und ihre Reisegruppe, kleine Figuren, in wortlosem, tiefem Staunen von der Kassettenhalbkugel für immer überwölbt.

Als ich zum ersten Mal hier war, bin ich gierig durch die Straßen gelaufen, habe die berühmtesten aufgesucht, andächtig ihre Namen von den Schildern abgelesen und an den Häusern hochgesehen. Hier, in dieser Stadt, hier, in diesen Palästen, mußte endlich das Leben sein, hinter den dunklen Fenstern in einem dritten Stock vielleicht in aller Pracht ausgebreitet oder noch höher, in den Dachgärten. Dort waren die, die wirklich lebten, versammelt und kümmerten sich um nichts anderes als um das, was sie besaßen, was allein ihnen gehörte und sie ganz und sonst niemanden erfüllte. Nun war ich da, in einer der Hauptstädte, in der einzigen Stadt überhaupt, wo das Leben stattfand, und es zeigte sich mir trotzdem nicht. Manchmal schien es heimlich, spöttisch hinter einer Mauer zu atmen. Hier wohnten die großen Stars nicht ohne Grund, aber wo versteckten sie sich, ich wußte doch, daß sie sich hier aufhielten. Unsichtbar blieben sie in ihren glücklichen Lebensnestern verborgen und schwelgten für sich. Ich betrachtete in den Kirchen und Museen die gepriesenen Gemälde, die ich aus meiner Kindheit und Jugend als Reproduktionen von Postkarten und aus Büchern kannte, aber als ich so vor ihnen stand, verloren sie ihren Glanz. In meinem Kopf war schon früh ein Widerschein ihrer angeblichen Größe aufgegangen, jetzt, jetzt sah ich die Hinfälligkeit der Originale. Wie irdisch, wie verloren kamen sie mir vor in ihrer Tatsächlichkeit, wo ich sie hätte berühren können. Sie hingen vor mir und versperrten mir den Blick auf etwas von ihnen einmal Hervorgerufenes, viel Strahlenderes, das sich nun in meinem Gedächtnis verkroch. Hätte ich es nicht den Leuten nachmachen sollen, die draußen auf den Treppen in der Sonne saßen und sich mit Abbildungen in den Katalogen nach einem flüchtigen Rundgang begnügten? So mußte ich mir immer eingestehen: Das ist es! Das ist es! und glotzte dabei auf Wände und dachte: Nichts weiter also! Nichts weiter also! Genauso passierte es mir bei den weltberühmten Bauwerken. Wenn ich vom Plan her wußte, daß an der nächsten Biegung eines vor mir zum unwiederbringlich ersten Mal auftauchen würde, fühlte ich den Wunsch, den Anblick hinauszuzögern. Es würde sich vor mir aufrichten in seiner Endlichkeit, die ich durchschauen mußte, geheimnislos plötzlich, von mir anzufassen und zerstörbar, begrenzt und unabänderlich wirklich geworden. Warum merkte ich damals nicht, was ich jetzt so deutlich erkenne, daß mir alle Winkel dieser Stadt, ihre Steine, ihr Schutt vollkommen vertraut sind? Ich selbst empfinde es fast als respektlos, wie sicher ich ohne Verblüffung einen bisher noch nie angesehenen Platz nach dem anderen, im wesentlichen aber exakt geträumt, entdecke und wie ich ohne Zögern zu Hause bin. Schon auf dem Bahnhof habe ich diesmal vor Freude gestottert, weil ich mit den ersten Schritten spürte, daß diese Stadt nun der einzige Ort ist, der mich aufgeregt und ruhig, wach und friedlich macht, geschaffen für mich, ich wurde in Empfang genommen, umschlossen, wiedererkannt, ganz wechselseitig. Jetzt bin ich da! hätte ich am liebsten in der Bahnhofshalle gesungen, und sofort änderte sich meine Gangart. Ich trank einen Kaffee, lachte zum Schluß in die hohle Tasse hinein und paßte dabei gut auf meine Koffer auf. Hier sitzt mancher, dachte ich, der seine Tage in vollen Zügen genießt und hinterher Bitterliches darüber schreibt.

Es ist dunkel inzwischen. Ich sehe die Lichtleiste unter der Tür, sonst nichts, und weiß nicht, wieviel Zeit vergangen ist. Angezogen liege ich auf dem Bett. Ich bin aufgewacht, ich habe geschlafen, und etwas weckte mich, ein Geräusch vom Flur, eine Kinderstimme, ein Kind, das sehr kläglich nach seiner Mutter ruft, jetzt wieder, monoton, ängstlich, denselben italienischen Satz. Niemand antwortet. Als ich behutsam die Tür öffne, wird hinten, am Ende des Ganges, eine andere zugezogen. Ich lege mich zurück auf mein Bett und spüre nun den Staub der Stadt auf Gesicht und Händen und in mir das leise Brausen, ein Surren wie das Rieseln der Bäume, in den Adern, in den Knochen. Ich kann mich noch immer nicht entschließen, im Zimmer Licht zu machen und nach meiner Uhr zu suchen. Am Fenster stehend, erkenne ich das Efeu vom späten Nachmittag schwach zitternd und, mit geschärften Augen, nach einer Weile eine Hundehütte im Hof, große Blumentöpfe und Blecheimer.

Das Gedrängte, das Gedehnte, das Gespannte, das Gleichmütige, deutlich abgewechselt, ohne Unbestimmtheiten, wie ich es bisher nur aus Büchern kannte: Alles hat mich damals, auf einer Nordseeinsel, so angenehm aufgeregt. Zuwendung, Abwendung, eine Geistesabwesenheit, ein Umschlagen der Stimme: Ich bewegte mich an dieser Kante entlang. Dem Hintergrund der Handlungen dieses einen Mannes konnte ich nicht nachfahren, es genügte mir ja auch, es entzückte mich, ich brauchte nichts zu verstehen. Ich war gebannt von den Konturen, ich sättigte mich daran, es gefiel mir so sehr, wie die Gesten, die Gemütszustände einander ablösten, klar artikulierte Sätze. Ich betrachtete und genoß die für mich undurchsichtigen Resultate, die Echos einer viel umfassenderen Person, die Ausformungen eines mir verborgenen Zusammenhangs und Beweggrunds. Wie sich die Oberfläche so anziehend, so verlockend darüber breitete! Immer mußte ich staunen. Ich war geblendet von diesem einen Vergnügen, so daß ich für ein anderes keine Sinne mehr übrig hatte. Ich stieg auf und stürzte ab und stieg auf nach einer Absicht. Das zu wissen reichte mir vollauf. Was ich aber zu schwach und selten ahnte, habe ich nun als das weitaus Mächtigste begriffen: Ich wurde angesehen mit einer Vorstellung, einer Erwartung! Ich fühlte nur das leise, beharrliche Nachvornsaugen, es muß auch das Schürfen unter den Fußsohlen, weil ich vom bisherigen Boden weggerissen wurde, der allerersten Tage gewesen sein.

Auf dem Flur tuscheln ein Mann und eine Frau, ich erkenne die Stimme der Pensionsinhaberin. Das Flüstern klingt aber anders, es ist ja auch eher die hustende Art, zu einem kurzen Lachen anzusetzen, mit der sie sich verrät. Es wird nicht die schlaftrunkene, unrasierte Hilfskraft aus dem Sessel an der Eingangstür sein, sondern ein Freund, der sie aus dem Kino nach Hause begleitet. Welche Räume für den privaten Gebrauch der Familie und welche für die Gäste sind, ist nicht auszumachen. Zum Frühstück bringt sie mit strengem Gesicht den Kaffee und zwei süße Hörnchen. Jetzt scheint sie vergessen zu haben, daß wenigstens eins der Zimmer nicht leer steht, aber gestern saßen doch einige Leute um den Fernseher in der kleinen Halle. Wo schlafen die? Außerdem leistet sie sich den Luxus eines provisorischen Nachtportiers nicht ohne Grund. Die Frau lacht angeheitert, sorglos drauflos, der Mann spricht lauter auf sie ein.

In der großen Stille, die sich nun ausbreitet, als wäre die frühere durch neue, hohe Räume erweitert worden, eine nicht nur waagerechte Stille, eine über Türme und Kuppeln der Stadt in hohe Luftschichten hinaussteigende, keine allgemeine Weltraumstummheit, beginnt wieder das Surren, Sirren der Bäume, das gedämpfte Dröhnen, das aus der Erinnerung an den Tag stammen muß, denn jetzt liegen die Straßen im Inneren und die der äußeren Bezirke ausgehöhlt und angeleuchtet da, manchmal ein Fleck, rötlich, aufglühend, hier draußen noch rotbraune Stiefmütterchen, gedrängt aus Rabattenrändern wuchernd, und schon der erste, schwere Duft über den Mauern um die finsteren Gärten. Einen Augenblick stellt sich irrtümlich das alte Verlangen ein, loszustürmen und über das Pflaster zu rennen, den Treppen, den Torbögen, der grün wie Meisenbällchen verhängten Straßenfront eines Palastes zu, dem Abfall, dem Gestank, den Baustellen zu, nicht den Tag und nicht die Nacht zu versäumen. Aber gleich ist es wieder vorbei.

Tatsächlich hatte ich damals, um Allerheiligen herum, beschlossen, und friedlich, unverzüglich damit angefangen, egal, wie lange die Prozedur dauern würde, zu sterben. Ich hatte entschieden über die Einleitung. Was sich dann aber bemerkbar machte, war ein verborgenes Goldklümpchen, ein besseres Wissen, zu dem es vorzustoßen galt, das auf der anderen Seite der Waagschale lag und mich trotz des Kummers ins Gleichgewicht zerrte. In meiner Trostlosigkeit versteckte und sperrte sich etwas Täuschendes und behinderte mich in den Planungen. Während alles unter der üblichen Perspektive nach den gewöhnlichen Gesetzen der Liebe verlief, spielte sich darunter oder darüber, ich weiß es nicht, eine ganze andere, zu entdeckende Bewegung ab. Es war noch gar nicht so zu Ende, wie es schien, und in allen Tagesläufen anwesend, auch in meiner Kindheit, in meinem Leben auf den Tod zu. In Wirklichkeit, vermutete ich bisweilen und gegen den Augenschein, steckt in mir etwas Überschäumendes, und das Jammern ist nichts weiter als eine bitterernste Etikette der Gefühle. Noch einmal höre ich Schritte auf dem Flur, wieder ein Mann und eine Frau offenbar, aber wortlos. Ich trinke ein Glas Wasser und esse im Dunkeln ein kaltes Stück Pizza. So kann ich mir gut den Himmel über dem Haus vorstellen, und er füllt sich mit meinen eigenen Sternbildern an:

Vom Bett aus habe ich ihn im Zimmer auf und ab gehen sehen. Manchmal kam er, ohne mich zu berühren, um die Zigarettenasche neben mir auf dem Tischchen abzustreifen. Vielleicht, dachte ich, ist das mein ganzes Leben, zusammengedrängt, mit ihm, nur dieses Herkommen und Weggehen, und ich habe seinen Rücken und sein Gesicht und seine Seiten betrachtet.

Immer war in seinen Augen eine Zuneigung und eine Drohung, mit dem einen stieg auch das andere an, in seinen Annäherungen war immer eine Zurückweisung, in seinen Sätzen ein Angriff. Ich wußte nun, daß man, wie auf einen bestimmten Blick, auch auf eine Art der Berührung sein Leben lang warten kann, und man erkennt sie sofort. Ich sah die Ellipsen von der Höhe des Schlüsselbeins bis zum Gürtel, eine senkrechte Kette ovaler Hautausschnitte, ein stilles Glühen, das entstand, weil das Hemd etwas eng war und die Zwischenräume unter den Knöpfen auseinandergespannt wurden von seiner Brust.

Einmal drückte er beide Handflächen auf einen Cafétisch. Es ergab sich eine schnelle Annäherung unserer Köpfe, wobei er einen sehr hellen Ton ausstieß, eigentlich ein Wort, aber das hatte sich nicht durchgesetzt, viel eher ein Laut, ein knapper, abbrechender Schrei.

Warum mußte es mich denn so treffen, wie er seine Jacke über die Schulter warf, in der anderen Hand die große Reisetasche: eine empfindliche Festung. Warum war es so sehr ein Bild, das ausgerechnet mich verletzte mit Entzücken und Gewalt?

Er war der einzige mir nahestehende Mensch, bei dem ich zum Abschied kein Bedürfnis, noch rasch etwas Versäumtes nachzuholen, spürte. Es war ein Abriß, bis zu dessen Linie alles untadelige, vollkommene Gegenwart blieb.

Ich strecke mich müde in einem unsicheren Bett, meine Fußsohlen brennen, ich fühle außerdem, wie das Goldplättchen, Goldbröckchen ohne Rücksicht auf mich energisch strahlt.

Jetzt, im plötzlich einbrechenden weißen Mittagslicht, liegt mir die Stadt gegenüber, direkt unter dem Himmel mit nach oben drängenden Spitzen, Röhren, Wölbungen, steinernen Windhosen, Schneisen, hochstrebenden Trichtern, Schächten. Und hier, auf der grellen Terrasse der Engelsburg, fallen mir die Stimmen der Nachbarskinder im November ein, wenn sie sich so munter, so mutig in der riesigen, niederdrückenden Nebelmasse als winzige Abhebungen behaupten, und auch die Turmfalken, die ich einmal, als lebendige Bewohner, nach Verlassen des vielfach vergoldeten Inneren eines Domes in freien Schwüngen zwischen Kirche und Himmel kreisen sah. Nichts aber unterscheidet sich von den anderen Bauwerken so sehr wie das Pantheon, das man den sieben planetarischen Göttern weihte, bevor es Ursprungsort des Festes Allerheiligen wurde: der helle Kugelabschnitt, so alt, so fremd und neu wirkend, wie eben niedergelassen, wie frisch gelandet auf seinem vorbereiteten Platz oder schon wieder in ein leichtes Schweben geraten für den Abflug. Die Engelsburg, deren Kanonen man aus der Bronze des Pantheons goß, habe ich bereits bei meinem ersten Aufenthalt als Anblick überschlagen. Immer erschien sie mir beim unwillkürlichen Hinsehen als schiere Masse in einer hier feindseligen, hoffnungslosen Rundheit, bis ins Innerste, stellte ich mir vor, aus stumpfen, toten Blöcken gefügt und bösartig, nach außen abgefeilt, eisern, in sich lastend. Auch jetzt noch kostete mich der Entschluß, sie zu betreten, Überwindung. Welche Verblüffung dann, daß es so leicht gemacht wurde, in sie einzudringen! Ja, Mausoleum, Papstwohnung, Kastell und Garnison, Gefängnis, Hinrichtungsstätte, das wußte ich alles, und nun bin ich so mühelos aus der Düsternis der Rampen zwischen meterdikken Mauern über einen sonnigen Innenhof, an Steinkugelpyramiden und einer Sammlung von Waffen, Rüstungen, Helmen, eleganten Eisenhüten, zur Bewunderung der Schmiedekunst aufbewahrt und gezeigt, vorbei, hochgestiegen in die Zierlichkeit luftiger, über und über farbig ausgemalter Räume, Gemächer der Päpste und vornehmer Gefangener über den Verließen. Ruths 3. Akt der ›Tosca‹! habe ich mir lächelnd gesagt. Hier tat Floria Tosca von der Spitze der Burg ihren tödlichen Opernsturz. So nahe dem Bronzeengel steht man in einem heißen Licht, in einem heftigen Wind, in einer so kräftigen Luftbewegung, daß ich froh bin über meinen engen Rock, um den ich mich nicht weiter kümmern muß. Wer ein Kleid trägt, preßt es an die Oberschenkel. Ich aber kann mich ungeteilt einer Betrachtung der Stadt widmen, über sie hinweg, in sie hinein. Mehr als sonst verrät sie mir auf diese Weise nicht. Was sich bietet, ist ein geheimnisvoller Rundblick, ein geheimnisvoller Überblick in großer Klarheit mit den Anhaltspunkten der markanten Bauwerke. Unten, zwischen den Häusern, findet man sich nicht weniger einfach zurecht. Ich drehe nur den Kopf, schon ergibt sich am Ende einer Straße ein neues Ziel als Wegweiser und leitet mich so von allein weiter. Nur selten gerät man in eine Gasse, auf einen kleinen, leeren Platz, so unerwartet abgeschlossen, daß er eine unkenntliche Gefahr ausschwitzt. Von einer Kirche war ich unterwegs zu einem Museum, von einem Museum zu einer Kirche, ohne Plan, es ergab sich, wie alles hier, von selbst. In der Kirche sah ich ekstatische Gesichter von Marmorheiligen, die Lippen in beängstigender Verzückung geöffnet, im Museum die grund- und bodenlos klaffenden, nichts als schwarz klaffenden Mäuler antiker Theatermasken. Man kann sich nicht verirren, hier muß man sich nicht davor fürchten. Jeder Weg, jede Treppe führt, ruckhaft im Auf- und Absteigen, einen benannten Anblick herbei. Bis zu mir hoch jetzt das Geheul der Unfallsirenen, der Ambulanzwagen, die Straßen aufschlitzend, wie Pflüge aufreißend, die Orientierungslinien auf dem Stadtplan, eingefaßt von Gebäuden aus erstarrtem, runzligem Schaum mit dunklen Fensterlöchern, später vielleicht wie schon einmal an der Trajans-Säule vorbeijagend, deren Reliefspirale sich senkrecht gegen den Himmel windet, das lautlose Getümmel, die scharf konturierten Tumulte des Hauptgeschehens, nach Bedeutung gestaffelt die Flachheit der Hintergründe, manche Städte nur noch in Vogelperspektive, manche Pferde mit Reiter beinahe schon vollplastisch im freien Raum, ein Siegesmonument, ein Bilderfries von Lebensaugenblicken in einer Todesstunde, im Kopf eines Sterbenden, gewundene Atemfahnen, die unsichtbaren Trauer- und Triumphsäulen. In den Straßen, im Gedränge ist immer etwas fieberhaft Vorabendliches, der beginnende Sog eines großen Festes. Mein Herz klopft dann im Gehen, und ich meine nicht nur das eigene, sondern ein allgemeines, wildes Herzschlagen zu hören. Ich weiß, daß mir, gerade während ich über einen Platz gehe, etwas passieren kann: Mir schwindet die Zuversicht, alles wird fremd, ich muß einzeln Schritt vor Schritt setzen, mir fällt ein, daß ich die Stadt wieder verlassen werde. Auf einer schmierigen Stufe sitzen zwei alte, dünne Männer und spielen ein Zeichenspiel mit ihren bloßen Händen, eine Porzellantasse steht bei ihnen im Staub, eine Baustelle zwingt mich zur Umkehr, es gelingt mir nicht, eine große Kreuzung zu überqueren, die Autos sind immer zu schnell. Aber auch das muß nur ausgehalten werden und bleibt doch etwas Bekanntes, und schon bin ich wieder sicher, diesen Ort bei mir zu tragen und für mich jederzeit auseinanderfalten zu können. Es gibt hier gewaltige, halb zerfallene Mauerwerke, Felsburgen in Trümmern, hoch aufgerichtet zwischen den Bahnen der Reisebusse, zur Hälfte bewohnt von Menschen, in einem Altertum hausend ähnlich wie auf Schiffen, die, rascher gealtert, eingemummt sind von Algen und Eis des Ozeans. Quer über die Stadt hinweg, an deren anderem Ende, liegt ein Friedhof mit breiten Straßen, kleinen Totenhäusern, Totentempeln, Wandnischen für die Toten, eine blumenreiche, alleenreiche Totenstadt, so ausgedehnt und still, mit einzelnen Fußgängern, langsam wandelnden und zielstrebig zusteuernden, mit düster drohenden Bereichen, wo jedes Lächeln vergeht unter feierlichen Marmorgesten und strengen Schattengewächsen und, als wäre der Tod hier etwas ganz und gar anderes, mit lichten, hellgrünen, zwitschernden Zonen, als hätte er auf einmal ein anderes, jubilierendes Lebensalter erreicht und wäre über die Trauer hinaus.

Man kann sich auch einbilden, die vier Eingangsfiguren: Besinnung, Schweigen, Hoffnung, Liebe besäßen dort ihre eigenen, einander abwechselnden Bezirke, Reichtum, Armut, alle aber sind Reviere der Toten, die gemeinsam das Gebiet der Lebendigen im Gleichgewicht halten. Noch viel weiter östlich kommt man zu einer Gartenanlage, wo der natürliche, herabstürzende Wasserlauf eines Flusses zum Teil unterbrochen, abgezweigt, in Springbrunnen zerteilt, berechnet und kunstvoll, aufgesplittert, gefächert, gedämmt, gedreht, gewirbelt und aufgebäumt wird. Jetzt aber packt mich neu der Wunsch, so rasch wie möglich in die Stadt schräg unter mir zu laufen und mit Händen und Füßen, Schultern und Knien ihre Steine, Einwohner, ihre Luft und Schaufenster mit den Süßigkeiten in blinkenden Verpackungen zu berühren.

Es ist ein Strömen im Bett der Straßen und Hausmauern. Ich bleibe mit den Absätzen in einem Papierfetzen hängen, ich trete versehentlich vor eine Blechdose. Ich spreche nicht, also stottere ich nicht, aber ich stolpere vor Freude beim Blick durch ein halbgeöffnetes Portal auf einen Innenhof, durch den schwarzen Korridor auf die helle, genau abgegrenzte Insel und stolpere, vorangetragen, schon davon. Früher zog ich in Städten, wie die Eulen in den Verästelungen des Waldes, immer eine Art Nickhaut über meine Augen, eine lichtdurchlässige Schutzhaut, jetzt nicht mehr. Jetzt bin ich es, die alle ansieht, ich betrachte sie alle, soviele ich kann im Vorwärtsgehen, im Wechseln der Straßenseiten, einmal der Sonne, einmal dem Schatten folgend, einmal der Hitze, einmal der Kühle, ein Hin- und Hertauschen von Frösteln und Schwitzen, das ich erzeugen und geschehen lassen kann, die Gesichter, die oberen Stockwerke der Häuserfronten, ein aufleuchtendes Wellenspiel, aufleuchtende Wellenkämme und Verdunkelungen. Wenn man ein Gedicht verstehen will, ist es am leichtesten, wenn man sich das nackte Blatt Papier vorstellt, auf dem Wort für Wort, Zeile für Zeile erscheint, die schwarze Buchstabengestalt auf der weißen Blöße des Hintergrundes, der sie einkreist, den sie von sich stemmt. So muß man sich in diesem Gewimmel die Menschen nackt denken, um ihre Kleidung zu begreifen, wie sie sich Stück um Stück zu dieser angezogenen, gut erkennbaren Figur ausstaffiert haben, so muß man sich den Tod vorstellen, als Unterlage oder Horizont, und diese Stadt mit allen Gebäuden, Autos, Menschen, Katzen schnell von Efeu überwuchert, um dieses Strömen, Atmen, Herzklopfen, um diese Beweglichkeit zu verstehen. Ich denke an die Eulen mit den weichen Außenrändern ihrer Federn, die den Flug lautlos machen, an die scharfen der Taggreife, die nach anderen Gesetzen leben, aber beide mit dem Risiko der Jäger, einem anderen als dem der Fluchttiere. Die Stadt trägt mich und ich trage sie, sie schüttelt sich mit mir in ihrer Kraft wie eine Sängerin in einer Arie, die Töne einzeln modellierte Springbrunnentropfen, schluchzend, auftrumpfend. Die Nonnen, die Mönche, die Priester, unter Hauben, unter runden und viereckigen Hüten, barhäuptig mit einem Zopf im Nacken, in schwarzen Gewändern, bis zu den Schuhen, bis zu den Sandalen: Eines Tages haben sie sich in ihre finsteren Kittel begeben und ab dann darin gelebt, als wären sie in ihnen zur Welt gekommen, die Nonnen, die Mönche, die schönen, die krummen, mit mir, mit allen in der Menge vorwärtsströmend, zurückblickend, mitgeschwemmt, kleine, aus dem Boden senkrecht hervorstehende, fortbewegungsfähige Zapfen wie alle unter dem Weltallhimmel, unter dem internationalen und brausend blauen Himmel, mit leichten und schmerzenden Füßen gehen sie neben denen, die an Spaghetti, Hemden, Rechnungen, Rezepte, Abwasch, Betten denken, und denken einen großen Teil des Tages an Gott, ohne daß man es sieht. Schwarz gekleidet laufen sie kreuz und quer durch die Menschenmassen und denken unsichtbar an Gott und stehen still und schreiten voran in dem Bewußtsein, es direkt unter der Unendlichkeit zu tun, eingekreist, umschlossen von ihr, der weißgrundigen Ewigkeit, und in jeder Regung ihres Hirns, Herzens, ihrer Hände und Beine, Augenbrauen beobachtet zu sein, ohne Pause, ohne Unterbrechung, ohne daß ein Unterschied gemacht wird zwischen dem Zucken der Finger oder der Gedanken, zwischen einem offiziellen oder privaten Ort, zwischen Alltag und Sonntag, Sekunde und Monat, jeden Augenblick einer totalen Betrachtung ausgeliefert, jeden Augenblick durch eine totale Betrachtung bewahrt von einem eifersüchtigen Angesicht. Da gehen sie zwischen uns, so deutlich von uns abgehoben in der Allgemeinheit ihrer Ordenstrachten, und ich selbst, ich gehe, als führe ich mit dem Fingernagel über den Stadtplan, als sähe ich mich und die Stadt aus der Vogelperspektive. Ich selbst, ich denke an die gemalten Engel, die steinernen Engel überall, mit angelegten und ausgebreiteten Flügeln, Tag- und Nachtgreife mit Feueraugen auf dem Ansitz, auf Beutefang. Ich denke, blitzartig durchschießt mich ein wahrhaftiger Schmerz, an die sterbenden Urwälder Südostasiens, als hätte ich mir tief in die Daumenkuppe geschnitten, ich sehe die kleine, schrumpfende Erde, ein Eisbällchen, in diesem Moment, auf einer heißen Zunge. Ich denke, im Geschiebe einer Bushaltestelle, durch das ich hindurch muß, an die alte Kunstpostkarte, an die Versuchung des Antonius: der Heilige, in der Turbulenz seiner Prüfung, der an den weißen Haaren in die zu besiegende Lächerlichkeit gerissene Heilige, das Gegenstück, fällt mir wieder ein, auf der dritten Schauseite des Altars, zu seinem Besuch beim Eremiten Paulus, der, wie eingewachsen, eingedrückt in die Erdoberfläche, mit dürren Armen und spitzen Fingern aus ihr herausragt, diskutierend wie das Geäst, wie die Berge, das Gespräch nach oben, zum Himmel verlängernd. Der Boden brennt mir unter den Füßen, ich spüre ein Schürfen unter den Fußsohlen und das Vibrieren, das leise Dröhnen, das die Stadt trägt und antreibt. Manchmal scheinen winzige, gläserne, goldene Mosaiksteinchen durch die Luft zu stürzen und an meiner Haut vorbeizuschrammen, hitzig und eisig. Ich ruhe nicht aus, ich trete immer nur ganz kurz auf, der Boden brennt mir unter den Füßen. Ich halte mich nicht mehr auf. Die Sekunden fließen in mich und aus mir heraus, immerzu eine Ankunft, immerzu ein Abschied, ein immerwährendes Treppensteigen, auf und ab, ich gehe durch die Abfolge der Augenblicke, als hätte ich weder Vergangenheit noch Zukunft, ich stelle die Gegenwart her. Ich fürchte mich nicht, als hätte ich das persönliche Schicksal verloren, ich sehe an und gleichzeitig darauf zurück, ich habe Anrechte und Wünsche aufgegeben, ich gehe durch ein Netz von Befürchtungen und Begierden, meine eigene Wichtigkeit löst sich auf darin. Wichtig aber ist das Bild, das die Welt durch meine Augen anzunehmen, zu erreichen verlangt. Ich bin einverstanden mit dem, was mir geschieht, ich frage nicht danach, es ist ein Glühen und Herunterbrennen, und jede Bewegung, indem sie vergeht, ist festgehalten in dieser Stadt und wirft Ringe nach allen Seiten, wie jedes Gesicht, der Müden, der Erwartungsvollen, die Zukunft des einen, die Vergangenheit des anderen, Ringe nach vorn und hinten wirft, einsinkende Steine in einen Teich, verbunden miteinander durch meine

Betrachtung. Aber nun, auf einem Platz, mutwillig betreten, jetzt der lange Weg bis zur Mitte, es ist anders, als ich dachte, der Platz greift nach mir in seiner Ausdehnung, ich muß mich besinnen und wieder zu Kräften kommen. Es ist ein Luftanhalten, Anhalten! Anhalten! denke ich, nie wieder ausatmen! Kein leerer Platz mehr, ein gewaltiger Innenraum, ich gehe über die farbigen Kreise und Rechtecke eines Marmorfußbodens. Schritt für Schritt. Vor mir hinkt, mühsam Schritt vor Schritt, ein alter Mann mit einer Krücke, ich gehe so langsam wie er unter der Kassettendecke mit dem ersten Gold aus Amerika, ich will ihn nicht überholen, ein bunter Marmorring nach dem anderen verschwindet in ruckhaften Schüben unter uns. Auch ich gehe ja, von meinem engen Rock jedesmal vor dem Aufsetzen der Füße ein wenig zurückgerissen, ein kleiner Widerstand, gegen den ich mit jedem Schritt ankämpfen muß, ruckhaft. Auf der Hüfte entsteht dabei nun ein Gefühl, als berührte mich dort kurz und heftig eine gewisse Hand, die mich aber, gegenläufig zum Rocksaum, vorwärtsdrängt, an die ich mich, schmerzhaft plötzlich, erinnere. Erst bei der Apsis bleiben wir stehen, unter der schimmernden Mosaikwölbung, wo die gekrönte Maria im Sternenhimmel neben ihrem Sohn triumphiert. Ich sehe hoch wie die Pinguine im Zoo zu den Decken ihrer Grotten, als wären es gelehrte Touristen, hatte ich immer gemeint. Ich sehe hoch, neben dem alten Mann, durch die Pracht anbetender Engel, Heiliger und Auftraggeber hindurch, bis ich nichts mehr sehe.

Brigitte Kronauer bei Klett-Cotta:

»Brigitte Kronauer hat uns dorthin heimgeleuchtet, wo Kunst zu Hause ist, in der Genauigkeit nämlich und in der Emphase.«   *Die Zeit*

Eine Auswahl:

Das Taschentuch
Roman
268 Seiten, gebunden, ISBN 3-608-93220-8

»Die Galerie kunstvoll-lebensnaher erzählter Porträts aus der bürgerlich-mittelständischen westdeutschen Gesellschaft jedenfalls, die diese Schriftstellerin sich und ihren Lesern einrichtet, ist um ein packendes Beispiel reicher.«
Heinrich Vormweg / Süddeutsche Zeitung

Die Frau in den Kissen
Roman
431 Seiten, Leinen, ISBN 3-608-95669-7

Der Roman eines Großstadt-Tages. Er beginnt mit einem Mosaik, mit einer Flucht durch die unzähligen Momente des Alltags. Eine Liebesgeschichte folgt; dann ein Gang durch die Tiergehege in ihrer Pracht. Wie eine Reise durch die Nacht schließlich die Begegnung zweier Frauen; sie mündet in einen Monolog der Erzählerin über den Dächern der Stadt.

Hin-und herbrausende Züge
Erzählungen
134 Seiten, gebunden, ISBN 3-608-93286-0

»In ihrer Präzision und Differenziertheit, nicht zuletzt in dem Wortreichtum, der ihnen zur Entfaltung verhilft, sind diese Zustandsbeschreibungen Kunstwerke von hohem Rang.«
Der Tagesspiegel

Klett-Cotta
www.klett-cotta.de

Brigitte Kronauer im <u>dtv</u>

»Brigitte Kronauer ist die beste
Prosa schreibende Frau der Republik.«
Marcel Reich-Ranicki

Die gemusterte Nacht
Erzählungen
ISBN 3-423-11037-6

Berittener Bogenschütze
Roman
ISBN 3-423-11291-3

Ein Junggeselle, Literatur-
wissenschaftler, auf der Suche
nach dem »schönen Quentchen
Verheißung«. »Voller Leben,
Gegenwart, direkt, komisch,
sinnlich.« (Frankfurter Allgemeine Zeitung)

Rita Münster
Roman
ISBN 3-423-11430-4

»Ein weiblicher Entwicklungs-
roman, ohne Wehleidigkeit, ohne Berufung auf das wärmende
Gruppengefühl. In ihrer starken Individualität, ihren Wider-
sprüchen und ihrem Beharren
auf Glück ist Rita Münster eine
ganz und gar überzeugende
Figur.« (Deutsches Allgemeines
Sonntagsblatt)

Die Frau in den Kissen
Roman
ISBN 3-423-12206-4

Frau Mühlenbeck im Gehäus
Roman
ISBN 3-423-12732-5

Die Lebensgeschichten zweier
Frauen. »Zwei Möglichkeiten,
Wirklichkeit zu erleben.«
(Salzburger Nachrichten)

Das Taschentuch
Roman
ISBN 3-423-12888-7

Die Geschichte eines Apothe-
kers. »Die Galerie kunstvoll-
lebensnah erzählter Porträts
aus der bürgerlich-mittelständischen westdeutschen Gesellschaft ist um ein packendes
Beispiel reicher.« (Süddeutsche
Zeitung)

Schnurrer
Geschichten
ISBN 3-423-12976-X

Teufelsbrück
Roman
ISBN 3-423-13037-7

»Ein großer poetischer Roman
über die Elbe, die Liebe und
die Romantik in unromanti-
scher Zeit.« (Die Zeit)

Pat Barker im <u>dtv</u>

Die Trilogie über den Ersten Weltkrieg:

Niemandsland
Roman
Übers. v. Matthias Fienbork
ISBN 3-423-12622-1

Das Auge in der Tür
Roman
Übers. v. Matthias Fienbork
ISBN 3-423-12800-3

Die Straße der Geister
Roman
Übers. v. Matthias Fienbork
ISBN 3-423-13005-9

»Pat Barkers Blick gilt mit rücksichtsloser Genauigkeit den Menschen, die den Krieg erleiden, und sie erschafft dabei ein gewaltiges Gesellschaftspanorama.« Dieter Forte im ›Spiegel‹

Das Gegenbild
Roman
Übers. v. Barbara Ostrop
ISBN 3-423-13093-8

Nick und Fran haben eine alte Villa gekauft für ihre zusammengewürfelte Familie. Aber auch im neuen Haus ist das Zusammenleben alles andere als harmonisch. Ein schockierendes Wandgemälde aus viktorianischer Zeit konfrontiert sie alle mit einer bösen Vergangenheit.

Der Eissplitter
Roman
Übers. v. Barbara Ostrop
ISBN 3-423-24351-1

Ein charismatischer junger Mann, der als Kind einen Mord begangen hat, taucht nach zwölf Jahren plötzlich bei dem Psychologen auf, der damals bei dem Prozeß als Gutachter ausgesagt hat. Was hat er vor?

Bitte besuchen Sie uns im Internet: www.dtv.de

Markus Werner im dtv

Zündels Abgang
Roman
ISBN 3-423-10917-3

Das Ehepaar Zündel hat getrennt Urlaub gemacht. Als
Konrad heimkehrt, bereitet
ihm Magda einen sehr reservierten Empfang. Zündel
plant seinen Abgang.

Froschnacht
Roman
ISBN 3-423-11250-6

Franz Thalmann ist Pfarrer,
Ehemann und Familienvater,
bis eines Tages sein Reißver-
schluß klemmt ... »Ein heim-
licher Zeitroman, der Dinge
und Geschehnisse benennt,
die nur scheinbar weit weg
von uns sind ... Den Schuß ins
Herz spürt man erst später.«
(Frankfurter Rundschau)

Die kalte Schulter
Roman
ISBN 3-423-11672-2

Moritz, Kunstmaler, lebt von
Gelegenheitsarbeiten. Sein
einziger Halt ist Judith, die
einen sicheren Beruf und
einen gesunden Menschen-
verstand hat.

Bis bald
Roman
ISBN 3-423-12112-2

Lorenz Hatt, Denkmalpfleger,
lebt mehr oder weniger unbekümmert vor sich hin – bis
sein Herz schlappmacht ...
»Erneutes Staunen, Spannung,
Vergnügen an Werners Lako-
nik und Komik.« (SZ)

Festland
Roman
ISBN 3-423-12529-2

Sie leben beide in Zürich,
doch sie kennen sich kaum.
Eines Tages aber kommen der
Vater und seine nichteheliche
Tochter ins Gespräch. »Was
mich berührt hat: der wunder-
bare Ton dieses Buches.«
(Marcel Reich-Ranicki)

Der ägyptische Heinrich
Roman
ISBN 3-423-12901-8

Eine faszinierende Spuren-
suche: Familiensaga, Reise-
bericht, historischer Roman
und viel mehr. »Spannend,
intelligent, witzig.« (Thomas
Widmer in ›Facts‹)

Uwe Timm im dtv

»Als Stilist und Erzähler sucht Uwe Timm
in Deutschland seinesgleichen.«
Christian Kracht in ›Tempo‹

Heißer Sommer
Roman
ISBN 3-423-12547-0

Johannisnacht
Roman
ISBN 3-423-12592-6
»Ein witzig-liebevoller Roman
über das Chaos nach dem Fall
der Mauer.« (Wolfgang Seibel)

Der Schlangenbaum
Roman
ISBN 3-423-12643-4

Morenga
Roman
ISBN 3-423-12725-2

Kerbels Flucht
Roman
ISBN 3-423-12765-1

Römische Aufzeichnungen
ISBN 3-423-12766-X

**Die Entdeckung der
Currywurst** · Novelle
ISBN 3-423-12839-9
und dtv großdruck
ISBN 3-423-25227-8
»Eine ebenso groteske wie
rührende Liebesgeschichte ...«
(Detlef Grumbach)

Nicht morgen, nicht gestern
Erzählungen
ISBN 3-423-12891-7

Kopfjäger
Roman
ISBN 3-423-12937-9

Der Mann auf dem Hochrad
Roman
ISBN 3-423-12965-4

Rot
Roman
ISBN 3-423-13125-X
»Einer der schönsten, span-
nendsten und ernsthaftesten
Romane der vergangenen
Jahre.« (Matthias Altenburg)

Am Beispiel meines Bruders
ISBN 3-423-13316-3
Eine typische deutsche Fami-
liengeschichte. »Die Jungen
sollten es lesen, um zu lernen,
die Alten, um sich zu erinnern, und alle, weil es gute
Literatur ist.« (Elke Heiden-
reich)

Uwe Timm Lesebuch
Die Stimme beim Schreiben
Hg. v. Martin Hielscher
ISBN 3-423-13317-1

Bitte besuchen Sie uns im Internet: www.dtv.de

Binnie Kirshenbaum im dtv

**Ich liebe dich nicht und
andere wahre Abenteuer**
Übers. v. Christine Groß

ISBN 3-423-11888-1

Zehn ziemlich komische
Geschichten über zehn
unmögliche Frauen.

**Kurzer Abriß meiner
Karriere als Ehebrecherin**
Roman
Übers. v. Barbara Ostrop

ISBN 3-423-12705-8

Eine junge New Yorkerin, verheiratet, linkshändig, hat drei
außereheliche Affären nebeneinander. »Am Ende fragt sich
der Leser amüsiert: Gibt es eine
elegantere Sportart als den
Seitensprung?« (Franziska
Wolffheim in ›Brigitte‹)

Mermaid Avenue
Roman
Übers. v. Barbara Ostrop

ISBN 3-423-12787-2

Ich, meine Freundin und all
diese Männer … Mona und
Edie lernen sich im College
kennen und stellen sofort
Seelenverwandtschaft fest.

Als hielte ich den Atem an
Roman
Übers. v. Barbara Ostrop

ISBN 3-423-12979-4

Lila ist Lyrikerin. Über Sex
weiß sie alles, nur die Liebe
war ihr bislang noch fremd.

Keinen Penny für nichts
Übers. v. Patricia Reimann

ISBN 3-423-24128-4

Verrückte Geschichten von
verletzlichen Frauen.

**Entscheidungen in einem
Fall von Liebe**
Übers. v. Patricia Reimann

ISBN 3-423-24347-3

Eine jüdische New Yorkerin
kommt nach München und
verliebt sich in einen deutschen Professor. Ist Liebe die
Antwort auf heikle Fragen
nach der Vergangenheit?

Kleine Philosophie der
Passionen
Flohmärkte
Übers. v. Lutz-W. Wolff

ISBN 3-423-20610-1

Bitte besuchen Sie uns im Internet: www.dtv.de

Lilian Faschinger im <u>dtv</u>

»Diese Autorin ist eine leidenschaftliche Erzählerin, eine, die sich auf die Kraft ihrer Sprache verläßt und der das Entwickeln eines Plots sichtbares Vergnügen bereitet.«
Meike Fessmann in der ›Süddeutschen Zeitung‹

Magdalena Sünderin
Roman
ISBN 3-423-12430-X

Sieben Morde, sieben Liebesaffären, eine Tour de force durch halb Europa sowie durch alte und neue literarische Mythen: die Geschichte einer Mörderin aus Leidenschaft.
»Amüsant, boshaft-witzig, hintersinnig.« (Stuttgarter Zeitung)

Wiener Passion
Roman
ISBN 3-423-12925-5

In Wien stößt die amerikanische Sängerin Magnolia Brown auf ein fast hundert Jahre altes Schriftstück: die Lebensbeichte der Mörderin Rosa Havelka.
»Ein hinreißender Roman – bunt, spannend, skurril. Und voll Sympathie für den verführerischen Geist der Stadt.« (Berliner Morgenpost)

Die neue Scheherazade
Roman
ISBN 3-423-13148-9

Scheherazade Hedwig Moser ist Austro-Perserin und macht ihrem Vornamen alle Ehre…
»Ein originelles literarisches Verwirrspiel.« (Abendzeitung, München)

Frau mit drei Flugzeugen
Erzählungen
ISBN 3-423-12353-2

Äußerlich scheint alles normal. Und doch ist die Welt, die man in diesen zehn Erzählungen betritt, nicht ganz geheuer. »Zupackend wie ein Psychothriller regen die Geschichten die Phantasie an… Aber niemals – und jedesmal ist man von neuem überrascht – kommt der Schluß so wie erwartet.« (Hella Kaiser im Berliner ›Tagesspiegel‹)

Paarweise
Acht Pariser Episoden
ISBN 3-423-13284-1

In Paris kreuzen sich Lebensläufe, Menschen begegnen sich, verlieben sich, trennen sich… »Ein wunderbares Buch.« (ORF)

Bitte besuchen Sie uns im Internet: www.dtv.de

Botho Strauß im dtv

»Ein Erzähler, der für Empfindungen der Liebe
Bilder von einer Eindringlichkeit findet, wie sie in der
zeitgenössischen Literatur ungewöhnlich sind.«
Rolf Michaelis

Die Widmung
Eine Erzählung
ISBN 3-423-10248-9

»Die Geschichte einer
Trennung überrascht nicht
nur durch sprachlichen und
gedanklichen Reichtum, sondern auch durch Humor.«
(Rolf Michaelis)

Paare, Passanten
ISBN 3-423-10250-0

Ein Mosaik unserer Medien-
und Konsumgesellschaft.

Kalldewey
Farce
ISBN 3-423-10346-9

Abbild unserer Wirklichkeit,
Seelendrama und Psychofarce.

Rumor
Roman
ISBN 3-423-10488-0

Die Lebenskrise eines
Intellektuellen.

Die Hypochonder
Bekannte Gesichter,
gemischte Gefühle
Zwei Theaterstücke
ISBN 3-423-10549-6

Der junge Mann
Roman
ISBN 3-423-10774-X

Es beginnt mit den Schwierigkeiten eines jungen Regisseurs,
›Die Zofen‹ zu inszenieren,
geht über in ein modernes
Märchen, die Beschreibung
eines utopischen Volkes und
eine erotische Spukgeschichte.

Die Fremdenführerin
Stück in zwei Akten
ISBN 3-423-10943-2

Kongreß
Die Kette der Demütigungen
ISBN 3-423-11634-X

Angelas Kleider
Nachtstück in zwei Teilen
ISBN 3-423-12437-7

Theaterstücke I
1972–1978
ISBN 3-423-11747-8

Theaterstücke II
1981–1991
ISBN 3-423-11748-6

Theaterstücke III
1993–1999
ISBN 3-423-12853-4

Bitte besuchen Sie uns im Internet: www.dtv.de

Botho Strauß im <u>dtv</u>

Bitte besuchen Sie uns im Internet: www.dtv.de

Anna Mitgutsch im dtv

»Hier ist eine Autorin am Werk, die in puncto psychologischer Kompetenz nicht so leicht ihresgleichen hat.«
Dietmar Grieser in der ›Welt‹

Die Züchtigung
Roman
ISBN 3-423-10798-7

Eine Mutter, die als Kind geschlagen und ausgebeutet wurde, kann ihre eigene Tochter nur durch Schläge zu dem erziehen, was sie für ein »besseres Leben« hält. Ein literarisches Debüt, das fassungslos macht. »Dieses Buch muß gelesen werden…, weil es eines der wenigen Bücher ist, die in ihren Leser/innen etwas bewirken, etwas bewegen, vielleicht auch etwas verändern.« (Ingrid Strobl in ›Emma‹)

Das andere Gesicht
Roman
ISBN 3-423-10975-0

Sonja und Jana verbindet von Kindheit an eine fragile, sich auf einem schmalen Grat bewegende Freundschaft. Später gibt es Achim, den beide lieben, der beide begehrt, der sich – ein abenteuernder, egozentrischer Künstler – nicht einlassen will auf die Liebe …

Ausgrenzung
Roman
ISBN 3-423-12435-0

Die Geschichte einer Mutter und ihres autistischen Sohnes. Eine starke Frau und ein zartes Kind erschaffen sich selbst eine Welt, weil sie in der der anderen nicht zugelassen werden.

In fremden Städten
Roman
ISBN 3-423-12588-8

Eine Amerikanerin in Europa – zwischen zwei Welten und keiner ganz zugehörig. Sie verläßt ihre Familie in Österreich und kehrt zurück nach Massachusetts. Doch ihre Erwartungen wollen sich auch hier nicht erfüllen … »Mitgutsch schreibt, als ginge es um ihr Leben.« (Erich Hackl in der ›Zeit‹)

Haus der Kindheit
Roman
ISBN 3-423-12952-2

Heimat, die es nur in der Erinnerung gibt: eine eindringliche Geschichte vom Fremdsein.

Fay Weldon im <u>dtv</u>

»Fay Weldon lesen ist wie Champagner trinken.«
The Times

Die Teufelin
Roman
Übers. v. Werner Waldhoff
ISBN 3-423-20616-0

Lange erträgt Ruth die Eskapaden ihres Mannes.
Doch dann schlägt sie zurück …

Hier unten bei den Frauen
Roman
Übers. v. Isabella Nadolny
ISBN 3-423-11515-7

Ein Haufen Freundinnen und ihr turbulentes Leben.

Die Klone der Joanna May
Roman
Übers. v. Sigrid Ruschmeier
ISBN 3-423-11671-4

Der Ex-Gatte hat Joanna klonen lassen. Erschreckt
sucht sie ihre vier Kopien.

Der Mann ohne Augen
Stories
Übers. v. Sigrid Ruschmeier u. Sabine Hedinger
ISBN 3-423-11778-8

Vierzehn Geschichten über das, was man gerne
zwischenmenschliche Beziehungen nennt.

Bitte besuchen Sie uns im Internet: www.dtv.de

Penelope Lively im dtv

»Penelope Lively ist Expertin darin, Dinge von
zeitloser Gültigkeit in Worte zu fassen.«
New York Times Book Review

Kleopatras Schwester
Roman
Übers. v. Isabella Nadolny
ISBN 3-423-08435-9

Eine Gruppe von Reisenden
in der Gewalt eines größen-
wahnsinnigen Machthabers.

London im Kopf
Übers. v. Isabella Nadolny
ISBN 3-423-11981-0

Bei einem ehrgeizigen Bau-
projekt in den Londoner
Docklands wird die Vergangenheit der Stadt für Matthew
Halland lebendig.

Der wilde Garten
Roman
Übers. v. Jörg Toebelmann
ISBN 3-423-12336-2

Helen und Edward leben in
einem großen Haus mit wildem Garten. Nach dem Tod
ihrer Mutter gerät das Leben
der Geschwister plötzlich in
Bewegung.

Hinter dem Weizenfeld
Roman
Übers. v. Isabella Nadolny
ISBN 3-423-12515-2

Ein Roman von Müttern und
Töchtern, Untreue und Eifersucht, Selbstbetrug und Soli-
darität.

**Die lange Nacht von
Abu Simbel**
Erzählungen
Übers. v. Isabella Nadolny
ISBN 3-423-12568-3

Moon Tiger
Roman
Übers. v. Ulrike Budde
ISBN 3-423-12860-7

»Die Heldin ist eine Historike-
rin namens Claudia Hampton.
Das eigentliche Zentrum des
Romans aber ist die Geschichte
selbst …« (Anne Tyler)

Ein Schritt vom Wege
Roman
Übers. v. Sigrid Ruschmeier
ISBN 3-423-20697-7

Als Annes Vater sein Gedächtnis verliert und sie seine Papiere
ordnet, erfährt sie erschütternde
Dinge über sein Leben.

Heckenrosen
Roman · dtv premium
Übers. v. Susanne
Kundmüller-Bianchini
ISBN 3-423-24192-6

Stella Brentwood hat For-
schungsreisen um die ganze
Welt gemacht. Jetzt läßt sie sich
von ihren Aufzeichnungen in
die Vergangenheit zurückver-
setzen.

Bitte besuchen Sie uns im Internet: www.dtv.de